ÉPOCAS LITERARIAS Y EVOLUCIÓN

II

BIBLIOTECA ROMÁNICA HISPÁNICA

DIRIGIDA POR DÁMASO ALONSO

II. ESTUDIOS Y ENSAYOS, 311

CARLOS BOUSOÑO

ÉPOCAS LITERARIAS Y EVOLUCIÓN

EDAD MEDIA, ROMANTICISMO,
ÉPOCA CONTEMPORÁNEA

BIBLIOTECA ROMÁNICA HISPÁNICA
EDITORIAL GREDOS
MADRID

© CARLOS BOUSOÑO, 1981.

EDITORIAL GREDOS, S. A.
Sánchez Pacheco, 81, Madrid. España.

Depósito Legal: M. 2887 - 1981.

ISBN 84-249-0060-X. Obra Completa. Rústica.
ISBN 84-249-0061-8. Obra Completa. Tela.
ISBN 84-249-0064-2. Tomo II. Rústica.
ISBN 84-249-0065-0. Tomo II. Tela.

Impreso en España. Printed in Spain.
Gráficas Cóndor, S. A., Sánchez Pacheco, 81, Madrid, 1981. — 5201.

Capítulo XVI

EL IDEALISMO MEDIEVAL: VISIÓN GENÉRICA DE LO INDIVIDUAL

MATERIALISMO DE FORMA E IDEALISMO DE SENTIDO

La relativa ausencia de individualismo lleva a un primitivismo relativo; consiste éste en cierta merma en el uso de las dotes racionales, y, por tanto, conlleva una percepción ascendente que, para apoderarse del concepto unitario de totalidad, necesita previamente hacerse cargo, analíticamente y una a una, de las sucesivas partes de que aquella totalidad se compone. El primitivismo es, en conclusión, particularista, y con tendencias irreprimibles a la generalización. (De modo aún más rápidamente comprensible, y desde otro punto de vista muy distinto, podríamos decir: al no haber individualismo, no interesa la individuación.) Así podemos compendiar cuanto hasta aquí llevamos dicho, y deducir que la propensión generalizadora propia de la Edad Media procede mediata e inmediatamente de escasez en la concepción individualista. Inmediatamente, pues esa escasez supone, en sí misma y por definición, desinterés hacia lo puramente individual, o lo que es lo mismo, atención preferente a lo genérico; y mediatamente, ya que el particularismo, que de esa escasez nace, conduce, como sabemos, a idéntico resultado: a un tipo de intelección idealista, que se concentra, sobre todo, en el lado universal de los seres, relegando a segundo lugar lo que esos seres tienen de singulares y únicos.

Idealismo, pues. Pero ¿no hemos quedado en que la Edad Media era materialista? Materialismo e idealismo son términos antitéticos, y, en principio, entre sí repelentes. Pero, claro está que sólo se repelerán cuando los usemos en idéntico sentido y refiriéndolos al mismo aspecto de la realidad. Nosotros no los utilizamos de esa manera inconciliable. La Edad Media es idealista, pues trata a las criaturas como si fuesen géneros; pero su primitivismo le proporciona cierto grado de torpeza en el manejo de lo puramente abstracto y general, de modo que necesita ver lo abstracto, lo general, encarnado en lo material y concreto (materialismo). Notemos, pues, que el materialismo es, un *medio*, y el idealismo, un *fin*. Se es materialista *para poder ser* idealista. La relación entre materialismo e idealismo es, en esa época, la misma que hay entre aquello que significa y la cosa significada, entre forma y fondo. El medievo se sirve de una forma materialista para expresar un fondo idealista. Diríamos que el materialismo medieval *significa* o *dice* su idealismo. Se trata siempre (repásese el capítulo XIII) de dar cuerpo tangible a una idea. Lo que importa no es ese cuerpo en cuanto tal, sino la idea general que ha sido en él depositada. Ese cuerpo no se toma ni entiende en sí mismo, en lo que tiene de individualidad, sino en su propósito de universal sentido. Cuando Jorge Manrique escribe que su padre era «en la bondad un Trajano», emplea la palabra Trajano para designar, no un individuo, un género: el tropel de los bondadosos; cuando el Arcipreste de Hita afirma que ciertas gentes «prometen mucho trigo, dan poco pajatamo», el vocablo «trigo» y el vocablo «pajatamo» no encierran el concepto habitual, sino otro mucho más amplio: «trigo» es tanto como «cosa de gran valor»; «pajatamo», «cosa sin valor alguno». El materialismo medieval es el modo de expresar el idealismo. El idealismo aparece, pues, paradójicamente, con frecuencia, bajo figura material. Es un idealismo materialista.

EL «REALISMO» FILOSÓFICO DE LA EDAD MEDIA

Proclividad generalizadora y desdén por lo individual. ¿Nos extrañará que, en esas condiciones, la Edad Media tienda a un pensamiento que niega realidad sustantiva a las cosas singulares y, por el contrario, se la concede absoluta a los genéricos «universales»? Tal es, en efecto, lo que ocurre, como es de sobra conocido, en el desenfrenado idealismo del llamado «realismo filosófico», que en forma radical o atenuada tan vigente estuvo hasta comienzos del siglo XIV (San Anselmo, Guillermo de Champeaux, San Alberto Magno, Santo Tomás). Hasta comienzos del siglo XIV, o mejor, hasta entrado el siglo XIV (Guillermo de Ockam), pues el nominalismo de Duns Scoto es sólo mera insinuación y no doctrina perfilada y adulta. No dejemos pasar sin subrayarlo el dato cronológico. Justamente es en el siglo XIV cuando la conciencia individualista adquiere ya, según sabemos, un primer punto de sazón, no suficiente, sin embargo, vuelvo a decir, para alterar cualitativamente el sistema del medievo. Véase, pues, que aquí estamos (coincidiendo en parte con Hauser) volviendo del revés la interpretación ordinaria de los fenómenos medievales, según la cual el aprecio de lo individual en el arte y la literatura de los siglos XIV y XV sería resultado del nominalismo, mientras que, por el contrario, sería fruto de la opuesta tesis «realista» la tendencia generalizadora que triunfa con anterioridad a esas fechas. La filosofía es algo que el hombre hace, lo mismo que el arte o la literatura, etc. Y no debemos, al menos en principio, explicar últimamente «lo que el hombre hace» por «lo que el hombre hace», pues en tal caso resolveríamos un problema, pero sólo para volver a plantéarnoslo del mismo modo en otro lugar. Si en Hita, en Ayala o en la escultura gótica encontramos una valoración nueva de lo puramente individual, no salimos de dudas situando ese hecho en contacto de filiación con la postura nominalista de los filósofos, reivindicadores también de la singularidad, pues el carácter misterioso del fenómeno no se desvanece con tal relación: meramente se desplaza. Nuestra mente se tranquiliza acaso en lo que toca al arte y la literatura, pero no por eso permanece menos turbada en lo que respecta a la filosofía. Pues siempre quedaría en pie la inquietante cuestión de por qué los pensadores habían llegado a esa intuición individualizante, que antes sólo esporádica y pobremente pudo ser expresada (por ejemplo en Roscelino de Compiègne).

El enigma se aclara si nos lo proponemos al revés de como ha sido habitual: partiendo de la situación vital del hombre y no de alguno de sus resultados espirituales. El individualismo nominalista y el plástico o literario tendrían así, para nosotros, un origen común: la previa modificación en igual sentido del hombre, que ha adquirido ya, a través de ciertas experiencias políticas y sociales que antes hemos mencionado, una más diáfana conciencia de sí mismo y de sus posibilidades personales. Ello no impide, por supuesto, que, a su vez, las diversas manifestaciones culturales que ese soporte humano así transformado produce puedan influirse entre sí. Lo único que sentamos aquí con firmeza es que esas posibles conexiones no son primaria sino secundariamente explicativas (cuando en efecto lo sean). Y es que, como se ha dicho más de una vez, ni siquiera las verdades objetivas, y que como tales aspiran a la universalidad, dejan de portarse como circunstanciales en tanto que sólo se dejan pensar desde el interior de una circunstancia o situación[1]. Nosotros añadimos: una circunstancia o situación que produce una visión del mundo y en cuanto que la produce.

Afirmar los universales como cosas, y como cosas absolutas con existencia extramental, anterior a los individuos; suponer que tales universales, y no las diferencias individuales, constituyan lo verdaderamente esencial, sería, pues, a nuestro juicio,

---

[1] José Ortega y Gasset, «El tema de nuestro tiempo», en *Obras Completas*, III, Madrid, ed. Revista de Occidente, 1950, págs. 197-203, y especialmente, pág. 199; véase también Julián Marías, *Introducción a la Filosofía*, Madrid, ed. Revista de Occidente, 1956, págs. 95-143 (capítulos titulados «La función vital de la verdad» y «Verdad e historia»).

un primer resultado de la insuficiente individuación, o sea, del particularismo, con que hemos querido imaginarnos al hombre de esa época.

ESCASO SENTIDO DE ORIGINALIDAD

El resultado segundo de ello sería éste, que, por ofrecer bulto máximo, no ha podido pasar inadvertido a la atención de los críticos: el escaso sentido de originalidad que el artista medieval manifiesta. La explicación que unánime pero implícitamente se da de este hecho se aparta bastante de la que aquí nos atrevemos a sustentar, y debo añadir que no por parcial deja de ser igualmente cierta. Se dice, en efecto, y con razón sin duda, que el arte de la Edad Media no busca, en principio, efectos formales; antes bien, se propone adoctrinar, inculcar con deleite y dulzura las verdades eternas. El arte sería un medio y no un fin. Y claro está, agregamos nosotros, que una verdad ofrece más garantías cuantas más personas se hayan adherido a ella. De ahí la insistencia con que el escritor de aquellos tiempos, por lo menos hasta el siglo xiv, hace referencia a sus fuentes, de las que procura no apartarse, pues hacerlo constituiría «follía», locura y, en cierto modo, pecado:

> De cual modo salió decir non lo sabría,
> ca fallesció el libro en que lo aprendía;
> perdióse un cuaderno, mas non por culpa mía.
> Escribir a ventura sería gran follía [2].
>
> En escrito yaz esto, sepades, non uos miento [3].
> Etc.

La Edad Media, tomada en bloque y como a vista de pájaro, vive del tópico, como se ha hecho constar muchas veces, de la repetición incesante de las mismas fórmulas e ideas. El pen-

---

[2] Berceo, *Vida de Santo Domingo de Silos*, estrofa 751, en *op. cit.*, página 63.
[3] *El libro de Alexandre*, estrofa 11, en *Poetas castellanos anteriores al siglo XV*, Madrid, Biblioteca de autores españoles, t. LVII, 1952, pág. 147.

samiento de la época parece ofrecer una resistencia granítica
a la disolución propia del paso del tiempo, y sólo muy lenta-
mente se deja vencer por los años. Los poetas se copian esquemas expresivos, ideas y hasta sentimientos; los escultores y
pintores hacen algo similar en su esfera plástica. Ni que decir
tiene que nuestras palabras son sumamente relativas, y que,
dentro de esa tónica general, en que la originalidad cuenta
poco, cabían obras que, miradas con ojos históricos, podían ofrecer carácter, y hasta apartarse en algún punto, e incluso en
bastantes, de la todopoderosa tradición. Nada de ello empece
a la evidencia de nuestra consideración panorámica del conjunto. Algo semejante diríamos en cuanto a la distinta fuerza
que damos a nuestra aseveración según se trate de un siglo u
otro de la Edad Media. Todavía en el siglo XIII, el Mester de
Clerecía ofrece un estilo de equipo que el siglo XIV no nos manifiesta en la misma proporción. Exagerando un poco diríamos
que el *Libro de Apolonio*, el *Poema de Fernán González*, el de
Alexandre y la obra de Berceo casi parecen de un mismo autor
en diversos grados de poder creador, mientras que el *Libro de
Buen Amor*, y en menor escala la obra de Don Juan Manuel,
ostentan un recio acento personal, que, por otra parte, no vemos con ese vigor en otras obras del trescientos. Y precisamente por existir en la obra del gran magnate castellano una
pretensión consciente de originalidad[4] que le lleva al intento,
según frase de María Rosa Lida[5], de borrar de sus · escritos
toda «huella de taller», se hace especialmente interesante examinar en ella un pormenor estilístico que nos revela hasta qué
punto, aun en este siglo tan individualista ya, el sentido de la
originalidad no ha ido demasiado lejos. La originalidad de una
obra, en efecto, se puede medir de dos modos diferentes. En

---

[4] José Manuel Blecua nos ha hecho ver cómo en el *Libro infinido*
el autor tiene «estilo personal» y se basa en sus propias experiencias, y
no en los libros. Véase Don Juan Manuel, *Libro infinido y tractado de la
Asunción*, Granada, Universidad de Granada, 1952, «Introducción» de José
Manuel Blecua, págs. XXIV-XXXVII.

[5] María Rosa Lida de Malkiel, «Tres notas sobre don Juan Manuel»,
en *Romance Plilology*, vol. IV, 1950-1951, pág. 181.

primer lugar, hace referencia a la tradición coetánea o anterior. Don Juan Manuel, aunque toma mucho (no podía ser menos en esa época) de la literatura ya escrita, procura darnos como extraídos de la experiencia personal algunos de los casos que narra. Pero la originalidad no consiste sólo en no repetir a los demás. Hay un grado superior de ella que don Juan Manuel desconoce aún y que consiste en no repetirse a sí mismo. El estilo de don Juan Manuel, machacón e insistente, ignora el encanto de la variación estilística. No me refiero a la reiteración de vocablos, a la que la inmadurez de la lengua le condenaba, sino a otra cosa que sí habría podido evitar de haber experimentado la precisión de originalidad más radicalmente y más desde el interior de su ser. Pues la monotonía de este gran escritor es una monotonía en profundidad. Allende el léxico, afecta a la estructura de toda su obra, sin excluir el *Conde Lucanor*, donde la índole misma de su contenido la hace menos notable. A don Juan Manuel le interesa poco o nada la modificación del enfoque y la perspectiva desde la que nos habla. Pondré algunos ejemplos. En el *Libro de los Estados*, el infante, adoctrinado por Julio, y tras haberle escuchado, toma la palabra en estos términos:

> Con lo que habedes dicho puedo asaz entender cuanto me cumple del estado de los papas; por ende vos ruego que me fabledes desde aquí adelante en los otros estados de clerecía.

Julio complace su curiosidad. El infante vuelve a hablar:

> Bien tengo que asaz complidamente me habedes fablado en el estado de los cardenales, et pues esto habedes fecho, ruégovos que me fabledes en los otros estados de la iglesia.

Julio le expone la situación de los patriarcas. Cuando ha terminado su peroración, el insaciable doctrino insiste:

> Pues en el estado de los patriarcas me hablades fablado asaz complidamente, ruégovos que me fabledes de aquí adelante en los otros estados de la iglesia.

El paciente Julio le habla de los arzobispos. Infante:

> Et pues esto me habedes dado a entender, ruégovos que me fabledes en los demás estados de la clerecía.

Una vez que su preceptor le ha enseñado cuanto sabe acerca de los obispos, el infante dice:

> Mucho me place desto que me habedes dicho; ruégovos que me digades de aquí adelante lo que entendedes en todos los otros estados de la iglesia.

Al acabar Julio su discurso sobre los abades, su discípulo vuelve a su monocorde registro:

> Pues en el estado de los abades me habedes dicho lo que cumplía, fabladme en los otros estados de la iglesia como me fablastes hasta agora.

Y así continúa el infante hasta la extenuación del lector, repitiendo con ligerísimas variantes sus mismas frases, sin la menor condescendencia al posible cansancio. Lo propio ocurre en otros aspectos, como comprobamos sin necesidad de salir de la obra que acabamos de considerar. En ella, el autor pasa revista a los diferentes estados y oficios. Al terminar la exposición de cada uno de ellos, dice, indefectiblemente, sobre poco más o menos y *mutatis mutandis*, esto, que refiere a los «defensores»:

> Por ende son en gran peligro del salvamiento de las almas los defensores que viven en estos estados.

Comprobémoslo: el camarero:

> Et por el grant aparejamiento que ha de facer malas obras et encubiertamente por ende es muy peligroso el su oficio para salvamiento del alma.

El despensero:

> Por todas estas maneras el oficio del despensero es muy peligroso para salvamiento del alma.

El menestral y otros oficiales menores:

> Por ende son sus estados muy peligrosos para salvamiento de las almas.

Etc.

Veamos otro libro: el llamado «Infinido». Después de hablar de lo que conviene para el salvamiento de las almas, leemos:

> Et la prueba de todas estas cosas es que los que así fizieron, les fizo Dios mucho bien, et se fallaron ende bien, et al contrario.

En el capítulo II, dirigido a procurar la salud del cuerpo, dice al final:

> Et la prueba de todas estas cosas es que los que esto fizieron, se fallaron ende bien, et al contrario.

Capítulo III: sobre la crianza de los grandes. Palabras postreras:

> Et la prueba es que todos los que así fizieron, se fallaron ende bien, et al contrario.

Capítulo IV: cómo deben los nobles comportarse con los reyes. Conclusión del autor:

> Et la prueba desto es que todos los grandes que estas cosas guardaron con los reis sus sennores, que se fallaron ende bien, et al contrario.

Ni una sola vez Don Juan Manuel nos hace gracia de su fórmula, como tampoco en el caso anterior ocurría, y como ocurre por todas partes, y de muchas maneras, en sus varios libros.

Si elegimos ahora otro escritor del mismo siglo, el Canciller
Ayala, observamos con cierta sorpresa que, pese a vivir bastantes años después, la variación estilística no ha hecho en él
grandes progresos. La parte del *Rimado* que habla de los
mandamientos es buen ejemplo de lo que digo: a la exposición
de cada uno de ellos, sigue, sin excepciones, una declaración
del poeta en que éste se confiesa pecador. La monotonía aumenta de grado en la exposición de la doctrina de los pecados
capitales, pues aquí el autor no se contenta, como en el anterior ejemplo, con reiterar infatigable, tras la descripción de
cada pecado, haber incurrido en él, sino que también reitera
los precedentes históricos de la falta, y la petición final de per-
dón para sí mismo. Y, como algo parecido sucede al tratar de
los cinco sentidos, y en general en todo el *Rimado*, no deja de
asombrarnos que, al tratar del sentido del gusto, el Canciller,
por una vez, no quiera poner ejemplos para evitar doblarlos,
pues, al referirse a la gula, lo había hecho ya:

> Muchos enxiemplos destos podía aquí desir,
> ....
> mas desuso en la gula lo fuemos departir,
> por ende non conuiene otra ves rrepetir [6].

El lector lo agradece doblemente, pues Ayala nos tenía poco
acostumbrados a tales atenciones. Al describir las ocasiones
del pecado de la lujuria, por ejemplo, no había tenido empa-
cho alguno en plagiarse a sí mismo con el mayor desembarazo
y sin cambiar ni una tilde de lo ya dicho por él.

Este hieratismo, esta estereotipación estilística no es sino
la versión, en la esfera expresiva, de la estereotipación de los
caracteres que la épica, mejor que cualquier otro género, nos
muestra. Y todo ello procede en último término de la grandiosa
tipificación a que el mundo y el hombre medievales se hallaban
sometidos, en virtud de la concepción no individualista. Como
el asunto lo merece, conviene que nos detengamos aún en él.

---

[6] Pero López de Ayala, «Rimado de Palacio», estrofa 167, en *Poetas
castellanos anteriores al siglo XV*, *op. cit.*, pág. 430.

ESTEREOTIPACIÓN DE LOS CARACTERES: EN LA ÉPICA

Se impone recordar al lector algo que espero haya alcanzado suficiente prueba en el capítulo xv de este libro. Decíamos en él[7] que la Edad Media, por las razones que sabemos, concibe la coincidencia en un grado de plenitud como identidad. Cuando Berceo o el autor del *Poema de Alexandre* quieren presentarnos a ciertas criaturas como dotadas de la misma intensidad de perfección, nos las ofrecen indefectiblemente iguales en continente, atuendo y compostura. Tal vez nos ayude esto a entender del todo esa estereotipación de los caracteres, de que hemos hablado, en la cultura europea (artes plásticas, literatura) anterior al siglo xiv, fecha en que la cosa se modifica bastante, al cambiar también bastante la fuerza de la concepción individualista. Los cantares épicos, por ejemplo, o la posterior novela de caballerías, caracterizaban sólo genéricamente a los diversos personajes, sin diferenciarlos realmente entre sí. Todos eran fuertes, nobles y arrojados, desinteresados y generosos, piadosos y magnánimos: espejo de caballeros y compendio de las virtudes todas. Lo que podía variar, si acaso, era el grado de la perfección. Sin duda el héroe central manifestaba su excelencia con mayor plenitud que los otros, pero siempre en el mismo sentido que ellos, o sea, sin individuación verdadera. El pelotón de los caballeros se quedaba algo corto en un camino que su audaz jefe recorría con más resolución. Pero las cualidades de que todos se hallaban investidos eran, en el fondo, las mismas, y sus psicologías, por tanto, indiferenciadas e idénticas.

Al reconocer este hecho, lo primero que se nos ocurre es atribuirlo a tosquedad del autor en el tratamiento del tema. Sin dar de lado a esta explicación por el momento, podríamos no obstante profundizarla hablando de cierta incapacidad para ver como individuales e inconfundibles las diversas psicologías

---

[7] Págs. 369-373.

humanas. Llegados a este punto, habríamos alcanzado una parte
de la verdad, pero sólo una parte, y además nuestras palabras
serían, cuando menos, equívocas. Pues, tras nuestras reflexiones
anteriores (las del capítulo XIII), bien claro se nos puede hacer
que no se trata exactamente de una ceguera del poeta con respecto a la realidad que tenía delante, ni mucho menos de
torpeza expresiva, sino que, muy al contrario, ese modo de
enfocar a los personajes respondía con gran precisión a la concepción misma que el autor se forjaba del mundo. Lejos de
ser ceguera o inmadurez, era clarividencia lo que éste manifestaba, al ajustar su trazado a lo que él entendía que era el contenido del universo. No olvidemos que la épica se constituía
como un género idealista, es decir, como un género en el que
los personajes debían comportarse ejemplarmente. El poeta
épico no pintaba las cosas como son, sino como deben ser.
Pero, según hemos llegado a decidir, la perfección de cada
uno de los miembros de un grupo era, para el hombre del
medievo, identidad de todos ellos. Si el autor de una canción
de gesta quería presentar criaturas de excepción, lo primero
que tenía que hacer era, por lo tanto, allanar diferencias. *Los
héroes épicos eran todos aproximadamente iguales, por lo
mismo que eran, a su modo, perfectos*, en un momento histórico que, según vimos, concibe la perfección como identidad.
En el *Libro de Alexandre* o en la *Vida de Santa Oria* esto se
expresaba de una manera que llamaríamos explícita. En la
épica se trata de lo mismo, pero manifestado de un modo implícito y por vías de hecho.

ESTEREOTIPACIÓN DE LOS CARAC-
TERES: EN LOS HISTORIADORES

La tipificación de la realidad no se agotaba, como es de
imaginar, en los géneros propiamente idealistas de la literatura,
sino que los abarcaba a todos y aun llegaba a exceder todo
marco artístico, puesto que, como hemos dicho, la raíz del
fenómeno yacía en el hombre mismo de la época. Era éste
quien tendía, en efecto, a estereotipar a cuanto ser se le ponía

por delante, dando de lado a sus características personales. El caso de los historiadores es sintomático, pues los historiadores no expresan un mundo de ficción, sino un mundo de realidad, y su mirada está, por tanto, más cerca de lo que puede ser la que el hombre ordinario arroja sobre la vida. Pues bien, ya Huizinga advirtió, desde premisas muy distintas a las nuestras, la tendencia tipificadora de los cronistas medievales, que, aunque conocían de cerca a sus reyes, no eran capaces de verlos sino rígidamente incursos en unos cuantos moldes preexistentes: el rey noble y justo, el engañado por sus consejeros, el vengador de su honor, el amparado por sus fieles en la desgracia. Esto significa que los contemplaban tan desprovistos de individuación como los poetas a sus héroes épicos, y por los mismos motivos.

EPÍTETO EGREGIO

De ahí, acaso, algo que al parecer ha pasado inadvertido y que, sin embargo, tal vez habría debido sorprender como peculiar y significativo: la costumbre medieval de colocar un epíteto a cada monarca; por ejemplo: Alfonso X el Sabio, Sancho IV el Bravo, Fernando IV el Emplazado, Enrique IV el Impotente. Quizá el olvido de hecho tan saliente se deba, por lo menos en parte, a que tal costumbre penetra, aunque con menos fuerza, en la modernidad (reyes Católicos, Carlos II el Hechizado), y sólo se extingue al llegar el siglo XVIII. Pero reparemos en que lo propio ocurre con otras realidades que nadie discute como propias del medievo, hasta el punto de que el historiador inglés G. M. Trevelyan, con bastante fundamento, ha llegado a pensar como unidad de cultura todo el período que media entre la invasión bárbara y 1750[8], idea de la que no se sienten muy lejanos ni Curtius[9], ni Bertrand Russell[10],

---

[8] G. M. Trevelyan, *English social history*, 1944, págs. 96 y 97.
[9] Ernst Robert Curtius, *Literatura europea y Edad Media latina*, México, Fondo de cultura económica, 1955, pág. 45.
[10] Bertrand Russell, *Historia de la Filosofía Occidental*, t. II, Madrid, ed. Espasa Calpe, 1971, pág. 146.

Huizinga [11] o Meyer [12]. Llamar a Alfonso II el Casto, o a Pedro I
el Cruel (y lo mismo diríamos de los restantes monarcas recor-
tados de manera semejante por el adjetivo que se les atribuye),
es, en principio, reducir la individualidad de tales soberanos
a una cualidad tipificadora. La personalidad única e intransferible de Pedro I, o la de Alfonso II, quedan, en esos apelati-
vos, desposeídas de toda singularidad, para entrar hieratizadas
en una clase que les es previa: Pedro I ingresa en la interminable fila de los crueles, como Alfonso II en la no tan larga
de los castos. De nada les sirve a esos personajes haber sido,
además de castos o crueles, otras muchas cosas. Sus vidas
permanecen ahora, en la síntesis de su nominación, máximamente simplificadas, arrasadas, deslimitadas y genéricas. La
fórmula que los expresa convierte a cada uno de ellos en un
ser multitudinario, semejante a esas estatuas que representan
al Soldado Desconocido, y que constituyen, por decirlo así, una
unidad plural, un uno que, en realidad, son muchos.

El uso del epíteto tipificador no se limitaba a los Reyes.
Cualquier personalidad de relieve era sujeto apto para reci-
birlo, y ello podría ser acaso un síntoma más revelador de la

---

[11] Johann Huizinga, *Das Problem der Renaissance*, en *Wege der Kul-
turgeschichte*, 1930, págs. 134 y sigs. Véase también, del mismo autor,
Parerga, Zürich-Bruxelles, 1945, pág. 151. En este último trabajo sostiene
Huizinga que el hombre no se interesó por el conocimiento de la naturaleza hasta mucho después del Renacimiento. Para él, la verdadera mutación en la relación hombre-naturaleza se verifica con el paso del siglo XVII al XVIII.

[12] Meyer afirma que «la actitud y la imagen del mundo propias de la
Edad Media» duraron mucho más de lo que suele decirse. Y añade: «dos
años tras de la muerte de Galileo (...) se defiende todavía en una tesis
doctoral de la Universidad de Tubinga el criterio de que el trato o contacto con la naturaleza y el conocimiento de sus fuerzas son cosa sos-
pechosísima de brujería. El autor los califica de 'conocimientos nada
propios de un cristiano'. El aristotelismo dominó en las universidades
europeas hasta el mismo siglo XVIII». Y agrega: «el cambio entre la
Edad Media y la Edad Moderna se consumó poco a poco, en diversas
etapas que se extienden desde finales del siglo XIII hasta el siglo XVII»
(Hermann J. Meyer, *La tecnificación del mundo*, Madrid, ed. Gredos,
1966, págs. 31-32).

fuerte vocación generalizadora del período: Gregorio o Alberto Magnos, Beda el Venerable y hasta Macías el Enamorado.

NOMBRES DE JUGLARES

Yo no sé si sería ir demasiado lejos interpretar en el mismo sentido un hecho que don Ramón Menéndez Pidal cita sin más en su obra *Poesía juglaresca y juglares*. Pero, dado el gusto de la época por la abstración clasificadora, quizá no resulta desmedido intentarlo. Nuestro gran filólogo cuenta cómo los juglares adoptaban nombres «de guerra» alusivos a su carácter profesional: Alegret, Alegre, Corazón, Saborejo, Agudo, Graciosa, Graciosa Alegre; o al instrumento en que eran diestros: Cítola, Cornamusa [13]. También aquí hay una reducción de lo personal a lo genérico; pero como, a fin de cuentas, el uso de apodos no es exclusivo de la Edad Media, siempre nos queda un último escrúpulo al aplicar nuestra tesis a estos ejemplos; escrúpulo que no se aminora del todo por el especial carácter de los mismos en aquellas fechas, y aunque sepamos que lo importante no son las características, sino su sentido, esto es, su colocación en el interior de un sistema.

LA ESTEREOTIPACIÓN DE LOS CARACTERES: EN LA DIVINA COMEDIA

Mas, si queremos dejar a un lado conjeturas de incierta probabilidad y atenernos a algo más sólido, fijemos nuestra atención en la *Divina Comedia*. Dante escribe esta obra en los últimos años de su vida: a partir de 1307. Es ésta ya, como sabemos, una época de perceptible individualismo en todas partes, pero más aún en Italia, gracias a la especialísima pujanza de su comercio y de su industria. Dante, como es de ima-

---

[13] Véase Ramón Menéndez Pidal, *Poesía juglaresca y juglares*, Buenos Aires, ed. Espasa-Calpe Argentina, Col. Austral, 1949, pág. 13.

ginar, recoge y expresa esa nueva actitud del hombre de su tiempo. Y en su genial creación hay ya, generalmente como materia de comparaciones y símiles, caracterizaciones felices de psicología general humana, sin que falten tampoco referencias a la psicología individual. Como ejemplo de esto último puede tomarse el famoso pasaje de Paolo y Francesca, y como ejemplos de lo primero, estos fragmentos que copio al azar:

> Amor ch' a nullo amato amar perdona [14].

(El amor que al que es amado a amar obliga.)

> ...Nessun maggior dolore
> che ricordarsi del tempo felice
> nella miseria [15].

(No hay mayor dolor que acordarse del tiempo feliz en la miseria.)

> Qual è colui che grande inganno ascolta
> che li sia fatto, e poi se ne rammarca [16].

(Como aquel que se irrita al darse cuenta de que ha sido víctima de un engaño.)

> Qual è colui che suo dannaggio sogna,
> che sognando desidera sognare,
> sì quel ch'è, come non fosse, agogna [17].

(Como aquel que su desgracia sueña, y soñando desea soñar, de modo que desea lo que es como si no fuese.)

> Quale i Fiamminghi tra Guizzante e Bruggia,
> temendo il fiotto che 'nver lor s'avventa,
> fanno lo schermo perché 'l mar si fuggia;
> e quale i Padovan lungo la Brenta,
> per difender lor ville e lor castelli,
> anzi che Chiarentana il caldo senta [18].

---

[14] «Inferno», canto V, verso 103.
[15] «Inferno», canto V, versos 121-123.
[16] «Inferno», canto VIII, versos 22-23.
[17] «Inferno», canto XXX, versos 135-137.
[18] «Inferno», canto XV, versos 4-7.

(Al modo que los flamencos, entre Gante y Brujas, temiendo la furia amenazadora del mar, construyen diques para contener el agua, o como los paduanos, a lo largo del Brenta lo hacen para defender sus villas y castillos antes de que Chiarentana sienta el calor.)

> ... e ciascuna
> ci riguardava come suol da sera
> guardare uno altro sotto nuova luna;
> e sì ver noi aguzzavan le ciglia
> come 'l vecchio sartor fa nella cruna [19].

(... y cada una [de las almas] nos miraba como se suele mirar la gente por la noche cuando hay luna nueva; fruncían las cejas para mirarnos, como hace un sastre viejo al enhebrar la aguja...)

> ma 'l capo chino
> tenea, com'uom che reverente vada [20]

(tenía la cabeza inclinada como quien camina respetuosamente.)

> Qual sogliono i campion far nudi e unti,
> avvisando lor presa e lor vantaggio,
> prima che sien tra lor battuti e punti [21].

(... Como suelen los luchadores, ya desnudos y untados, acechar al contrario y medir sus ventajas antes de acometerlo.) Del mismo modo sabe Dante describir con pormenor lugares geográficos (en las citas anteriores puede comprobarse) o costumbres animales:

> Qual è quel toro che si slaccia in quella
> c' ha ricevuto già 'l colpo mortale,
> che gir non sa, ma qua e là saltella [22].

---

[19] «Inferno», canto XV, versos 17-21.
[20] «Inferno», canto XV, versos 44-45.
[21] «Inferno», canto XVI, versos 22-24.
[22] «Inferno», canto XII, versos 22-24.

(Como el toro que desata cuando acaba de recibir el golpe mortal, que no sabe andar, pero salta de un lado a otro...)

Todo ello es verdad conocida y probada. Pero precisamente porque lo es, conviene destacar a su lado, quizá por vez primera, un hecho altamente significativo, que nos demuestra hasta qué punto el individualismo que hemos evidenciado en esos fragmentos, por no ser aún en aquella sazón suficientemente poderoso, no ataca y conforma la estructura misma de la obra, sino que opera sólo en zonas menos decisivas.

Pues la concepción de la *Divina Comedia* se atiene significativamente a esa consideración genérica de la realidad que nos hallamos en trance de estudiar aquí como propia de la Edad Media. Tanto el «Infierno» como el «Purgatorio» dantescos (y excluyo el «Paraíso» únicamente por razones expositivas) son típicamente medievales, no exclusivamente por razones obvias de tema y por otras nada obvias de que no nos vamos a ocupar aquí, sino por la manifiesta uniformización de sus respectivos residentes en vastos grupos homogéneos. Como es sabido, el «infierno» que en esa gran obra se describe consta de nueve círculos, donde los condenados pagan sus culpas mortales, si exceptuamos el círculo primero (limbo) donde sólo están los inocentes sin fe. Los círculos restantes van de menor a mayor en este orden: círculo de los lujuriosos, de los golosos, de los avaros y pródigos, de los iracundos y perezosos, de los herejes, de los violentos, de los fraudulentos, y, en fin, de los traidores. De modo semejante está concebido el «Purgatorio», sólo que la graduación se establece en siete estancias, que corresponden al número de los pecados capitales, y que además lleva una dirección contraria a la anterior: comenzando con las faltas más graves, concluye en las más leves: soberbia, envidia, ira, pereza, avaricia, gula y lujuria. De todo ello, y ateniéndonos de momento al «Infierno», retengamos lo primordial: el hecho de que cada pecador, al incluirse en un círculo que castiga una sola culpa, queda sin más reducido a esa sola culpa, y por consiguiente sólo alcanza definición a través de ella. Pero esto significa poner al individuo en situación de posible coincidencia con otros en cuanto a esa sola cualidad sustantivadora, pues, por muy raro que el pecado fuese, siempre se haría factible hallar una criatura distinta capaz de cometerlo. Se me responderá tal vez que la coincidencia es, en último término, azarosa, y que, en todo caso, podemos imaginar la casualidad de un acto culpable no reiterado nunca. Ahora bien: la mera *posibilidad* de coincidir en la única condición que desplazadoramente se posee impide la individuación. Un individuo es, por definición, irrepetible. Si la repetición cabe, aunque no se realice, no nos hallamos ante un individuo, sino ante una especie o un género, que en tal circunstancia constarían de un solo miembro. La escolástica prevé el caso, y Santo Tomás lo aplica a los ángeles. Los ángeles no son individuos de una misma especie, sino que cada uno de ellos pertenece a una especie distinta, a la que con su solo ser agota [23]. La radical simplificación a que es sometida por Dante toda psicología pecadora trae consigo, por tanto, una coincidencia posible o real de muchos en una sola cualidad, que absorbe y anula las otras que en su global conjunto les individualizaban. Ya no se es realmente un individuo que se diferencia de los demás por su personalísima capacidad de combinar unitariamente un número variado y rico de cualidades heterogéneas, sino que se transforma en alguien que comparte o puede compartir su única y substancial característica con toda una legión de infortunados. Quien penetra en las inconfortables salas del «Purgatorio» o del «Infierno» no es Juan o Pedro, sino, ante todo, un goloso, un avaro, un lujurioso, un soberbio, o bien, más específicamente, un traidor a su padre, un lujurioso con incesto, etc. Aquí, como en el caso del epíteto egregio de que antes hicimos mención, pero de modo aún más evidente e indiscutible, la criatura se incorpora o puede hacerlo a un vasto coro de ellas, donde permanece, en lo esencial, indiferenciada. Pues sólo una cuestión de cantidad y no de cualidad o esencia, ha, si acaso,

---

[23] «Si ergo angeli non sunt compositi ex materia et forma (...), sequitur quod impossibile sit esse duos angelos unius speciei» (Santo Tomás de Aquino, *Suma Teológica*, «Tratado de los ángeles», 1 q. 50 a. 4, Madrid, Biblioteca de autores cristianos, 1959, ts. II-III, págs. 644-645).

de distinguirle. Tal personaje fue tal vez reo de mayor cuantía en el mismo fundamental pecado que los otros cometieron de modo más gregario. La correspondencia con lo que ocurre en la epopeya es grande. También allí el héroe principal disfruta de un grado superior en las virtudes que a todos son comunes. El Infierno o el Purgatorio de Dante posee, como las canciones de gesta, sus seres de excepción, que no por serlo pierden su sustancial ausencia de psicología personal.

Y aún hay más. El carácter genérico del personaje se completa y subraya con el carácter genérico del castigo, que sólo cambia cualitativamente al pasar de un círculo a otro, o de un compartimento a otro del mismo círculo, cuando éste se subdivide (caso del séptimo: violentos, y del octavo: fraudulentos). Lo que sí varía, en ocasiones, es el grado con que la pena se imparte, en correspondencia con el diferente grado de la culpa. En el tercer foso del círculo octavo (simoníacos) los condenados están metidos de cabeza en unos hornos de piedra, de donde sólo las piernas sobresalen. Dante, de pronto, ve uno que atrae su atención:

> «Chi è colui, maestro, che si cruccia
> guizzando piú che li altri suoi consorti»,
> diss' io, «e cui piú roggia fiamma succia? [24].

¿Quién es, maestro, aquel que se enfurece pataleando más que sus compañeros, dije, y a quien consume una llama más roja?

Aunque sólo a partir del sexto círculo se producen a veces, dentro de la homogeneidad del tormento, discrepancias de especie, en alegórica relación con la especificidad del pecado. Al ser más insólito éste, la coincidencia en su ejecución abundará menos. En el foso sexto del círculo que acabo de mentar, sufren los hipócritas, gentes pintadas, que caminan lentas, pues unas capuchas de resplandeciente oro por fuera y de plomo en el interior les impiden ir más ligeros. Tal es el castigo general, dentro del cual se producen especificaciones:

---

[24] «Inferno», canto XIX, versos 31-33.

ch' all' occhio mi corse
un crucifisso in terra con tre pali.

....

...Quel confitto che tu miri,
consigliò i Faresei che convenia
porre un uom per lo popolo a' martiri.
Attravesato è, nudo, nella via,
come tu vedi, ed è mesgier ch' el senta
qualunque passa, come pesa pria.
e a tal modo il socero si stenta
in questa fossa, e li altri tal concilio... [25].

(Uno estaba crucificado en tierra por medio de tres palos. Era el que aconsejó a los fariseos que convenía llevar a un hombre al martirio por el pueblo. Atravesado y desnudo en el camino, como lo ves, es menester que sienta sobre sí el peso de todos los que pasan. Y del mismo modo está su cuerpo en esta fosa y los demás de aquel consejo.)

Nótese que, aun así, el castigo uniformiza a varios personajes. Cuando ello no acaece, de hecho, en la descripción de Dante, no se trata tampoco de individuación, sino, todo lo más, nos hallaríamos en presencia de una de esas especies de ejemplar único a que antes nos referíamos. Mas esta explicación sobra, pues *ni una sola vez* en todo el «Infierno» se nos muestra un castigo como único. Judas mismo, cuya traición, por referirse a la persona de Cristo, podía, en principio, ser castigada singularmente, sin que tampoco ello indicase nada contra nuestra tesis, comparte con Casio y Bruto, aunque en otro grado, su atroz condena: ser masticado en el fondo del Averno por el propio Satanás, que para ello dispone de otras dos fauces. Y si Dante no ha buscado singularizar el tormento de Judas, es de suponer que no ha de tener esa pretensión con respecto a otros pecadores de menos eminencia, que en su Infierno destacan como penando de un modo especial. En el noveno foso del círculo octavo vemos a los sembradores de discordias. Se les tortura allí con traspasadoras heridas. Pero uno va hendido desde la barbilla al bajo vientre; otro muestra la garganta

---

[25] «Inferno», canto XXIV, versos 110-111 y 115-120.

partida; un tercero no tiene lengua; alguno hay con las manos cortadas, y hasta se percibe a alguien que lleva la cabeza, no sobre el tronco, sino entre sus manos, pues en vida introdujo discordia entre un padre y un hijo. Estas aparentes singularidades, y pocas más que en el libro se observan, no expresan en la intención de Dante unicidad, como he dicho. El hecho de describirlos diferenciadamente no excluye que otros condenados penasen de igual modo, pues, por ejemplo, meter cizaña entre parientes de primer grado no presenta, desgraciadamente, semblante de cosa pasmosa y nunca vista.

La concepción genérica del «Infierno» se dobla con la del «Purgatorio», sólo que allí el hecho es más inmediatamente palmario, al no existir ni aun especificaciones en lo que toca a las penas. Las penas de cada círculo son todas generales, sin más que discrepancias en la intensidad: todos los soberbios son humillados bajo pesados peñascos que abaten su altiva cabeza; pero

> vero è che più e meno eran contratti
> secondo ch'avien più e meno a dosso
> ....
> disparmente angosciate... [26]

(se contraían más o menos según llevaban más o menos sobre la espalda... Desigualmente oprimidos y fatigados...).

Cierto que en el «Purgatorio» el alma pasa de un círculo a otro, para purgarse sucesivamente de los siete pecados capitales, y, por tanto, aquí la complejidad pecadora no se simplifica en una única culpa sustancial; pero, como sucede que todos los espíritus han de seguir idéntica vía (de no hacérseles merced de algún tramo, en virtud de posibles oraciones que se les apliquen), la homogeneidad no se desvanece. Caminantes por el mismo árido sendero, que purgan los mismos pecados con iguales castigos, no puede ser mayor la uniformidad. Dante concibe su obra dentro de las normas generalizantes de su

---

[26] «Purgatorio»; canto X, versos 136-137; «Purgatorio», canto XI, verso 28.

época, lo cual, por supuesto, no le impide alcanzar la última cima de la grandeza. Es más: resulta por lo menos discutible que tal grandeza hubiese sido del todo asequible años después, cuando el mayor individualismo trajo consigo, no sólo una fe menos viva, sino quizás una menor posibilidad de universal representación. No cabe dudar que un Dante renacentista, barroco, romántico o contemporáneo, y aun tal vez «occamista»[27], hubiese estructurado su Infierno y su Purgatorio desde la consideración del pecador como un individuo, y no como una especie o un género. Cada culpable se responsabilizaría en calidad de criatura irrepetible, y su castigo ostentaría ese mismo carácter. No habría golosos, ni lascivos, ni violentos, que son clases abstractas, sino un Juan concreto, que a su personalísima lujuria uniría un especial modo de robar, envidiar, blasfemar, degustar, matar y deshonrar, y otras muchas cosas que en su complejidad sintética harían única tanto su perversidad y su condenable o purgable índole, como la correspondiente pena a que había de ser llevado. Y aunque no es previsible el poder de una fantasía humana, se me hace difícil imaginar que, en esas condiciones y desde esos supuestos, un poeta pudiese representar, sin perderse en la selva de lo particular y puramente concreto, el conjunto de la vida del hombre con esa capacidad de ordenada y progresiva totalización que a Dante le facilitaba su radical medievalismo.

DANTISTAS ESPAÑOLES: SANTILLANA

Cuanto acabamos de probar para Dante se agudiza y extrema en su descendencia española. «El Infierno de los enamorados» de Santillana no sólo es genérico en el sentido de su modelo italiano, sino en otro que, a fuer de absoluto, se sitúa a orillas ya de la inocencia literaria. Los culpables de amor se arraciman en una interminable y presurosa lista, que lo único que

---

[27] Los filósofos y los científicos suelen adelantarse a los artistas (poetas, etc.) en la expresión de la cosmovisión.

nos dice es la gana que el autor parece tener de terminar su poema sólo un momento antes de que el lector por su propia cuenta lo dé por concluido. Todos ellos penan, claro es, por igual, pero, además, en idéntico grado. Se ve que Santillana en esta obra no se halla dispuesto a complicarse la vida con matices de concepción tan finos:

> E, por el siniestro lado,
> cada qual era ferido
> en el pecho e muy llagado,
> de grand golpe dolorido,
> por el qual fuego ençendido
> salía, que le quemava;
> presumit quien tal passava
> si deviera ser nasçido.
> E con la pena del fuego,
> tristemente lamentavan;
> pero que tornavan luego
> e muy manso raçonavan [28].

OTRA VEZ LOS REFRANES Y LOS CUENTOS. EL CASO DE LOS HISTORIADORES

El hecho es que en la Edad Media hay, en efecto, una marcada propensión a generalizar cuanta realidad se pone por delante, sea un suceso, una situación, o una criatura o ser particulares. Y es que lo particular no se entiende, en principio, como particular. Los refranes, tan típicos (no por casualidad) de la expresividad literaria y familiar de la Edad Media serán una de las consecuencias de esta tendencia (he aquí una diferente explicación de tal procedimiento retórico, que ya hemos explicado de otro modo más atrás) [29]. En ellos lo denotado, sea lo que fuere y pese a su individualidad y concreción, ha de interpretarse, sin excepciones, en forma abarcadora y colec-

---

[28] Marqués de Santillana, *Obras ed. cit.*, «El infierno de los enamorados», estrofas LVII-LVIII, págs. 119-120.
[29] Véanse las págs. 301-306.

tiva; la frase «perro ladrador poco mordedor» no significa sólo, ni siquiera principalmente, lo que literalmente enuncia, *sino que hay que entenderla en sentido universal:* «todas las personas y seres que hablan o expresan mucho hacen poco». Ocurre de modo similar en los cuentos. Por ejemplo, los cincuenta de don Juan Manuel, en los que tanto importa, en la intención del autor, la moraleja, esto es, la *generalización* del argumento. Precisamente porque el cuento, igual que antes el refrán, posee siempre validez general, don Juan Manuel cree que con su breve colección *ha podido cubrir las posibilidades todas de la vida humana.* (Esto se nos hará aún más inteligible cuando podamos tomar en cuenta otra importante nota de la mente medieval que más adelante [30] tendremos ocasión de señalar.) Dice don Juan Manuel en el prólogo de *El conde Lucanor*:

> ...sería maravilla, si de cualquier cosa que acaezca a cualquier homne no fallare en este libro su semejança que acaesció a otro» [31].

No nos asombra entonces que los historiadores hagan lo mismo, esta vez, no con la ficción, con la realidad encarada, *y suelan entender con la misma generalidad cualquier acontecer concreto,* acaso de valor puramente anecdótico. Huizinga (que no relaciona entre sí, como nosotros hemos dicho, el fenómeno descrito y los otros que hemos mencionado) recuerda, a otro propósito, que Olivier de la Marche «infiere de un solo caso de imparcialidad inglesa, tomado de una época anterior, que los ingleses eran virtuosos en aquellos días y que por esta razón hubieran podido conquistar Francia» [32].

---

[30] Véanse las págs. 424-425.

[31] Don Juan Manuel, *El conde Lucanor*, Zaragoza, ed. Ebro, 1940 (edición de Ángel González Palencia), pág. 20.

[32] J. Huizinga, *El otoño de la Edad Media*, Madrid, Revista de Occidente, 1961, pág. 330. La frase de Olivier de la Marche se halla en *Mémoires d' Olivier de la Marche*, ed. Beaune et d' Arbaumont (Soc. de l' histoire de France), 1883-1888, vol. I, pág. 63 (citado por Huizinga).

SÁTIRAS COLECTIVAS; ARTE DE MAYORÍAS

Pasemos ahora a otros hechos que han de ser interpretados
en el mismo sentido, y que podemos, en consecuencia, enume-
rar ya rápidamente. Uno de ellos es la ausencia en la Edad Media de sátiras individuales: como ya vio Burckhardt [33], lo que
la Edad Media satiriza es siempre el grupo, la colectividad
(clases sociales, categorías, poblaciones, etc.). Sólo cuando el
individualismo se hizo suficientemente fuerte y, por tanto,
empezó a interesar el individuo como tal, pudo asomar ese otro
tipo personalizado de censura, que se refleja en el chiste, la
«burle», la «beffe», y cosas similares [34]. Por lo que atañe al
público, la tendencia a lo general que consideramos se manifiesta también en la predilección por el arte de mayorías, de
tanta fuerza en toda la Edad Media [35].

---

[33] Jacob Burckhardt, *La cultura del Renacimiento en Italia*, Buenos
Aires, editorial Losada, 1944, pág. 129 y nota 2 a esa página.

[34] Lemient, *La satire en France au Moyen Âge*, citado por Burckhardt, ibid., nota 2 a la pág. 129.

[35] Ramón Menéndez Pidal, *Los españoles en la historia y en la literatura*, Buenos Aires, Espasa-Calpe, 1951, pág. 177.

Capítulo XVII

FORMALISMO MEDIEVAL Y PRIMITIVISMO SIMBOLIZANTE

EMOCIONES SIMBÓLICAS DEL HOMBRE PRIMITIVO

Pero el hombre primitivo, *además de ver* y recibir el mundo conceptualmente de un modo propio, *siente* de una manera asimismo peculiar. Por lo pronto, al ser mucho menos individualista y racional que nosotros, su existencia se centrará en los sentimientos, en una proporción mucho más alta. No vivirá desde la razón, sino desde las emociones, *y, por lo tanto, también desde las emociones simbólicas.* No olvidemos que el ser humano, en situación de espontaneidad, se encauza con naturalidad hacia el símbolo: sólo tras un esfuerzo de su capacidad especulativa logra suprimir de sus hábitos esta proclividad que le es propia. Siglos de cultura y de incesante vigilancia le ha costado erradicar tan insidiosa propensión, que sólo reaparece en nosotros en muy contados instantes de desatención, voluntaria o involuntaria. Lo primero sucede cuando leemos (o escribimos) cierta clase de poesía (la contemporánea). Lo segundo, cuando, por ejemplo, gesticulamos, o cuando soñamos; o cuando enfermamos de neurosis o de psicosis: como nadie ignora, los síntomas de esa clase de perturbación anímica, lo mismo que los sueños o los gestos, actúan en nosotros por modo rigurosamente simbólico [1].

---

1 Véase mi *Teoría de la expresión poética*, Madrid, ed. Gredos, 1976, t. I, pág. 207.

No nos maravilla, pues, que al abandonarse más a su instinto, o, de otro modo, al faltar en ellos suficiente reflexión y crítica, los hombres primitivos (digamos, el hombre de las cavernas o el hombre «salvaje», y aun, si bien en otra medida, los hombres medievales) se dejasen llevar de su tendencia simbolizante[2]. Las cosas todas se les aparecían, o podían aparecérseles, en calidad de simbolizadores, y por tanto, en cuanto emisoras de procesos «Y» «vitales» de naturaleza preconsciente, cuyas leyes he podido establecer en el «Apéndice II» que va al final del presente libro[3] y antes en mi obra *Superrealismo poético y simbolización*. El análisis realizado en tales trabajos acerca de lo que es un símbolo y de cómo éste se constituye nos permite, ahora, enfrentarnos, desde conocimientos más rigurosos y firmes, con las peculiaridades medievales[4], las cuales, aunque en su mayoría no fuesen ignoradas, claro es, por los historiadores y especialistas, sí lo eran por lo que toca a su explicación unitaria y en cuanto resultado de esos procesos y leyes de que hablo. Aquí, la novedad de nuestras reflexiones irá, si no me equivoco, por dos caminos: de un lado, tendremos la novedad que pueda derivarse de la ordenación de las características de la Edad Media en la estructura general cuyo foco es un individualismo muy escaso («individualismo cero»); de otro, dentro de lo anterior, se tratará, si ello es así, de la nove-

---

[2] Los hombres del siglo XVIII creían con mayor fuerza que en la época anterior que el hombre tenía una naturaleza y que esa naturaleza era la razón. El pensamiento contemporáneo, a partir de Dilthey, ha pensado que «el hombre no tiene naturaleza, sino historia». En efecto: lo que se hace por naturaleza, vuelvo a decir aquí, se hace *en todo caso*, y, además, siempre bien, como los pájaros el nido. Pero el hombre puede no usar la razón o usarla mal o torpemente, y, de hecho, solemos razonar con manifiestas dificultades. Si el hombre tuviese naturaleza, yo diría que esa naturaleza posible *sería mucho más una naturaleza simbolizante que razonadora, porque el hombre, en cuanto se comporta con espontaneidad, simboliza*.

[3] Véanse las págs. 467-495.

[4] El lector que no conozca mi libro *Superrealismo poético y simbolización* necesita, pues, leer, *antes del presente capítulo*, el «Apéndice II» ya mencionado (págs. 667 y sigs.), titulado Símbolo y contexto, que también le será útil para la comprensión de los capítulos XX y XXII.

dad constituida por el hecho de aplicar nuestro estudio del símbolo a la aclaración de numerosas modulaciones de la cultura medieval, incluso de algunas que, a primera vista, parece que no podrían tener un origen tan irracional. Me refiero, sobre todo, al modo con que aquellos hombres sentían y practicaban las cuestiones económicas.

TENDENCIA SIMBOLIZANTE DEL HOMBRE PRIMITIVO

Pero antes de llegar a tal consideración, comprobemos la inclinación simbolizante en el hombre verdaderamente primitivo, el «salvaje». Enumeremos, al propósito, algunos hechos significativos. Es sabido que al hombre primitivo le basta una remota (y hasta remotísima) semejanza entre dos realidades para que ambas se le pongan, con alguna frecuencia, en inmediata relación y contacto, *pero bajo la forma* (y eso es lo curioso) *de sustancial identidad* [5]. Nombrar será entonces lo mismo que poseer, puesto que el nombre ostenta visible conexión, aunque *inesencial* (percatémonos bien) con lo nombrado. Nadie

---

[5] Véase, ante todo, el famoso libro de Lucien Lévy-Brühl, *L' expérience mystique et les symboles chez les primitifs*, Paris, 1938, págs. 200-201; pero advirtamos que el autor habla de «participación» del simbolizador en el simbolizado (y a la inversa). No se trata, pues, en él de la *identidad* seria que nosotros preconizamos, con lo cual esa «participación» (que sería nuestra «transitividad») queda por completo inexplicada. Lo mismo ocurre en Tzvetan Todorov, *Théories du symbole*, Paris, éd. du Seuil, 1977: «Ce n' est pas un rapport d' identité (...) mais d' appartenance; le symbole est l' être en ce sens qu' il en fait partie» (*ibid.*, página 279).

Sin plantearse el problema teórico que acabo de señalar, véase también al propósito James George Frazer, *La rama dorada*, México, Fondo de cultura económica, 1951, especialmente el capítulo III («Magia simpatética»), págs. 33 y sigs.; Robert H. Lowie, *Antropología cultural*, México, Fondo de cultura económica, 1947, págs. 288-293. Entre nosotros podría citarse, asimismo, la obra de Alfonso Álvarez Villar, *Psicología de la cultura. 1. Psicología de los pueblos primitivos*, Madrid, Biblioteca Nueva, 1966, págs. 160-197. El hecho es, pues, muy conocido como tal, y lo que importa, en consecuencia, es su interpretación.

ha explicado, creo (al menos de un modo satisfactorio y último, más allá de las genéricas vaguedades, que nada, en definitiva, vienen a decir), este hecho. Intentémoslo nosotros, pues acaso la doctrina que hemos expuesto sobre las ecuaciones preconscientes nos haya capacitado para ello. No hay duda, en efecto, de que aquí se ha desencadenado un proceso «Y», en todo coincidente con los que en otros trabajos míos he estudiado en la poesía contemporánea:

> nombre de la cosa [= la cosa misma =] emoción en la conciencia de «la cosa misma» [6].

La confusión que la mente primitiva establece entre la cosa y lo que tiene que ver con ella (por ejemplo, en el caso en que estamos, el nombre), no era, por supuesto, un fenómeno desconocido por la Psicología de las culturas primitivas. Lo que, en cambio, creo que puede considerarse como novedad es explicar el dato por las propiedades (asimismo no investigadas por nadie hasta hoy, más que muy parcialmente, según ya dije) [7] de las *ecuaciones* preconscientes (no estudiadas tampoco) que dan lugar a los símbolos. En el caso de que acabo de ocuparme, el extraño fenómeno de que un primitivo venga a completa confusión entre las cosas y su mera denominación; que tenga, pues, ante las denominaciones, la emoción de que está tratando realmente con las cosas, sólo puede explicarse, a mi juicio, por razón de que se han formado, efectivamente, en su mente, ecuaciones simbolizantes que son, 1.º, *preconscientes*; 2.º, con posibilidades de *inesencialidad*; 3.º, *serias*; 4.º, *totali-*

---

[6] Véase hasta qué punto todos llevamos interiorizado un hombre primitivo, en la siguiente frase del gran economista Galbraith. Habla del miedo a una nueva depresión (tras la del 29) en la economía de su país: «El convencionalismo, tan escrupulosamente observado por los hombres de negocios, de no expresar públicamente ningún temor de colapso económico, *por miedo de que expresar el temor sea atraer el hecho*, ha disimulado mucho esta alarma» (J. K. Galbraith, *El capitalismo americano*, Barcelona, Ediciones Ariel, 1972, pág. 119). (El subrayado es mío.)

[7] Sólo se conocían algunas de estas propiedades, por ejemplo, la «transitividad», aunque no con este nombre (véase la nota anterior).

tarias, y 5.º, *transitivas*. Todo lo cual trae, además, a los miembros emparejados la posibilidad de *ambigüedad* (6.º) y de *disemia* (7.º)[8]. Veamos. Las ecuaciones, al ser preconscientes, resultarán, pensábamos, «serias». Pero la «seriedad» ecuacional tiene, como sabemos, consecuencias. Y así la identidad de que hablamos, entre los nombres y las cosas, será una verdadera identidad, o en otras palabras, será una identidad de tipo matemático (de la especie $3 + 2 = 5$), no una mera comparación como la que hay en las frases «tu mano es nieve» o «tu pelo es oro», que sólo establecen un parecido, y, sobre ello, tal parecido no afecta a los dos objetos sometidos a ecuación («pelo» y «oro»; «nieve» y «mano»), sino sólo a una mera *cualidad* de tales objetos (el color). En las ecuaciones realizadas preconscientemente por la mente primitiva hay, al revés, en vez de parecido, *identidad real;* y en vez de tratarse de las cualidades de los objetos, son los objetos mismos (nombre y cosa, digamos) los que se funden y asimilan por completo. *Por completo:* he ahí el «*totalitarismo*». El nombre, sin dejar de ser un nombre, es también y *de veras* («*disemia*», «*ambigüedad*») la cosa misma, en alguna esencial dirección; la cosa misma, esto es, la cosa en cuanto a *todas* sus propiedades, incluso aquellas que nada tienen que ver con el nombre de referencia. Si se trata, digamos, de una puerta (cuento de Alí Babá y los cuarenta ladrones), poseer, pongo por caso, la capacidad de abrirse:

> Tener el nombre de la puerta (saberlo), dominar ese nombre [= tener la puerta misma, dominarla =] emoción en la conciencia de «tener la puerta misma, dominarla».

De este modo, si el nombre de la puerta es «Sésamo», Alí Babá podrá abrir la puerta diciendo el nombre («Sésamo») que es propio de ella, y formulando, a continuación, como una orden, el deseo que, en ese momento, interesa realizar: «Sésamo, ábrete»[9]. El nombre no puede, claro es, «abrirse»; pero

---

8 Véanse las págs. 215-227.
9 Esta es la explicación de todos los conjuros. «Al noroeste de Siberia, entre los koriakos y los chukchis, ciertos individuos tienen conjuros

dominar el nombre, conocerlo, enunciarlo, es tener, *dominar* el objeto al que el nombre se refiere (la puerta), en cuanto a la plenitud de su realidad, dijimos, incluso por lo que toca a aquellas propiedades (abrirse) que son por completo ajenas a las propiedades que pueda tener el nombre como tal (*totalitarismo*, insisto). Sin duda, cuanto estamos señalando supone, además, el fenómeno de la «*transitividad*», y, sólo por él, tan complejo asunto resulta, en definitiva, explicable (fenómeno que, a su vez, *implica*, tal como acabamos de ver, el *totalitarismo*, amén de la seriedad ecuacional, etc.). Pero, aparte y antes de tan finos pormenores, la «transitividad» la percibimos ya en el hecho primario de que el nombre proporciona al primitivo la emoción de la cosa en su completa realidad. Y aún es observable, en el ejemplo susomentado, otra notable característica: la ecuación se ha establecido *sin cumplir con la condición de «esencialidad»* que exigen siempre, en cambio, las ecuaciones metafóricas conscientes que no quieran producir un efecto cómico. Si conscientemente alguien confundiese un objeto con su denominación suscitaría la risa, a causa, precisamente, de la inesencialidad de la semejanza entre ambas realidades. Los chistes basados en juego de palabras nos hacen reír, justamente, por presentarnos errores de esta clase. El primitivo experimenta un error idéntico, pero con resultados muy diferentes y hasta opuestos, al ocurrir en el preconsciente. La igualdad «nombre = cosa», aunque inesencial, hemos visto que es, en efecto, no lúdica, amén de «totalitaria», «transitiva», etc. O sea: *lo contrario* del rechazo de la identidad que la risa, frente a una metáfora cómica, supone sin excepciones.

---

para todas las circunstancias de la vida: curar enfermedades —ensalmos—, mejorar el tiempo o cazar el reno (Robert H. Lowiw, *op. cit.*, página 289). Según la interpretación que propongo, *el conjuro es el nombre de la cosa:* tener el nombre es tener la cosa, *dominar la cosa*, como digo en el texto, gracias a que el nombre, el conjuro, se convierte en un simbolizador: conjuro o nombre de la cosa [= la cosa misma =] emoción en la conciencia de «la cosa misma».

En suma: sólo las propiedades de las ecuaciones preconscientes (posibilidad de inesencialidad sin resultados hilarantes, seriedad, totalitarismo, transitividad, disemia, ambigüedad) pueden hacernos inteligibles estos hechos identificativos propios de la mente primitiva, en que la cosa se confunde, *realmente*, no lúdicamente, con *cualquiera* de sus relaciones, por ejemplo, con su denominación. En cuanto a esto último, veamos algunas de sus diversificaciones, aparte del caso que ya hemos expuesto de los abracadabras del tipo «Sésamo, ábrete». Las fórmulas mágicas, que suscitan la obediencia o la presencia del ser al que se hallan referidas, pertenecen a este mismo tipo. Pero creo que deberíamos incluir en idéntico apartado un hecho que nunca he visto aproximado a los que acabo de citar. Y, sin embargo, la solución que hemos propuesto para ellos nos explica de pronto, espero, que en la Biblia no pueda decirse el nombre de Dios, pues decirlo sería tanto como tener a Dios, dominarlo, señorear sobre él (lo mismo que Alí Babá dominaba, señoreaba sobre la puerta de la cueva en que se hallaban sus tesoros), pretensión, la de señorear sobre Dios, evidentemente sacrílega:

tener, dominar el nombre de Dios [= tener, dominar a Dios =] emoción de tener, dominar a Dios en la conciencia.

El pintor de Altamira se servirá de su arte para atraer a los bisontes y poder así darles caza, ya que al representarlos en el techo de una cueva se establece una relación esencial entre la representación y lo representado:

bisonte pintado [= bisonte real =] emoción de bisonte real en la conciencia

por lo que, al ser pintado, tendría que aparecer el animal por algún sitio próximo, en donde se le pudiera apresar.

Pero hay más: la imagen de alguien (pintura, retrato, muñeco de trapo o cera) equivale a ese alguien, *y, en consecuencia, repercutirá en éste, por «transitividad»* [10], cuanto a aquél

10 Véanse las págs. 218-227 del presente libro. La «participación» de que hablan Lévy-Brühl (*op. cit.*, págs. 200-201) y Todorov (*op. cit.*, pági-

hagamos. Nos explicamos así, *y sólo así*, que el brujo crea poder matar de esta manera a una persona sin más que pinchar el corazón de su mera efigie:

efigie de una persona [= la persona misma =] emoción de la persona misma en la conciencia.

Al ser realmente iguales efigie y persona, lo que hagamos a la efigie le ocurrirá a la persona: por transitividad, ésta habrá forzosamente de morir.

En ocasiones, un conjuro puede dotar de poder a un objeto (por ejemplo, a una imagen de madera), que se convierte así en amuleto. Robert H. Lowie, que menciona el caso, lo juzga «inexplicable»[11]. Para nosotros no hay aquí misterio alguno, pues el asunto queda perfectamente claro, creo, por obra de una metonimia preconsciente[12], seguida de una metáfora de la misma clase. Por una parte, en efecto, la imagen de madera frente a la cual se recita el conjuro se identifica «seriamente» con el conjuro mismo, por el mero hecho de su proximidad (metonimia); por otra, ese conjuro con el que se confunde la imagen de madera o amuleto, al ser, aunque de modo «secreto», el *nombre* de la realidad sobre la que se desea influir[13], queda, a su vez, confundido con ésta (metáfora); pero, al hacerse una sola cosa conjuro y realidad, le ocurrirá lo propio al amuleto, el cual entrará también en el conjunto, puesto que conjuro y amuleto se han previamente igualado. El resultado de todo ello habrá de ser que, por transitividad, el dominio del amuleto

---

na 279) equivale a lo que nosotros llamamos «transitividad». Pero, como ya dije (nota 1 al cap. XIV), ninguno de los dos autores explica esa «participación» por el hecho de la identidad seria.

[11] Robert H. Lowie, *op. cit.*, pág. 291.

[12] Las metonimias preconscientes tienen, como las metáforas de esa índole, una estructura que puede ser muy distinta de las conscientes, precisamente por su falta de lucidez. *Basta que dos cosas se hallen próximas* en el tiempo o en el espacio para que se confundan «metonímicamente» con seriedad y totalitarismo (véase mi libro *El irracionalismo poético*, Madrid, ed. Gredos, 1977, págs. 287-290).

[13] Véase la nota 6 a la pág. 408.

conlleve el dominio de la realidad sobre la que se desea ejercer un influjo. El proceso Y desencadenado tendría esta forma:

> Imagen de madera o futuro amuleto frente al cual se recita el conjuro [= el conjuro mismo o «nombre» de la realidad sobre la que se quiere influir = la realidad misma sobre la que se desea influir =] emoción en la conciencia de la realidad misma sobre la que se desea influir.

Por «transitividad», repito, la propiedad o señorío sobre el primer término del proceso (el amuleto) significa la propiedad o señorío sobre el último, la realidad sobre la que se desea influir (ya que todas las ecuaciones son «serias» y «totalitarias»). Tal realidad habrá así de obedecer al poseedor del talismán de referencia.

En todos estos casos, y en muchos más que podrían con facilidad mencionarse[14], el objeto (nombre de algo, o de alguien, pintura de un bisonte, muñeco que representa a un ser humano, talismán, amuleto o fetiche) se le convierte al hombre primitivo *en un simbolizador* que se identifica de verdad, y no lúdicamente, con otra cosa. El mundo se llena de símbolos, en el sentido estricto con que usamos aquí esta palabra; símbolos que emocionan, a su sencillo espectador, de la manera que a los símbolos es propia: de un modo «inadecuado» a la «letra» en cuanto tal del simbolizador. El nombre, la pintura o la efigie de algo o de alguien, el talismán, *no deberían*, en efecto, desde

---

[14] Tal es también la explicación de numerosas supersticiones. Si romper un espejo trae mala suerte, se debe, en mi opinión, a que el supersticioso (al menos, el que experimenta por vez primera la superstición) ha establecido en su conciencia un proceso preconsciente:

> espejo [= figura mía en el espejo = mi persona =] emoción de mi persona en la conciencia,

con lo que por «transitividad», lo que le ocurra al primer miembro (que hace de simbolizador: el espejo, romperse, sufrir un daño), repercutirá en el último (mi persona) que se sentirá en trance, igualmente, de padecer algún mal.

una perspectiva puramente racional, producir la emoción de
que nos hallamos realmente frente a la realidad así representada [15].

EL FORMALISMO MEDIEVAL:

CAUSAS Y CONSECUENCIAS

Pero, como dije antes, no sólo el primitivo sentía de este
modo el mundo. También el hombre de la Edad Media experimentaba la realidad en consonancia con estos procesos que
desde ahora podemos denominar mágicos, ya que son los que
pueden, como vimos, explicar los ritos de la brujería y la
caverna.

Por supuesto, el hombre de la Edad Media, aunque anduvie-
ra lejos de ser un salvaje, poseía un individualismo tan bajo
aún que éste le llevaba a recaer, con monotonía y característica
frecuencia, en ese pensar confundente, «totalitario», «serio» y
«transitivo» que acabo de describir. Claro está que los filósofos
de entonces sabían realizar con destreza la distinción entre
sustancia y accidente. No hablo ahora de lo que la razón humana podía llevar a cabo, incluso en esa época, cuando se

---

[15] La razón que doy en el texto explica, pues, numerosos hechos de
que nos hablan los antropólogos: todo lo que en términos generales se
denomina «magia imitativa». «Si un australiano quiere que llueva, se
llena la boca de agua y la expulsa en todas direcciones; con el mismo
fin, el hopi trazaba los dibujos de nubes y de la lluvia. En cierta ocasión
en que los animales de caza escaseaban, un mago de los indios cuervos
orientó un cráneo de búfalo en la dirección del campamento, y poco después se aproximó un gran rebaño; una vez que los indios hubieron mata-
do cuantos búfalos quisieron, se orientó el cráneo en dirección opuesta
y los animales desaparecieron. A veces la magia imitativa adopta una
forma más compleja, pues los maoríes hacen efigies de sus enemigos y las
golpean, con lo cual creen dañar a la persona en cuestión; ocurría otro
tanto entre los indios cuervos, que dibujaban en el suelo la imagen del
enemigo, le traspasaban el corazón, le soplaban humo y todo lo borraban
profiriendo una maldición. Esta práctica no sólo ha sido propia de los
primitivos, sino que floreció en Europa durante la Edad Media y todavía
es muy popular entre los campesinos de las regiones más apartadas de
este continente» (Robert H. Lowie, *op. cit.*, págs. 288-289).

colocaba en una actitud de despierta vigilancia y se proponía la solución de un problema intelectual, sino de lo que hacía, de hecho, cuando el sujeto se limitaba a vivir y a actuar, y también cuando hablaba e interpretaba la realidad desde una postura igualmente vital, abandonándose a la espontaneidad de su ser. Lo que nos interesa aquí es, pues, algo pariente, aunque no coincidente con lo que Ortega denominó «creencias»: ideaciones y juicios que no «hacemos», pero que *están* en nosotros; juicios tácitos, informulados, implicados en nuestra conciencia de las cosas y que en esa conciencia viven bajo la forma de «contar con ellos» [16]. La diferencia con las creencias orteguianas es que éstas no son de tipo simbólico, y los supuestos medievales de que hablamos, sí. Son tales supuestos simbólicos engendrados del modo preconsciente que sabemos los que nos conviene investigar, porque es allí donde el verdadero ser de la época aparece sin disfraz, y, por tanto, en su autenticidad genuina, y, en este sentido, creo que por primera vez.

Pues bien: desde esa zona de desnudamiento y en esa manera no problemática de que hablamos, los hombres medievales tendían al ilícito conglomerado de que he hecho mención.

Multitud de hechos y creencias medievales tienen, en efecto, este origen. Enumeremos algunos de ellos. Por lo pronto, y dicho de una manera general, el enorme interés, de que esta época da prueba, por la pura apariencia o formalidad. Y es que, digámoslo una vez más, la mente, cuando aún no ha adquirido la madurez racional, tiende a vivir desde la emoción, o sea, con frecuencia, desde el preconsciente, que confunde la cosa con lo que tiene que ver con ella, por escaso que sea este vínculo de aproximación, ya que en esa región no lúcida no se precisa, según hemos sentado, de la esencialidad en la similitud de los miembros identificados. Se confundirá así la esencia de una determinada realidad, lo que tal realidad es verdaderamente, con su manifestación externa. Toda for-

---

[16] José Ortega y Gasset, *Ideas y creencias*, en *Obras Completas*, Madrid, ed. Revista de Occidente, t. V, 1947, págs. 379 y sigs., especialmente pág. 382.

ma, por este motivo, será vista como esencial, y habrá que
cumplir con ella. El proceso preconsciente que se suscita aquí
sería el que sigue:

> Forma del objeto [= esencia del objeto =] emoción en la con-
> ciencia de esencia del objeto.

De ahí que la Edad Media sea el período histórico en que más
ha contado el protocolo, la etiqueta [17] y el comportamiento externo de las personas. Es una época eminentemente visual. Si
se moría un familiar, había que llorarlo visiblemente, o bien
(obsérvese) pagar a alguien para que, al menos, el rito llegase
a cumplimiento (institución de las plañideras): el caso era llevar a cabo la externa formalidad o ceremonia. El puesto que
un hombre tenía en la sociedad, el «estado» de cada cual, se
convertía en naturaleza [18]. Todo responde al esquema precons-

---

[17] Huizinga, en *El otoño de la Edad Media* (Madrid, ed. Revista de
Occidente, 1961, 5.ª ed., pág. 316), dice que en esa época «todo lo que
se convierte en una forma de vida —las costumbres y los usos más
corrientes, lo mismo que las formas más altas en el plan universal de
Dios— es considerado como de institución divina. Así se revela muy claramente, por ejemplo, en la idea de las reglas de la etiqueta palatina».
Como se ve, nuestra explicación del hecho difiere de la que nos proporciona Huizinga. Por debajo de la religiosidad medieval está, a mi juicio,
el primitivismo y su propensión a las ecuaciones preconscientes de carácter simbólico (de que Huizinga no se percató) en calidad de causa de
mayor radicalidad, ya que ese primitivismo ecuacional explica también
otros muchos fenómenos, como comprobaremos, que nada tienen que
ver con la religión: por ejemplo, los fenómenos económicos, la economía
«de gasto» que caracteriza al período. Es curioso que nadie, que yo sepa,
haya buscado como raíz unitaria de tan numerosos fenómenos culturales
los procesos no lúcidos de que hago mención en el texto. Y, sin embargo, nada, en mi opinión, tan evidente: se trata, sin duda, de ecuaciones
realizadas fuera de la conciencia, y por lo tanto, de ecuaciones dotadas
de *seriedad, totalitarismo, transitividad,* etc. Aclaremos que, aunque Huizinga habla de símbolos refiriéndose a la Edad Media, denomina así a
fenómenos *conscientes* que para nosotros no son símbolos y desconoce
los verdaderos símbolos: precisamente los que nosotros ahora pretendemos describir.
[18] Véase, entre otros, Johannes Bühler, *Vida y cultura en la Edad
Media,* México, Fondo de cultura económica, 1957, págs. 104-107, especialmente pág. 106.

ciente arriba estipulado (forma [= esencia =] emoción de esencia en la conciencia): ser caballero, ser rey o villano no era un accidente que le había sobrevenido a uno por el hecho de nacer en el interior de una determinada clase o familia, sino, insisto, una esencia. Nunca después estuvo tan acentuado el sentido de las jerarquías. No hay duda de que el «estímulo» para muchas de estas características habría de ser · la índole insobrepasable y fija de las clases y hasta de las profesiones en la sociedad de la época. Pero sigamos. Puesto que lo de fuera era tan importante, se hacía preciso manifestarlo también en el traje. Es el imperio de los uniformes [19]. Siendo esencial el hecho de ser plebeyo o caballero (y aun de ser herrero, tejedor o campesino), lo habrá de ser, asimismo, vestir en correspondencia con ello, ya que el vestido supone, por las mismas razones, una formalidad hecha sustancia [20]. Cada persona manifestaba por fuera lo que era por dentro, y ello como un deber. El humilde había de aparecer como humilde en su atuendo, y al revés el hombre principal. Se esperaba que el gran señor se produjera con boato. Comprendemos ahora de un modo nuevo, y acaso más radical, el sentido que tenía, en tal edad, la «economía de gasto» (tan contraria a la nuestra de hoy, basada en la justa ganancia [21]) que le era característica [22]. Cada

---

[19] Véase José Ortega y Gasset: *En torno a Galileo*, en *Obras Completas*, t. V, Madrid, 1947, pág. 163. Tampoco Ortega, claro está, alude, como explicación del fenómeno, a las ecuaciones preconscientes de que aquí hablamos.

[20] Esquema preconsciente: vestido [= esencia de la persona =] emoción en la conciencia de esencia de la persona.

[21] José Ortega y Gasset, *Notas del vago estío*, en *Obras Completas*, t. II, Madrid, ed. Revista de Occidente, 1950, pág. 438; también en *España invertebrada*, en *Obras Completas*, t. III, 1950, nota 1 a la pág. 115.

[22] Werner Sombart (*El burgués*, Madrid, Alianza Editorial, 1972, página 20) llama a este tipo de economía «economía de gasto». Dice: «la idea de sustento según la posición social (...) domina en toda conducta económica precapitalista. Lo que la vida había ido moldeando en el curso de una lenta evolución recibe después de las autoridades del Derecho y de la Moral su consagración como precepto» (*op. cit.*, pág. 21). La explicación que doy en el texto de este hecho es exclusivamente de mi responsabilidad.

persona debía percibir tanto de riqueza cuanto le fuese necesario para su sustento, pero evaluado éste por el rasero de su categoría social. Así lo estipula Santo Tomás [23]. Como el noble se hallaba en el deber de la magnificencia, el dinero de la sociedad había de ir a sus manos. Lo que no dicen ni Santo Tomás ni sus comentaristas (tampoco los actuales) es la razón puramente emocional (o sea, preconsciente) que subyacía al supuesto deber de gasto en que se hallaba la aristocracia, y que representaríamos, vuelvo a decir, así:

> Forma en que se manifiesta la persona [= esencia de esa persona, lo que esa persona era de verdad =] emoción en la conciencia de esencia de esa persona, lo que esa persona era de verdad.

Recordemos aquí de nuevo algo que nos hemos atrevido a sostener más arriba: como por razones económicas no hubo a su tiempo en España un triunfo suficiente de la burguesía [24], perduraron durante el Renacimiento y aun bastante después, de modo especialmente anómalo, muchas concepciones medievales, entre ellas la que estamos considerando: el hidalgo del *Lazarillo* y los numerosos hidalgos de la vida real española de los siglos XVI y XVII esconden, *por razones últimamente morales*, sus hambres y penurias: les impelía a ello un sentido de la exterioridad decorosa, vista como esencial, semejante al que estamos estudiando para la Edad Media; y aún en el siglo XIX hispano, la importancia del qué dirán en cuanto al cuidado de las apariencias y el fingimiento que ello llevaba consigo tienen un origen idéntico: léase a Galdós (por ejemplo, *La de Bringas*).

---

[23] «Bona exteriora habent rationem utilium ad finem: unde necesse est, quod bonum hominis circa ea consistat in quadam mensura: dum scilicet homo secundum aliquam mensuram quaerit habere exteriores divitias, prout sunt necessariae ad vitam eius secundum suam conditionem. Et ideo in excessu huius mensurae consistit peccatum: dum scilicet aliquis supra debitum modum vult acquirere vel retinere. Quod pertinet ad rationem avaritiae, quae definitur esse inmoderatus amor habendi» (Santo Tomás, *Summa Theologica*, IIa. IIae., qu. 118, art. 1, 1886).

[24] Véase Claudio Sánchez-Albornoz, *España, un enigma histórico*, Buenos Aires, Editorial Sudamericana, 1956, t. II, págs. 105-161 y 299-348.

La cursilería (palabra significativamente sin verdadera traducción a otros idiomas) a que todo esto abocaba no es, caso de que mi interpretación sea correcta, sino medievalismo a destiempo. La cursilería es, pues, cosa española, y su raíz no ha de buscarse, primariamente al menos, en la vanagloria, sino en una actitud *que es ética en principio*: la de cumplir un deber: el deber de ser fieles a nuestra esencial condición, el deber de no desnaturalizarnos, de no ser, en suma, unos «desnaturalizados». Pero volvamos a la consideración de ese remoto pasado.

Los privilegios resultaban en la Edad Media, asimismo, sustanciales. Si el jefe de la policía de París poseía el privilegio de salir a la calle precedido de tres músicos que anunciaban sonoramente y con toda pompa su paso, incluso cuando iba de servicio, el requisito había de llevarse a cabo, aunque ello redundara en contra de la eficacia del cargo. Imagino que los ladrones habían de hallarse agradecidos de la buena fe con que se cumplían en la época estos pormenores, entendidos como ineludibles. Los atributos y prerrogativas se sentían, en efecto, como portadores de irremediable estabilidad e inexorabilidad. El rey Apolonio, náufrago, arriba a un lejano reino, donde nadie le conoce. Llevado a la presencia del soberano de aquel país, Apolonio declara su condición, y es admitido en la corte como egregio invitado. Se dispone a dar un recital de vihuela. De pronto se detiene: no puede tocar el instrumento. Y es que le falta la corona, sin la cual considera imposible ejercer sus maravillosas facultades de músico. Cortésmente, su regio amigo y huésped le cede una de las suyas, lo que soluciona el grave conflicto:

> Non quiso Apolonio la duenya contrastar,
> priso huna viuela è sópola bien temprar,
> dixo que sin corona non sabríe violar [25].

---

[25] *Libre de Apolonio*, estrofa 185, en *Poetas castellanos anteriores al siglo XV*, Madrid, Biblioteca de autores españoles, 1952, t. LVII, página 289.

Así nos lo cuenta, con delicioso candor, el autor del poema. El pasaje, idéntico, en lo decisivo, a infinidad de otros de la misma época, declara la primitiva confusión que la Edad Media tiende emocionalmente a establecer entre esencia y accidente, de modo que todo se convierte, con indiferencia, en sustancia. El rey y su corona vienen a ser lo mismo, con lo que sin lo uno, la corona, no se da del todo lo otro, el rey. Y como, por otra parte y por parejos motivos, se hacen igualmente de alguna manera indistintas la persona y su categoría social, si no se es por completo rey por no llevar corona, no se es tampoco, en cierta especial dimensión, persona en toda la plenitud de su dignidad. Sin corona, el rey no debe tocar. La Edad Media se nos aparece, a esta luz, como la época en que todo tiene algo de hierática figura de baraja, portadora de su inalienable y fijo atributo.

Se confundía, por razones similares de tipo simbólico, la causa y sus efectos, y estos últimos entre sí, cuando se trataba de efectos de la misma causa (causa [= efecto =] emoción de efecto en la conciencia; y efectos [= causa =] emoción de causa en la conciencia); o sea, efecto primero y efecto segundo [= causa =] emoción de causa en la conciencia, lo cual implica la identidad emocional de los dos efectos entre sí). El tratadista de etiqueta francés Olivier de la Marche sostenía que el «fruitier», criado que se encargaba de la fruta, debía encargarse, igualmente, de las iluminaciones, «le mestier de la cire». ¿Por qué? Porque las frutas nacen de las flores, decía, de donde nace también la cera con que las velas se fabrican [26]. Tan ingenua explicación tenía su base (aquí como en los otros casos) en un proceso preconsciente, que otorgaba al razonamiento una verosimilitud emocional. Para la emotividad de sus lectores, las palabras del tratadista resultaban entonces concluyentes [27],

---

[26] Olivier de la Marche, *L'Estat de la maison du duc Charles de Bourgogne*, t. IV, pág. 57.

[27] Es curioso observar cómo se convierten en evidencias *que no nece-sitan* demostración *las ideas que se han hecho emociones*. Si *sentimos* que A = B, tenderemos a creerlo como cosa que va de suyo, y partiremos acaso en nuestras reflexiones de esa identidad como de un axioma que

por razón, a mi juicio, de ciertas metonimias preconscientes, que identifican causas y efectos. De un lado:

> frutas (= flores =) emoción de flores en la conciencia.

Por otro:

> cera (= flores =) emoción de flores en la conciencia.

O, como dijimos antes:

> efecto primero y efecto segundo (= causa =) emoción de causa en la conciencia (por lo cual los dos efectos, frutas y cera, producirán en el espectador medieval una misma emoción, la emoción de flores).

Cera y flores producían la misma emoción: *eran, pues, emocionalmente la misma cosa*, y un solo criado habría de ocuparse de esa cosa única [28].

---

no es preciso probar. En la Edad Media, pero no sólo en ella, por supuesto, el fenómeno se repite una y otra vez.

[28] Este formalismo se extrema tanto más cuanto más primitiva sea la mente de que se trate. Por eso es máximo entre los pueblos «salvajes». Y así los conjuros mágicos a que antes me referí habían de hacerse «sin un solo error», como dice Robert H. Lowie (*op. cit.*, pág. 289). «Un solo error en la recitación de un conjuro anula los efectos de una complicada fiesta» (*ibid.*, pág. 303). Algo semejante se hace aún visible respecto de la literalidad del juramento en la alta Edad Media. Como dice Huizinga, «solíase perder el derecho por una equivocación involuntaria en la fórmula del juramento» (*El otoño de la Edad Media*, Madrid, ed. Revista de Occidente, 1961, pág. 327).

CAPÍTULO XVIII

MISONEÍSMO

Pero ocurre que las ecuaciones preconscientes, consideradas en su esquema más frecuente en la Edad Media:

forma (= esencia =) emoción consciente de esencia

explican aún otros fenómenos medievales (y no sólo medievales, como veremos) que acaso revistan todavía mayor importancia y transcendencia. Me refiero, por lo pronto, al misoneísmo, tan evidente y manifiesto y de tanta repercusión de todo orden durante el vasto período que estudiamos, y aún después. En realidad, este misoneísmo inmovilista sólo vino a hacer quiebra, realmente y de un modo franco, como sabemos, en el último tercio del siglo XVII («querella de los antiguos y los modernos»), y más aún a lo largo del XVIII, en que ya aparece, como dijimos más atrás, en algunas cabezas solitarias (De Turgot, a mitad del siglo, y Condorcet después, ya al fin de esa centuria), la idea que sólo se hará popular en el siglo siguiente: la idea de «progreso». Para la Edad Media y su secuela posterior, renacentista, y aun, de manera reminiscente y residual, algo después, todo cambio resultaba condenable; era un abuso que iba contra la naturaleza misma de las cosas. El hecho es muy conocido[1], y nos hemos ya referido a él; no así su secreta

---

[1] Véase J. Huizinga, *El otoño de la Edad Media*, Madrid, Ed. Revista de Occidente, 1961, pág. 52.

razón, que para nosotros no puede ser más clara. Se trata, como he adelantado, de la confusión *preconsciente y simbolizante* entre la esencia inmóvil e inmodificable de las cosas y su variopinta exterioridad: sus cambiantes y móviles accidentes. En efecto: si los accidentes de la cosa son sentidos como esenciales:

> accidentes de la cosa [= esencia de la cosa =] emoción en la con-
> ciencia de esencia de la cosa

forzosamente habrán de considerarse, por transitividad, como inmodificables, ya que las esencias, por definición, ostentan ese carácter de invariabilidad. Vuelvo a decir que nadie se ha percatado del carácter simbólico de estos fenómenos medievales, que, en consecuencia, permanecían inexplicados en cuanto a su verdadera motivación.

LAS HABAS CONTADAS

Ahora bien: si las cosas no están sujetas a mutación, por supuesto en cuanto a su esencia, pero tampoco, *aunque sólo emocionalmente y en lo genérico*, en cuanto a sus accidentes, no tendrán, por ningún sitio, capacidad de cambio.

Esto va a tener en la Edad Media consecuencias de gran calibre. Por lo pronto, si las cosas son inmodificables, si *sus cualidades resultan fijas, podrán éstas con facilidad enumerarse.* La realidad se ofrece entonces como el reino de las habas contadas. Todo puede encerrarse en una cifra: el mundo se compone de una cantidad finita y abarcable de cosas, y cada cosa tiene, a su vez, cierto número de propiedades: ni una más ni una menos. En el libro de los *Castigos e documentos del rey don Sancho* (Sancho IV), una de tantas obras de educación de príncipes, se lee:

> Seis costumbres son en los mancebos de loar. La primera es que
> sean liberales e francos. La segunda es que sean animosos e de
> buena esperanza. La tercera es que sean magnánimos e de grandes
> corazones, etc.

Y sigue el texto:

> Lo primero les contesce por dos cosas: la primera es porque
> no han probado las menguas en que caen los homes. La segunda
> es porque los bienes que han non los ganaron por su trabajo, etc. [2].

Del mismo modo:

> Seis costumbres malas e de reprehender en los mancebos (...).
> La primera que son seguidores de pasiones, e esto les contesce
> por dos razones. La una, porque han la calentura natural muy
> viva (...). Lo segundo, porque son menguados en el entendi-
> miento (...).
> La segunda costumbre mala dellos es que son de ligero movi-
> bles e trastornables (...).
> Lo tercero, que creen de ligero, e esto les contesce por tres
> razones. Lo primero, que por su simpleza mesuran los otros (...).
> Lo segundo... [3].

Esta manera de escribir es típica de la época. *Libro infinido,*
de don Juan Manuel:

> Sabet que por tres cosas se conocen los grandes homes non se
> veyendo. La una es por los grandes fechos que facen. La otra
> por la fama comunal que dellos corre por el mundo. La otra por
> las cartas e por los mandaderos que envían [4].

TENDENCIA A LA SUMMA

Se entiende que don Juan Manuel con sus cincuenta cuentos
creyese, como queda dicho [5], haber cubierto la totalidad del
humano vivir. Y es que la consecuencia inmediata de esta fe
en la contabilidad y enumerabilidad de las cosas y propiedades

---

[2] En *Escritores en prosa anteriores al siglo XV*, Biblioteca de autores
españoles, t. LI, capítulo LXIX, pág. 197.

[3] *Op. cit.,* «Castigos...», capítulo LXX, pág. 198.

[4] *Op. cit.,* «Infinido», capítulo XIII, pág. 272.

[5] Véase la pág. 403.

de cuanto hay será, claro está, la proclividad a la «summa», que sólo se hace posible cuando el orbe se concibe como un conjunto perfectamente mensurable.

De lo dicho se deducirán aún otras peculiaridades de la cultura medieval. Pues si la realidad en su conjunto aparece como inmutable, si cada cosa en particular posee ese mismo carácter, todo forzosamente habrá de surgir de modo categórico; cuanto es, es por completo, sin consentir aumento ni disminución, mezcla o paliativo. Cada objeto, por insignificante que parezca, se hallará separado por abismos de cualquier otro. No se conciben las medias tintas, la ambigüedad, el matiz ontológico con que algo transita hacia una diversa manifestación de su ser. Ahora bien, al no darse lo intermedio, todo habrá de producirse con extremosidad, el vicio lo mismo que la virtud. El primero llegará a ser en ocasiones abominable; la segunda, inhumana. Las leyendas de los santos y de los pecadores ofrecen a la sazón ejemplos sobrados de ello. El mundo no podía interpretarse sólo como malo: tenía que ser horroroso. Este carácter absoluto de las realidades es lo que lleva a muchos escritores y a muchos hombres de entonces a cambios repentinos de tipo radical, por ejemplo, entre la religiosidad y la mundanidad. No cabía vivir en una zona intermedia entre el Más Acá y el Más Allá. No había posibilidad de compromiso: o se era mundano del todo o se era del todo religioso. Y únicamente cabía elegir entre lo uno o lo otro, o con frecuencia ir dando tumbos entre lo otro y lo uno. El Arcipreste de Hita ha asombrado a los críticos por el aspecto cambiante de su obra, la cual tan pronto desconcierta por su piedad como por su libertinaje. Para entenderla bien, basta, sin embargo, a mi juicio, juzgarla sencillamente por lo que era: una obra medieval. Igual diríamos de otros aspectos de la vida de entonces. La administracción de justicia ostentaba formas similares de radicalidad llevada al límite, que chocan con nuestras concepciones de hombres de hoy. Se era, o crudelísimo en demasía, o excesivamente misericordioso: o se descuartizaba a un reo, o se le indultaba, con una «carta de remisión».

NOMBRES A LOS OBJETOS INANIMADOS

Y como cada realidad era, de este modo, absoluta, se tendía a dar nombres a los objetos inanimados. He aquí, pues, una segunda «causa cosmovisionaria» del fenómeno de que hemos hablado en otro lugar, cuando intentábamos explicarnos los nombres «Colada» y «Tizona», que ostentaban las espadas del Cid. Lo que hace aquí el nombre es destacar la independencia de cada objeto, su existencia aparte y de por sí. Se nos explica de este modo también, en una perspectiva igualmente distinta, la minucia medieval, la tendencia a la abundancia, de que antes nos hicimos eco desde otro punto de vista: *todo importa, puesto que todo es absoluto.*

ANACRONISMOS

Pero de la inmodificabilidad de cuanto hay se deducen cosas acaso más importantes todavía. Por lo pronto, esto: el hombre de la Edad Media experimentará el mundo como un bloque dado de una vez para siempre, en el que no hay modo de introducir innovaciones radicales. Cuanto hay lo ha habido, en cuanto a su realidad genérica, y lo habrá, de ese modo, en todo momento y en toda situación. De ahí, por lo pronto, la plenitud de la vigencia del «argumento de autoridad»: «pensemos hoy como se pensó ayer». Y la vigencia, también, de lo que llamaríamos el «argumento de la costumbre»: «hagamos hoy lo que ayer se hizo». Pero, asimismo, nos explicamos, si no me equivoco, una de las características más notables y conocidas de la literatura medieval, prolongada luego como tal hasta el teatro del siglo XVII español, el de Lope y sus discípulos. Estoy aludiendo al anacronismo. El hombre de la Edad Media (y aun, de otro modo y en otro grado, el posterior que he dicho) es, de alguna manera, incapaz de imaginar lo distante o sobrenatural como sustancialmente distinto a lo cotidiano, próximo y tangible: todo lo que es, dijimos, fue antes en cuanto a su molde genérico, y seguirá siendo después, idéntico a sí mismo. Como hemos puesto ejemplos claros de estos anacronismos páginas atrás (anacronismos que entonces explicábamos de modo diferente [6], pues, según dijimos y vamos comprobando, las características de cualquier época pueden y suelen tener varias «causas cosmovisionarias»), no es preciso ahora mencionar sino algunos ejemplos más, que les son, en último término, asimilables. Berceo pinta a las criaturas celestes e infernales con la actitud y el pergeño de las gentes, buenas y malas, a quienes tropezaba diariamente en su humilde mundo y menester. He aquí unos demonios que arrastran al infierno a un condenado:

> Prisiéronlo por tienllas [«cuerdas»] los guerreros antigos,
> los que sienpre nos fueron mortales enemigos.
> Dávanli por pitanza non manzanas nin figos,
> mas fumo e vinagre, feridas e pelcigos [«pellizcos»] [7].

La Virgen defiende a un devoto suyo contra las malas artes de un diablo que en figura de león le atormentaba:

> Empezóli a dar de grandes palancadas,
> non podíen las menudas escuchar las granadas («las grandes»),
> lazrava el león a buenas dineradas,
> non obo en sus días las cuestas tan sovadas.

> Diçiel la buena duenna: «Don falso traidor,
> que siempre en mal andas, eres de mal sennor,
> si más aquí te prendo en esti derredor,
> de lo que oi prendes aún prendrás peor» [8].

El oscuro sentimiento inmovilista, de raíz preconsciente en nuestra interpretación

accidente [= esencia =] emoción consciente de esencia,

---

6 Véanse las págs. 327-329.
7 *Milagros de nuestra Señora*, «Los dos hermanos», Madrid, Espasa Calpe, ediciones de «La Lectura», 1934, estrofa 246, pág. 62.
6 Véanse las págs. 241-243.
8 *Ibidem*, «El clérigo embriagado», págs. 114-115, estrofas 478-479.

se veía «alentado» y, además, confirmado, en cierto modo, y, en consecuencia, intensificado por la realidad social de entonces: he ahí, en efecto, el «estímulo» o conjunto de «estímulos» que han movido al «foco» de la época para que éste diese de sí, del modo que hemos establecido, la característica en cuestión. Recordemos aquí ciertos hechos mencionados ya en este libro. Nos encontramos, digamos, en el siglo x. La sociedad, jerarquizada y hieratizada por el feudalismo, que tiene ahora su forma clásica, es una pieza rígida, prácticamente quieta, o con un dinamismo de tanta lentitud que de cerca no se percibe. El gran comercio y la gran industria han desaparecido desde hace más de dos centurias (podríamos fijar para ello una fecha concreta: toma de Cartago por el Islam en el año 695 [9]), pues los árabes se han adueñado del Mar Tirreno, interrumpiendo el tráfico mercantil que antes iba y venía desde Bizancio [10]. En estas condiciones, la persona queda extremadamente alienada en el cuerpo social, en cuanto que éste le suministra un destino que le es previo y al cual no le es posible sustraerse: ni por el lado jerárquico, pues la situación de clase le encarcela en algo como una naturaleza inviolable; ni por el lado económico, pues no le es dado enriquecerse con el trabajo, en suficiente escala, de creación o venta de productos. El hombre permanecía así congelado en una situación que tenía visos de inamovible. Se nacía y se moría, además, en un mundo y un contorno sociales que asomaban como hechizados en un molde sin posibilidades de alteración. La ciega emoción inmovilista que le llegaba a cada cual desde su preconsciente, era «estimulada» de este modo, y además, por tanto, ratificada y así con fuerza acrecida por los dictados de la experiencia de un mundo que se hallaba, en cierto modo, sumido en un como extraño éxtasis, en un como suspenso calderón, y, en consecuencia, era ratificada también, de alguna manera, por la razón

---

[9] Jacques Pirenne, *Historia Universal*, vol. II, Barcelona, Editorial Éxito, 1961, pág. 33.

[10] Henri Pirenne, *Historia económica y social de la Edad Media*, México-Buenos Aires, Fondo de cultura económica, 1947, pág. 10.

misma, que siempre se aconseja de lo que percibe y capta en la realidad [11].

CAMBIO COMO ABUSO

Y sin embargo, a veces, algo nuevo, pese a todo, sobrevenía; el esquema esperable no se completaba, el agua discurría por un cauce imprevisto: había sobrevenido el escándalo de una variación. ¿Cómo podía la mente medieval «racionalizar», en tales casos, la mudanza? De este modo: el mundo *no debía* cambiar; el cambio era, en consecuencia, un error moral, un desorden, un contrasentido, una monstruosidad que contradecía a la naturaleza, torciendo y desbaratando la manifestación normal de las cosas: se trataba, en definitiva, de *un abuso*, insisto, que se hacía preciso corregir.

¿Cómo? Al concebirse el cambio como «abuso», su rectificación y la consiguiente recuperación del «buen uso» exigía ir hacia otra época en que el abuso no se había aún cometido. Esa época de conducta correcta no podía ser sino un ayer. El «buen uso» era, en todo caso, «el buen uso antiguo». De ahí las nostalgias de una Edad de Oro, siempre inmemorial, en que se han complacido todos los períodos que poseen de manera residual o plena una dosis de primitivismo. Pues he de repetir (y discúlpese la insistencia) que la concepción inmovilista duró, en el mundo europeo, aunque ya resquebrajada y haciendo agua por muchos sitios, nada menos que hasta el comienzo del último tercio del siglo XVII. En ese sentido, no es disparatado el criterio de aquellos historiadores que consideran que sólo en tal sazón puede darse por clausurada la Edad Media [12]. No sólo, en efecto, hay misoneísmo en el período medieval propiamente dicho:

11 Añadamos otro «estímulo», yéndonos a algo más gaseoso y envolvente: no cabe duda de que la ideología de la clase dominante estaba interesada en el mantenimiento del *statu quo*: le importaba mucho que nada se transformase y aun (como digo a continuación en el texto) que se considerase como abusiva toda transformación. Los estímulos son en este caso de índole únicamente material.

12 Véase las notas 8, 9, 10 a la pág. 391 y la nota 11 a la pág. 392.

(Santillana: «si tú recobrases [dice a España] las antiguas costumbres, entonces creería yo que la piedad de Dios se toviese
contigo»).

sino también en los siglos XVI y XVII (*y no sólo en España,
como parecen pensar algunos autores*). He aquí algunos textos.
Fray Luis de Granada, en el *Símbolo de la fe*:

> como si la novedad de las cosas nos hubiese de mover más que
> su grandeza, a inquirir la causa de ellas.

Guevara, en 1531:

> No curéis de intentar introducir cosas nuevas, porque las nove-
> dades siempre acarrean, a los que las ponen, enojos, y en los
> pueblos engendran escándalos [13].

Sebastián de Covarrubias (1611: *Tesoro de la lengua castellana*):

> La novedad suele ser peligrosa por traer consigo mudanza de
> uso antiguo [14].

Quevedo:

> Perdió al mundo el querer ser otro, y pierde a los hombres el
> querer ser diferentes de sí mismos. Es la novedad tan mal con-
> tenta de sí que cuando se desagrada de lo que ha sido, se cansa
> de lo que es. Y para mantenerse en novedad, ha de continuarse
> en dejar de serlo. Y el novelero tiene por vida muertes y falleci-
> mientos perpetuos. Y es fuerza o que deje de ser novelero, o
> que siempre tenga por ocupación el dejar de serlo.

Gracián (*El Criticón*):

> Andamos mendigando niñerías en la novedad para acallar nues-
> tra curiosa solicitud en la extravagancia... Pagámonos de juguetes
> nuevos... haciendo vulgares («groseros») agravios a los antiguos
> prodigios por conocidos.

---

[13] Citado por Ramón Menéndez Pidal, «Los españoles en la historia»,
en *España y su historia*, Madrid, Minotauro, 1957, pág. 27.
[14] Citado por Ramón Menéndez Pidal, *op. cit.*, pág. 27.

Naturalmente, esta antipatía a la novedad se hallaba arraigada con más fuerza en el siglo xv que en estos ecos postreros. Comprendemos ahora el sentido de la frase manriqueña:

> cualquiera tiempo pasado
> fue mejor [15].

Todo ayer es mejor que el hoy abusivo porque en el pasado reside el buen uso. El paraíso, el bien, estaban, pues, en el pretérito, y para hallarlos sólo había un camino: el regreso, la restauración, el «renacimiento». Volver a nacer, liberándose de la espesa capa de abusos en que hoy consistimos. Tal es el sentido del Humanismo (vuelta a los escritores antiguos) y de la Reforma (vuelta al cristianismo primitivo), como ya vio Ortega. Pero Ortega, que percibió con claridad este hecho, no entró, a mi juicio, en su verdadera causa, que, a mi entender, es la que antes hemos intentado determinar: los procesos preconscientes que establecíamos, la manera simbolizante de actuar la mente del hombre cuando ésta se manifiesta con espontaneidad primitiva. Y es que, además, como no cabía de veras innovar, el instinto humano de evitar las cansinas repeticiones de lo mismo llevaba a acumular lo dado, sea en el traje [16], sea en el arte (gótico florido), o en la ornamentación [17], sea en las devociones (las cuales se hacen en el siglo xv amaneradamente minuciosas) [18], sea en las citas de los humanistas (convertidas con frecuencia, a la sazón, como enseguida veremos, en insoportables monsergas) e incluso en la ciencia, la

---

15 *Coplas a la muerte de su padre.*
16 J. Huizinga, *op. cit.*, pág. 351.
17 J. Huizinga, *op. cit.*, pág. 350.
18 Véase Ortega y Gasset, *op. cit.*, pág. 149. El amaneramiento en las devociones procedía no sólo de la tendencia a la acumulación, sino también de la tendencia a ver en toda propiedad una substancia, algo, pues, que merecía consideración de tal. Toda minucia se convertía en cosa respetable que había de ser atendida. El hombre de fin de la Edad Media se perdía así en un infinito detallismo, en donde la porción más pequeña absorbía la totalidad de nuestra atención. Así, en la pintura, en las devociones, en el pensamiento, y en todo. Véanse ejemplos de ello en Huizinga, *op. cit.*, pág. 285.

cual procedía también por amontonamiento. Todo era en aquel entonces inaguantable recargamiento y retahila, de los que sólo podía uno liberarse, como dije, en una fuga hacia atrás, hacia los orígenes, para recuperar la inocente simplicidad del mundo previo a la complicación.

ACUMULACIÓN Y COMPLICACIÓN

De la complicación en el siglo xv y aun en el siglo xvi no cabía dudar. Pero, para no caer en simplismos desvirtuadores, añadamos que el motivo de esta tendencia a la acumulación y al amontonamiento tenía, además del ya indicado (imposibilidad de modificar de raíz un orden de cosas o sus datos fundamentales, concebido todo ello como absoluto), otros motivos, como dije ya páginas atrás, motivos cuyo recuerdo ahora nos conviene para completar y enriquecer el cuadro establecido. En primer lugar, la escasez (fruto también del primitivismo, en el grado antes dicho, por lo que toca a la estructura del espíritu), de los criterios de selectividad [19], que siempre son, en último término, resultado de un predominio de las instancias racionales. En segundo lugar, la mente, cuando aún es primitiva, por lo menos en cierta cuantía, ostenta, dijimos, una relativa inhabilidad para percibir directamente lo abstracto, lo cual tiene como consecuencia la propensión, que hemos examinado en las páginas anteriores [20], a la minucia y, por tanto, a la riqueza enumerativa, ya que esa inhabilidad de que hablo supone, según vimos [21], un movimiento invertido en los mecanismos perceptivos de la mente medieval. El texto de Diego de Valera copiado en el capítulo XIII, en que se describen «las cosas necesarias a las fortalezas» es muy significativo de la tendencia a la abundancia y al recargamiento, propia especialmente de los siglos xiv y xv. Vuelvo a copiarlo:

---

[19] Véanse las págs. 323-325 de este libro.
[20] Véanse las págs. 316-326 de la presente obra.
[21] Véanse las págs. 333-337 de este libro.

E las cosas que toda buena fortaleza deve tener son las siguientes: pozo o algibe, forno, molino de viento o atahona, fragua, establos, mastines, ansares (...). Deve así mismo aver en toda buena fortaleza oficiales, ferramientas, artillerías, vituallas, armas ofensivas e defensivas. Es a saber: ballestero, lombardero, ferrero, cirujano, carpintero, minador; picos, visagadas, almadanas, palancas de fierro, taladros, escodas, martillos, tenazas, açuelas, fierros, escoplos, tapiales, agujas, maços, espuertas, madera, fierro, asero, nuezes de ballestas, cuerdas, madexas de bramante, cáñamo, maromas, sogas, esparto, salitre, piedra sufre, carvón de sas, pólvora, yesca, pedernal, eslavón; jubones, calças, çapatos, gavanes, capas, camissas, lienço, filo, agujas, dedales, alesnas, cabos de çapatero, cueros, ferramental de ferrar ferraduras, clavos; trigo, cevada, centeno, farina, pan, viscocho, cecinas, pescado, sardinas, quesos, garvanços, favas, arrós, arvejas, lantejas, gallinas, palomas, ánades, azeite, miel, vino, vinagre, especias, sal, cera, sevo, ajos, cebollas, leña, carvón; lonbardas, truenos, serpentinas, culebrinas, espingardas, ballestas; almazén, lanças, dardos, garguzes, mandrones, fondas, paveses, celadas, casquetes, piedras de lonbardas e truenos, plomo, estaño, molde para fazer pelotas de las culebrinas e serpentinas [22].

Este fragmento es, en cuanto a detallismo, ejemplo extremoso, pero muy del siglo xv: la tendencia a trabajar el pormenor, inherente a toda la extensa época que consideramos, se intensifica hacia su final. Si volviésemos la vista hacia los ejemplos aducidos, y los comparásemos con otros semejantes de un período anterior, observaríamos que la tendencia acumulativa *aumenta en los textos del siglo XIV y más aún en los del XV*. Alfonso X en *Las Partidas*, al prescribir las cosas de que debe abastecerse un castillo, es, de hecho, mucho menos minucioso que su posterior compañero de letras [23]:

---

[22] Diego de Valera, «Providencia contra fortuna», en *Prosistas castellanos del siglo XV*, Biblioteca de autores españoles, t. CXVI, pág. 143.
[23] Advierto que los fragmentos que he suplido con puntos suspensivos no enumeran nuevos objetos sino que son simplemente digresiones que no hacen aquí al caso.

> E por ende, ha menester, que en todo tiempo, tenga el castillo
> bastecido de vianda. E mayormente de agua (...). Otrosí se de-
> ven bastecer de pan (...). E esso mismo deven fazer de carnes, e
> de pescados e non deven olvidar la sal, ni el olio, ni las legumbres,
> ni las otras cosas, que cumplen mucho para bastecimiento del cas-
> tillo. Otrosí deven ser apercebidos de aver molinos, o muelas de
> mano, e carbón, e leña, e todas las otras cosas, que llaman pre-
> seas (...). E el vestir, e el calçar de los omes... (*Partida II*, títu-
> lo XVIII, ley X). Armas muchas ha menester que aya en los
> castillos (...). (*Partida II*, título XVIII, ley XI)[24].

Esto que aquí vemos admite generalización: los siglos que
cierran la Edad Media intensifican, como digo, la prolijidad.
Pero como, al mismo tiempo, hay en ellos *más* racionalismo
que en los anteriores, parece que tendrían que funcionar
menos durante su transcurso (o, como mínimo, de ningún
modo podrían funcionar con energía mayor) las tres causas
del fenómeno acumulativo de que hablamos, ya que todas ellas
consisten, precisamente, en una relativa ausencia de racionalismo. Recordemos que tales motivaciones son, en efecto, si
no erramos, éstas: 1.º, la tendencia *primitiva* a ir, en la percepción de las realidades, desde las partes hacia el todo, lo
cual conducía a la minucia; 2.º, la tendencia, asimismo *primitiva*, a la no selectiva abundancia; y, en fin, 3.º, la tendencia,
primitiva también, a confundir los accidentes con las esencias,
tendencia esta última que lleva, de un lado, a atender a todo
elemento adjetivo como si fuese importantísimo, y de otro, al
misoneísmo. El primitivismo o *no racionalismo* es, en cualquier
caso, el motivo inicial de las acumulaciones, que, sin embargo,
se agigantan en el desenlace postrero del período en cuestión
(el trescientos y el cuatrocientos), *más racional sin duda*. La
paradoja es evidente. ¿Podríamos salir de su embrollo? Creo
que no es difícil hacerlo. En efecto: estas causas, aunque acaso
vayan actuando cada vez con menos fuerza, continúan, por
supuesto, ejerciendo su influjo, *puesto que aún no se han anu-*

---

[24] *Las Siete Partidas del Sabio Rey don Alfonso el nono*, impreso en
Salamanca por Andrea de Portonariis, MDLV, pág. 58.

lado, y, por consiguiente, una de ellas, la últimamente citada, seguirá suscitando el misoneísmo que le hemos atribuido. Ahora bien: el misoneísmo, *por su mera existencia*, lleva consigo, como consecuencia, pero sólo *a la larga* (subrayémoslo, pues ahí radica la explicación del extraño fenómeno) una tendencia acumulativa *cada vez mayor*. ¿Por qué? El hombre necesita del cambio progresivo, y ya que la Edad Media no tolera, pensábamos, la esencial mudanza, la novedad no podía venir sino a través de la intensificación cuantitativa, del amontonamiento de lo recibido. Este amontonamiento e intensificación mayores hacia el fin del período histórico que nos ocupa ha de ser atribuido entonces, con exclusividad, al misoneísmo como tal, y no a los otros motivos cuyo examen hemos realizado hace un momento.

Los siglos XIV-XV, y más aún este último, actúan, pues, como una fuerza pluralizadora de cuanto material se les pone por delante. El Arcipreste se dispone, por ejemplo, a decirnos que:

> El grand trabajo sienpre todas las cosas vençe [25].

y que, por tanto, debemos insistir cerca de las mujeres hasta que nos concedan lo que tan tercamente imploramos:

> Non há muger en el mundo, nin grande nin moçuela,
> que trabajo é serviçio non la traya al espuela;
> que tarde ó que ayna, crey' que de ty se duela.
>
> Non te espantes della por su mala respuesta;
> con arte e con serviçio ella la dará apuesta;
> que seguiendo é serviendo en este cuydar es puesta;
> el ome muncho cavando la gran peña acuesta.
>
> Si la primera onda de la mar ayrada
> espantar' al marynero, quando vyene tornada,
> nunca la mar entrara en su nave herrada;
> non te espante la dueña la primera vegada.

---

[25] *Op. cit.*, t. I, pág. 220, estrofa 611.

Jura muy muchas vezes el caro vendedor
non dar la merchandía synon por grand valor;
afyncándole mucho artero comprador
lyeva la merchandía por el buen corredor.

Servila con grant arte, mucho te la achaca;
el can que mucho lame sin dubda sangre saca;
maestría e arte de fuerte fazen flaca,
el conejo por maña doñea a la vaca.

A la muela pesada de la peña mayor
maestría é arte la arranca mijor;
anda por maestría lygera enderedor;
moverse há la dueña por artero seguidor.

Con arte se quebrantan los coraçones duros,
tómanse las çibdades, derríbanse los muros,
cahen las torres fuertes, álçanse pesos duros,
por arte juran muchos, por arte son perjuros.

Por arte los pescados se toman só las ondas,
e los pies bien enxutos corren por mares ondas.
Con arte é con oficio muchas cosas abondas,
por arte non há cosa a que tú non rrespondas.

Ome pobre, con arte, pasa con chico ofiçio,
el arte al culpado salva del malefiçio;
el que llorava pobre, canta ryco in vyçio,
façe andar de cavallo al peón el serviçio.

Los señores yrados de manera estraña
por el muncho serviçio pierden la muncha saña;
con buen serviçio vençen caballeros d'España;
vençerse una dueña non es cosa tamaña.

Non pueden dar los parientes al pariente por herençia
el mester é el oficio, el saber nin la ciencia,
non pueden dar de la dueña el amor nin querençia;
todo lo da el trabajo, el uso é la femençia.

Maguer te diga de non é aunque se te asañe
non dexes de servirla, tu afán non se te dañe;
fasiéndola serviçio tu coraçón se bañe;
non puede ser que s'non mueva canpana que se tañe [26].

En este fragmento, el plano real («el gran trabajo siempre todas las cosas vence», o más explícitamente, «non te espante la dueña la primera vegada»), se repite, en diversa modulación, once veces. Las comparaciones de que el poeta se sirve para expresarlo son más aún: 21. Tan generoso despliegue se acusa por todas partes y de muchos modos en la obra, y es el origen de casi todos sus defectos y virtudes. Puesto Juan Ruiz a decirnos los nombres y sobrenombres de las alcahuetas, la lista no se interrumpe sino al completar la cifra de 33:

A la tal mensajera nunca le digas maça,
byen o mal que gorgee, nunca l'digas pycaça,
señuelo, cobertera, almodana, coraça,
altaba, traynel, cabestro nin almohaça.

Garavato nin tya, cordel nin cobertor,
escofyna nin avancuerda nin rascador,
pala, agusadera, freno nin corredor,
nin badil nin tenasas nin ansuelo pescador.

Canpana, taravilla, alcahueta nin porra,
xaquima, adalid nin guya nin handora;
nunca le digas trotera, aunque por ti corra;
creo, si esto guardares, que la vieja te acorra [27].

Si en el libro se citan instrumentos musicales, la enumeración no abarcará menos de 22, tras haber caracterizado, aquí, sí, escuetamente, a cada uno de ellos con rápida y certera pincelada:

Ally sale gritando la gitarra morisca,
de las vozes aguda, de los puntos arisca,
el corpudo alaút, que tyen' punto á la trisca,
la gitarra ladina con estos se aprisca.

---

[26] *Op. cit.*, t. I, págs. 220-223, estrofas 612-623.
[27] *Op. cit.*, t. II, págs. 18-19, estrofas 924-926.

El rrabé gritador con la su alta nota:
¡*calbí, garabí!* ba teniendo la su nota;
el salterio con ellos más alto que la mota,
la viyuela de péñola con estos ay sota.

Medio caño é harpa con el rrabé morisco,
entr'ellos alegrança al galope françisco,
la rrota diz' con ellos más alta que un risco,
con ella el taborete, syn él non vale un prisco.

La vihuela de arco faze dulces vayladas,
adormiendo á las vezes, muy alta á las vegadas,
voces dulçes, sabrosas, claras é bien pintadas,
a las gentes alegra, todas tyene pagadas.

Dulce caño entero sal con el panderete,
con sonajas d'açófar faze dulçe sonete,
los órganos que dizen chançonetas é motete,
la ¡*hadedur'alvardana!* entr'ellos s'entremete.

Gayta é axabeba, el inchado albogón,
çinfonía é baldosa en esta fiesta sson,
el ffrancés odreçillo con estos se conpón',
la neçiacha vandurria aquí pone su son.

Tronpas é añafiles ssalen con atabales,
non fueron tyenpo ha plaçenterías tales [28].

Lo que el *Libro de Buen Amor* cuenta primero narrativa-
mente puede repetirlo con variantes a continuación de manera
más lírica. Así pasa en las serranillas, cuyo asunto nos es siempre conocido por anteriores versos en cuaderna vía. Todo ello,
en conjunto, colabora con otras peculiaridades de la obra para
darnos esa impresión de riqueza y plenitud que caracteriza a
nuestro poeta. Pero el sistema no deja en ocasiones de manifestar fallos, pues a veces sentimos artísticamente innecesaria
y viciosa la reiteración. Tras el estupendo relato de los amores
de don Melón, vienen en el libro otras aventuras eróticas, algunas de las cuales nada añaden a lo dicho. Un gusto más

---

[28] *Op. cit.,* t. II, estrofas 1.228-1.234, págs. 136-144.

depurado las hubiese, sin duda, desechado por inútiles y rei-
terativas. Mas pedir continencia y ponderación a Juan Ruiz es
desconocer la índole de su genio, que era desbordante de suyo
y nada inclinado a la serena reflexión. Gracias en parte a su
despilfarro, el *Libro de Buen Amor* se ofrece cargado en plé-
tora de vida, y su léxico posee una amplitud desconocida antes
y pocas veces después superada. Y no es malo, sino natural,
tener los defectos de las propias virtudes, que es lo que, en
última consideración, le ocurre al Arcipreste.

De otro modo, la caudalosidad de Talavera es famosa también:

> La Pobreza alçó sus ojos en alto e començó de mirar la pom-
> pa e loçanía e locura e vanagloria, la jactancia e orgullo que la
> Fortuna consigo traía (...). Pues tú dizes que fazes et desfazes,
> viedas e mandas, ordenas e dispones todas las cosas del mundo,
> et que son a tu gobierno e mando las baxas e aun las altas.
>
> Asy la mujer piensa que non ay otro bien en el mundo sinon
> aver, tener e guardar e poseer, con solícita guarda condensar, lo
> ageno francamente despendiendo, et lo suyo con mucha indus-
> tria guardando.
>
> «¿Qué se fizo este huevo? ¿Quién lo tomó? ¿Quién lo levó?
> ¿Adóle este huevo? (...). ¿Quién tomó este huevo, quien comió
> este huevo?»
>
> ¿Dó mi gallina la rubia, de la calça bermeja o la de la cresta
> partida, cenizienta oscura, cuello de pavo, con la calça morada,
> ponedora de huevos? ¿Quién me la furtó? Furtada sea su vida.
> ¿Quién menos me hizo de ella? Menos se le tornen los días de
> su vida. Mala liendre, dolor de costado, ravia mortal comiese con
> ella; nunca otra coma, comida mala comiese, amén.

Lo mismo que Juan Ruiz utilizaba a veces un número grande de «símiles paremiológicos» para expresar un mismo plano
real, *La Celestina* empleará en ocasiones multitud de refranes
tradicionales con una misma intención significativa. Veamos
un caso. Se pretende decir que no conviene a la mujer estar
sola y que ha de buscar compañía de varón:

> Un ánima sola nin canta nin llora; un fraile solo pocas
> veces lo encontrarás en la calle; una perdiz sola por maravilla
> vuela; un manjar solo presto pone hastío; una golondrina no hace
> verano; un testigo solo no es entera fe; quien sola una ropa
> tiene presto la envejece.

La redundancia en esa gran obra ha sido muy destacada por
la crítica:

> ¿En quién hallaré yo fe? ¿En dónde hay verdad? ¿Quién care-
> çe de engaño? ¿Adónde no moran falsarios? ¿Quién es claro ami-
> go? ¿Quién es verdadero amigo? ¿Adónde no se fabrican trai-
> ciones? [29].

Lo mismo ocurre con su acumulación de palabras:

> Hasta que los rayos ilustrantes de tu claro gesto dieron luz
> a mis ojos, encendieron mi corazón, despertaron mi lengua, ex-
> tendieron mi merecer, acortaron mi cobardía, destorcieron mi
> encogimiento, doblaron mis fuerzas, desadormecieron mis pies y
> mis manos [30].

Se amontonaban de parecida manera las citas de los «auctores». Abro el *Espejo de la verdadera nobleza* de Diego de
Valera por su capítulo primero (y lo mismo ocurriría en cualquier otro pasaje) y encuentro que en un espacio que no pasa
de página y media hay, seguidas, doce menciones de esa clase,
con su texto correspondiente: referencia a Dante, «en una de
sus canziones morales»; a Bártulo, «en el Tratado de Dignida-
des»; de nuevo a Bártulo, en otro párrafo de la misma obra;
a «Aristótiles», «en el quinto de los posteriores»; a «Juan Vo-
cacio», «en el capítulo ciento e quatro del su libro de las Caídas»; a Boecio, «en la sesta prosa del tercero de Consolación»;
a Séneca, «en el segundo capítulo de su libro de Amonestaciones
e Doctrinas»; a San Ambrosio, «en el capítulo Illud de la distinción quarenta»; a Sant Gregorio, «en el capítulo Nos»; a

---

[29] Fernando de Rojas, *La Celestina*, doceno auto, parlamento de Ca-
listo, Madrid, Alianza Editorial, 1971, pág. 172.
[30] *Ibid.*, pág. 173.

Crisóstomo, «en el capítulo tercero sobre San Mateo»; a Julio, «en la retórica a Salustio»; a Luciano, «en la comparación que fizo de Alixandre Cipión a Aníbal» [31]. Y así, por todas partes, en este Tratado, y en muchos otros libros de la época.

¿Y qué decir de las interminables listas del «ubi sunt», que Pedro Salinas ha estudiado en su magistral libro *Jorge Manrique o tradición y originalidad?* [32]. Esta fórmula, uno de esos hábitos expresivos a que la Edad Media nos tiene acostumbrados, consiste, como es sabido, en una patética interrogación sobre el destino común de cuanto ha alcanzado preeminencia o consideración en el mundo y que el tiempo se ha encargado de anonadar: imperios, bienes, personas de rango. «¿Dónde están?». Pregunta a la que responde el silencio de su propia ruina. Una lección moral se extrae: el mundo es despreciable, ya que sus valores son esencialmene deleznables e inconsistentes.

Pues bien: la Edad Media trata esta fórmula con el mismo criterio amplificador con que lo trata todo. Fray Migir («Decir a la muerte del rey D. Enrique») recuerda en su lista 54 nombres; Mena, en la suya, 36. Sólo Jorge Manrique en España y François Villon en Francia —dice Salinas— entran en esta técnica con un insólito sentido de selección y poda, reduciendo a muy pocos los personajes de las fatigosas enumeraciones contemporáneas.

¿RENACIMIENTO INCIPIENTE EN EL SIGLO XV ESPAÑOL?

Todo esto nos aclara acaso un punto bastante oscuro y controvertido de nuestro siglo XV. Me refiero a eso que ha recibido el nombre de «prerrenacimiento». Santillana, Mena y cuantos escritores (que eran bastantes) recurrían a términos mitológicos o echaban mano de latinismos, se ven a menudo colocados, en equívoca clasificación, como renacentistas incipientes. En efecto, el Marqués utiliza mucho la mitología, y

---

[31] *Op. cit.*, pág. 90.
[32] Barcelona, ed. Seix Barral, 1974, págs. 143-151.

Mena, junto a otros poetas y prosistas de su época, también lo hace. Y aunque a veces ese empleo tiene un aire ejemplarizante de clara estirpe medieval, en otros ostenta una finalidad embellecedora que es típica del Renacimiento. Los cultismos latinizantes de construcción y léxico eran no sólo frecuentes en aquellos años sino frecuentísimos, hasta el punto de constituir algo así como una «enfermedad del siglo», pues muchas páginas del cuatrocientos resultan, merced a ese recargado humanismo, de difícil lectura para una sensibilidad no exclusivamente dada a los placeres estrictos de la erudición. No hay por qué negar tan evidentes realidades. Pero erraríamos si de ellas creyéramos haber deducido algo claro sobre el renacimiento de ese siglo. Pues el concepto de Renacimiento o de Edad Media pende de algo más profundo. Quienes piensan renacentistas a estos escritores no se han detenido quizás a meditar en la extraña paradoja a que les conduce la etiqueta de que se sirven. Y es que la abundancia misma de alusiones mitológicas y de latinismos constituiría a esos autores del siglo xv español o a algunos de ellos no ya en renacentistas sino, de hecho, en barrocos. El supuesto renacimiento de ese trance histórico tiene, al parecer, la extraña cualidad de empezar por donde normalmente se termina.

Pero precisamente ese «barroquismo» de que hablamos arroja intensa luz sobre la debatida cuestión. Los autores del siglo xv utilizaban cuantiosamente los elementos aportados por el humanismo, no por ser renacentistas, sino, al revés, por no serlo, o sea, por pertenecer a una Edad Media, *que en su fase final del gótico florido había acrecentado su innata tendencia a la acumulación.* Es, en efecto, ésta, como sabemos, una etapa acumulativa, en que cada ingrediente cultural (no sólo cada ingrediente artístico) sufre un proceso de multiplicación y tesonera redundancia. El hombre necesita del cambio progresivo, y ya que la Edad Media, según dijimos, no tolera la esencial mudanza, la novedad no podía venir sino a través de la intensificación cuantitativa, del amontonamiento de lo recibido. El siglo xv es multiplicador. Se trata de un período que en la intención no era innovador sino sustancialmente aditivo. Crecían las referencias mitológicas y, sobre todo, los latinismos, por lo mismo que proliferaban las citas de los «auctores», las enumeraciones y descripciones se hacían interminables o las devociones se complicaban, amaneraban e iban hacia el arabesco y la arborescencia. En suma: el uso «ejemplarizante» o estético de la mitología y del cultismo es, a fines de filiación, mucho menos decisivo, en mi opinión, que la insistencia y frondosidad mismas con que tal uso se ofrece. Pero, además, ese esteticismo es un producto secundario y pegadizo, mero contagio traído por el humanismo y que *de momento* no destruye el sistema medieval de las obras en que puede observarse. Es ya, sí, un síntoma, pero tan sólo un síntoma, de lo que va a venir, un elemento que presiona y carga contra las paredes del sistema, intentando su destrucción sin conseguirlo. Lo que importa es la impresión medieval que el conjunto nos da, y que incluso esos elementos nos proporcionan dentro del conjunto. Por lo demás, la mitología posee casi siempre en este período la misión corporeizadora de los anteriores, y buena prueba de ello sería, entre otras, la indiscriminación con que el siglo xv la utiliza junto con realidades muy distintas. Porque este siglo no hace diferencia alguna entre lo mitológico y lo que no lo es. Los personajes míticos se mezclan con los históricos, la Antigüedad con la Edad Media, la ficción con la realidad y todo ello entre sí. Todo va barajado, confundido y plano en una superficie de sólo dos dimensiones, que no admite relieve ni matiz. Para Santillana, como para sus contemporáneos, tanto valen Pompeyo, Escipión, Trajano, Aníbal o Aristóteles y Virgilio, como Dante; tanto Sansón como Hércules: tanto Aquiles y Helena como Cleopatra o como Palas y Dido, porque todos ellos tienen idéntica finalidad: la representación de una idea abstracta encarnada en una figura, sin importar la índole de ésta. La mitología era un recurso más para lograrlo, una vez que el humanismo se hizo presente, y entonces los personajes medievalmente se amontonan en presurosa y prolija enumeración:

Allí vi a magno Pompeo
e a Cipión el Africano,
a Menbrot e a Perseo,
Paris, Etor el troyano,
Aníbal, Urbio, Trajano,
Arquiles, Pirro, Jasón,
Ercoles, Craso, Sansón,
e César Otaviano.

Vi al sabio Salomón,
Euclides, Séneca e Dante,
Aristótiles, Platón,
Virgilio, Oracio amante,
al astrólogo Atalante,
que los cielos sustentó
segund lo representó
Naso metaforisante.
....
Vi a la Pentasilea,
Dayni, Fedra, Adriana,
vi la discreta troyana
Breçaida, Dacne, Penea.
Vi a Dido, Penelope,
Andrómaca, Pulicena,
vi a Felis de Rodope,
Ansiona et Filomena:
Vi Cleopatra e Elena,
Semele, Clause, Enone.
Vi Semíramis e Prone,
Ysifle, Palas e Almena [33].

A veces ,incluso, la mitología, cumple oficio de «enxemplo»:

El gentil niño Narciso
en una fuente engañado,
de sí mismo enamorado
muy esquiva muerte priso:

---

[33] «Triunfete de amor», estrofas XI-XII y XVII-XVIII.

> señora de noble riso
> e de muy gracioso brío,
> a mirar fuente nin río
> non se atreva vuestro viso [34].

Al lado de esto, ¿qué importa oír a Santillana o a Mena llamar Febo al sol y Diana a la luna o leer que «Eolo soltó los vientos» [35]. También el Poema de Alexandre podía, en el siglo XIII, hacer uso, claro está que más esporádicamente, de la mitología como ennoblecimiento de la realidad, sin que por ello nadie juzgue que se trata de un libro renacentista:

> Iua aguisando don Europa sus claues,
> tollía a los cauallos don Febus sus dogales [36].

LOS LÍMITES DE NUESTRA APORTACIÓN

En los dos capítulos últimos hemos visto cómo el estudio de las propiedades de las ecuaciones preconscientes nos viene a aclarar de súbito multitud de fenómenos de aquella edad, que, en cuanto tales, eran conocidos, pero que no lo eran ni en cuanto a la unidad que entre todos forman, ni en cuanto a su común vinculación a una única causa que hasta ahora, según creo, ha permanecido en la oscuridad. Para arrojar alguna luz sobre ese doble enigma era preciso, en efecto, establecer antes tres conclusiones a las que, hasta donde alcanza mi conocimiento, no se había llegado aún: 1.º, que numerosas realidades (el atuendo y la actitud externa de la persona, los privilegios, la clase social, el oficio de cada cual, los accidentes de las cosas, etc.: cuanto podemos englobar en palabras como «forma» o apariencia o exterioridad de los objetos) actuaban en la mente medieval como otros tantos simbolizadores que llevaban con-

---

[34] Fernán Pérez de Guzmán, «Decir e loores a una dama».
[35] «Sueño XI».
[36] *Libro de Alexandre*, en *Poetas anteriores al siglo XV, op. cit.*, estrofa 275, pág. 156.

sigo una emoción esencializante, esto es, un simbolizado que, en todos esos casos (y en algunos más que no he sacado a colación) consistía en la noción de esencia [37]. 2.º Pero era, además, necesario alcanzar otro conocimiento: el de la constitución de los símbolos como consecuencia de un sistema de ecuaciones en cadena, las cuales, 3.º, al no aparecer en nuestra lucidez, sino en esa otra región de nuestra psique que Freud

---

[37] Se conocía, eso sí, que en la Edad Media las cualidades y accidentes de las cosas se veían como esenciales a causa del primitivismo, pero sin explicar nunca por qué el primitivismo de la mente tenía esos efectos, y menos por razón de simbolismo, con su sistema de ecuaciones preconscientes, poseedoras éstas de unas determinadas propiedades. Al revés, se partía de tal hecho —el esencialismo— como de un dato bruto, evidente por sí mismo, que servía para explicar *otras cosas*, por ejemplo, la tendencia medieval justamente ... al uso de símbolos. Así en Huizinga. Primera advertencia: lo que Huizinga llama «símbolo» no es tal, como ya dije, sino alegoría, ya que la significación supuestamente simbólica de que habla este autor ocurre *en la conciencia* (el nombre de alegoría lo reserva Huizinga para el caso de personificación: *op. cit.*, página 281). Oigámosle: «rosas blancas y rojas florecen entre espinas. El espíritu medieval ve en seguida en ello una significación simbólica: vírgenes y mártires irradian su gloria entre sus perseguidores» (*op. cit.*, página 280). ¿A qué se debe esta propensión medieval de que da cuenta Huizinga en el párrafo copiado? Respuesta que él nos suministra: «la ecuación simbólica» (alegórica, diríamos nosotros, insisto: la ecuación entre «rosas blancas», de un lado, y «vírgenes», de otro; entre «rosas rojas» y «mártires»; entre «espinas» y «perseguidores») «fundada en la comunidad de caracteres» (blancura de las rosas y blancura de la pureza de las vírgenes, rojez de la sangre de los mártires y rojez de las rosas, etc.), «sólo tiene sentido cuando las propiedades comunes al símbolo y a lo simbolizado son concebidas realmente como esenciales» (*op. cit.*, pág. 280).
Huizinga no da razón, pues, de la tendencia medieval a sustancializar las cualidades por las propiedades de las ecuaciones preconscientes de tipo simbolizante a que propende la mente en estado de plena espontaneidad, sino, muy al contrario, da razón de *otra* tendencia de la época, la de hallar en todo representaciones figuradas del Más Allá (tendencia que el autor, impropiamente a mi juicio, denomina, vuelvo a decir, simbolismo) por el hecho de ese esencialismo de tipo primitivo que él no explica de manera alguna. En una palabra: Huizinga no ha caído en sospecha de que en la Edad Media las apariencias, etc., son simbolizadores que simbolizan (y por tanto lo hacen de modo no consciente, que es como actúan siempre los símbolos) su esencialidad.

denominó «preconsciente», ostentaban toda una serie de propiedades que son las que, de hecho, vienen a iluminarnos, acaso definitivamente, muchos de los fenómenos fundamentales que los historiadores nos han descrito como propios de la cultura medieval, tales como el misoneísmo; la importancia de la jerarquía, del protocolo, de los privilegios; el extremado formalismo, en fin, que impregna la vida toda de aquella época; la economía de gasto; instituciones como las de las plañideras; la tendencia acumulativa (lo «florido» del gótico) en todos los aspectos de la cultura, de los siglos XIV y XV, etc., etc. Se nos redujeron de pronto así a unidad todos esos hechos, la mayoría de los cuales han sido considerados hasta ahora como desligados e independientes unos de otros. Y, al unificársenos de este modo a través de una causa común, quedaban súbitamente claros, y explicados del todo, pienso, ante nuestra mirada.

Se sabía, por ejemplo, que el traje y, en general, la apariencia, eran para el hombre de aquel período histórico algo que surgía como extrañamente sustancializado. Huizinga ha escrito a este propósito páginas esclarecedoras. Pero entiendo que nadie había intentado dar razón (quiero decir una razón suficiente), ni de este hecho ni de los otros que se le asemejan en la Edad Media. Pues, en efecto, tal hecho carece de motivo bastante, si no lo pensamos como fruto de una simbolización, realizada por una criatura que, al ser poco racionalista aún (y por tanto, poco individualista), tiende a vivir desde sus emociones, y, en consecuencia, desde sus emociones simbólicas. Según tal simbolización, la forma (como he dicho quizás demasiadas veces) se viene a confundir preconscientemente con la sustancia o esencia:

forma de la cosa [= esencia de la cosa =] emoción en la conciencia de «esencia de la cosa».

Pero nótese que una metáfora como ésta («forma de la cosa = esencia de la cosa») no podría aclarar nada si antes no nos hubiésemos percatado a fondo, en el presente libro, de que la metáfora de este tipo preconsciente y simbolizante nada tiene que ver con las metáforas conscientes («mano que es

nieve», «pelo que es oro»), cuyas propiedades son opuestas a
las que aquélla y no implican el realismo de sus dos términos;
o, dicho de otra manera, no implican las cualidades que hemos
hallado en las otras metáforas, en las preconscientes: es decir,
la «seriedad», el «totalitarismo», la «transitividad», etc. En efecto: que la manifestación externa de alguien, digamos, su traje o su visible tristeza, sea para el hombre medieval cosa que
afecta a la substancia, a lo que el hombre es verdaderamente
en su dentro sustancial, requiere que la ecuación «traje (o
tristeza exteriorizada) = esencia» sea una ecuación simbolizante y que, por lo tanto, posea las cualidades de «seriedad»,
«totalitarismo», «transitividad», etc., a que acabo de referirme;
en suma: requiere que no sea lúdica, como lo es la de «mano»
con «nieve» en la metáfora consciente «mano que es nieve»,
donde la «nieve» de que se habla no retiene, claro está, en tal
contexto, su pretensión de meteoro, o sea, no asoma como una
verdadera «nieve», sino sólo como cierto color de la «mano».
No: en el caso medieval que hemos mencionado («forma
—traje, tristeza exteriorizada— = esencia»), el segundo miembro, la «esencia», a la manera que es peculiar a las ecuaciones
preconscientes, se manifiesta en calidad de «esencia de verdad»
y no lúdicamente, no como una mera figura de dicción, no como
un modo de hablar. Gracias a ello, los hombres medievales
podían *sentir* en la conciencia la emoción («transitividad») de
que la forma (el traje, etc.) era, en efecto, verdaderamente
esencial, por lo que habían de tomar *en serio* («seriedad simbolizante») ese hecho: tan *en serio* habían de tomarlo que
hasta un fenómeno con el que todo juego resulta incompatible
(me refiero nada menos que al sistema económico en que la
Edad Media descansa, la «economía de gasto») depende, según
vimos, de él.

Capítulo XIX

COSMOVISIÓN MEDIEVAL Y FILOSOFÍA MEDIEVAL

RELACIONES ENTRE FILOSOFÍA Y COSMOVISIÓN

Desde los sistemas cosmovisionarios no sólo se explican los contenidos del arte, sino los contenidos todos de la cultura de una época: también la filosofía. Hemos tropezado aquí con un problema inesquivable: el de las relaciones entre filosofía y cosmovisión. No olvidemos que las cosmovisiones aparecen siempre a nivel emocional, vital y no racional, plano en el que todo se ofrece como incuestionable y por sí mismo evidente: es un gusto que tengo, *y lo tengo sin duda*; o es una noción que experimento como verdadera, y *sin vacilación la experimento así*. Pero lo incuestionable y evidente se llama «realidad». Los contenidos de las cosmovisiones que vivimos son entonces para nosotros «realidades», y, como surgen en forma sentimental, resultan realidades que vitalmente nos mueven, que nos incitan e importan. Y como, pese a todo, esas realidades tan atractivas no vienen *explicadas* sino meramente *sentidas*, habrá que explicarlas, y se manifestarán entonces en calidad de objetos especialmente seductores para nuestras operaciones intelectuales. Dicho en forma más concisa: lo que nos interesa cosmovisionariamente en cuanto al arte nos interesa por sí mismo, y, por lo tanto, *habrá de interesarnos también como tema de nuestras reflexiones*. Dedúzcase de aquí que la filosofía, e incluso (luego lo veremos) la ciencia, se puedan relacionar, y de hecho se relacionen, con el sistema cosmovisionario propio de la época en que aquéllas se producen. El mecanismo de tales hechos no difiere, en último término, a mi juicio, por muy paradójico que esto pueda parecernos, de lo que Freud denominó «racionalización», y Marx, «ideología»: *en los tres casos se trata de impulsos cognoscitivos movilizados por nuestros intereses.* ¿Qué importa que tales intereses sean psicológicos, sean de clase, o sean simplemente cosmovisionarios? La diferencia esencial vendrá dada exclusivamente por el carácter, objetivo o no, de las presuntas «verdades» descubiertas. Si yo, al hallarme en cierta cosmovisión, necesito emocionalmente una «verdad» determinada, tiendo a buscarla. Si esa «verdad» existe, la podré encontrar (ciencia explicada por la cosmovisión). Si no existe, la inventaré, bien a nivel puramente psicológico («racionalización» freudiana), bien a nivel de clase («ideología» en el sentido marxista de la expresión).

FILOSOFÍA MEDIEVAL Y COSMOVISIÓN MEDIEVAL

Es natural entonces que, desde una visión del mundo como la antes descrita, se piense una filosofía que, entre otras cosas, venga a «racionalizar» y hacer inteligibles los contenidos sistemáticos antes considerados, en cuanto que éstos han sido confundidos por la mente medieval, según vemos, con la realidad misma, incitante, además, para nuestro intelecto. Y tal es, precisamente, lo que, a mi entender, acontece. Escuchemos el extracto en que Ortega define un aspecto de la filosofía medieval: «...si... nos preguntamos cuál es la efectiva realidad en todo eso que vemos a nuestro alrededor, sea en los cielos, sea en la tierra, nos encontramos con esta respuesta: lo real son las formas substanciales, entidades espirituales; es decir, inmateriales, que informan la materia, produciendo con esta combinación las formas sensibles. Estas formas serán una para cada especie de cosas, como creen los tomistas, o una además para cada individuo de la especie, como creen los escotistas; es decir, que habrá una sola forma «hombre» para todos los hombres, que se multiplica e individualiza al contacto con la materia, o habrá además una forma individual «Pedro», «Juan», mejor aún, «este Pedro», «este Juan». Lo importante es que esas formas son el principio de los fenómenos, su realidad, y que cada una no tiene nada que ver con las demás, es una realidad, en este sentido, absoluta e independiente y además inmortal. Nos encontramos, pues, con que el mundo está constituido por una muchedumbre enorme de realidades últimas, indestructibles, invariables e independientes. Pongámonos en el caso menos complicado, que es el sostenido por los tomistas: este perro nace y muere, porque es compuesto de la forma substancial «perro» y la materia. Pero la forma substancial «perro», ella por sí, es incorruptible, indestructible y siempre idéntica a sí misma. Una forma no puede cambiarse en otra, y como el mundo consiste principalmente en ellas, tendremos que vivimos en un mundo que no tolera transformación real ninguna. Es como es de una vez para siempre. Siempre habrá perros y caballos y hombres e irremediablemente idénticos en todo lo esencial a como hoy son.»

Discúlpese la larga cita. Ortega, por supuesto, no conecta esta filosofía con la cosmovisión misoneística, inmovilista, que antes expuse, ni tampoco intenta buscar las razones materiales que hay, a mi juicio, tras ambas cosas, como ya vimos. Parece, al contrario, creer que es la filosofía la que influye sobre la sociedad, pues añade a renglón seguido: «Este modo de pensar nos obliga» [a nosotros, hombres del siglo xv] «a interpretar análogamente lo social: la sociedad está compuesta de rangos indestructibles. Hay los reyes, los nobles, los guerreros, los sacerdotes, los campesinos, los comerciantes, los artesanos. Todo esto lo hay y lo habrá siempre, sin remedio, indestructiblemente, cada figura social encerrada en sí misma. Como habrá la prostituta y el criminal».

Se transparenta claramente en este fragmento que Ortega considera de procedencia filosófica la visión absolutizadora e inmortalizadora que tiene indiscutiblemente de suyo el hombre medieval. No se puede llegar más lejos por los caminos del idealismo, empleando tal concepto en sentido no orteguiano, sino marxista. ¿De modo que esta filosofía, sabida por una minoría escasísima, e ignorada por todos los otros, va a determinar nada menos que la manera general de ver el mundo, incluso a nivel no consciente, que existe en la Edad Media y que en ella tienen gentes de todos los caletres, por iletrados que sean? ¿Cómo sería esto posible? Ortega no se plantea siquiera el problema, que yo doy por absolutamente irresoluble, desde el punto de vista en que éste se coloca. No así, espero, desde nuestra concepción, pues nosotros no hemos ido desde la filosofía a la interpretación de la vida, sino, al revés, en viaje que se me antoja más natural y explicable, hemos ido desde una cosmovisión espontánea, originada en un modo concreto de estar situado materialmente el mundo medieval, a la filosofía. Pero es desde esta cosmovisión confundente y esencializadora desde donde puede ser acogida con autenticidad vital una filosofía que con su idea de las «formas sustanciales» venía a explicar lo que se experimentaba *antes* como un hecho: el carácter autónomo, absoluto, inmodificable y, por tanto, perdurable, de cada forma de vida.

Primero se da, pues, en suma, la estructura material de la sociedad, en cuanto «causa histórica»; luego, como consecuencia suya, un «foco» cosmovisionario, que, al consistir en un individualismo muy débil, lleva consigo la actitud mental primitiva que antes he descrito, en la que todos los hombres de la época participan. Este foco se desarrolla en un «sistema», a nivel vital y no lúcido, del modo confundente que es propio de toda consideración primitiva de las cosas, foco que se despliega por «estímulos», en este caso concreto, fundamentalmente (aunque no exclusivamente), materiales; y, por último, es entonces, y sólo entonces, cuando, en efecto, aparece una filosofía. En uno de sus aspectos, esta filosofía racionaliza ciertas características o resultantes de la cosmovisión, que, en forma implícita y sentimental, le era previa.

Como se ve, en nuestra tesis, desaparece toda contradicción. No es pensable, a mi juicio, que una filosofía muy elaborada y sutil influya, como parece querer Ortega, en el modo no *consciente* de ver las cosas un iletrado campesino; pero sí se hace, en cambio, máximamente verosímil que un campesino tenga un modo primitivo de ver el mundo en una época en que la estructura social conducía precisamente a ello.

Y pasemos ya al último punto: esas ideas inmovilistas, de origen cosmovisionario, eran *alentadas* y se refrendaban, además, como la cosmovisión misma, por el «estímulo» de una realidad social que poseía ese mismo carácter estático. El feudalismo había solidificado la sociedad en una como pieza rígida. Cada persona estaba fijada de por vida y hereditariamente no sólo a su clase y rango, sino también, de otro modo, a su profesión. Imposible era moverse del punto en que cada uno se hallaba situado. No sólo ser noble o plebeyo; también, en el sentido que dije, ser molinero o «defensor» (guerrero) se convertían así en absolutos, en entidades *insobrepasables*, que había entonces que suponer *necesarias*, «de institución divina»[1], y para siempre. En toda circunstancia habrá molineros, puesto que el que lo es lo es toda su vida, y *aun más allá de ella*, en cuanto que sus hijos le prolongarán esa actitud, heredándola[2]. Ciertamente, el feudalismo empieza a perder su rigidez en el siglo XII, y en el XIII puede considerarse hondamente transformado[3], a causa de la creciente pujanza de la nueva clase burguesa, introductora de un comienzo de movilidad donde no había sino reposo. Pero, ya sin la pureza anterior, la realidad social mantiene una apariencia, al menos, de suficiente estabilidad para que sea posible la vigencia, aún, de la misma cosmovisión en este importante asunto. Se comprende enseguida que no puede ser casual la coincidencia de esta estructura material del mundo humano con el sistema cosmovisionario que acaba-

---

1 Huizinga, *El otoño de la Edad Media*, Madrid, ed. Revista de Occidente, 1961, pág. 316. La creencia en una Providencia se convertía entonces, digamos desde nuestras ideas, en un «estímulo» «espiritual» de la cosmovisión.

2 En la primera época feudal, la existencia de artesanos especializados era muy rara, pero en los territorios de los señoríos feudales existían las tareas de guardas forales y molineros, cargos que se hicieron hereditarios (Jan Dhondt, *La alta Edad Media*, Madrid, Siglo XXI editores, 1971, páginas 2786-277).

3 Véase la nota 17 a la pág. 615.

mos de sorprender en el plano de la espontaneidad y la vida. Lo que la sociedad era, su modo de estar constituida, influía, sin duda, no sólo como «causa histórica» en el nacimiento de un determinado foco cosmovisionario basado en un individualismo muy débil, esto es, en un modo primitivo de mirar las cosas, sino como «estímulo» en el desarrollo de ese foco en varias direcciones sustancializantes. Y una vez desarrolladas las líneas cosmovisionarias de que hablo, recibían éstas, además, confirmación continua de los hechos mismos sociales a los que debían indirectamente su ser, con lo cual se formaba, diríamos, un círculo vicioso de ascendente refrendo y constatación. Las separaciones tajantes y definitivas entre las clases, las profesiones y las manifestaciones y maneras todas de la vida eran entonces ya, a los ojos de las gentes, una «realidad», que los filósofos debían explicar, y explicaban.

LA SOCIEDAD COMO DESESTÍMULO

Veamos ahora, precisamente aquí, un ejemplo muy claro de lo que llamábamos «desestímulo», esto es, del posible influjo negativo de la sociedad sobre el crecimiento de la cosmovisión; influjo consistente en impedir ese crecimiento por ciertos sitios, *imposibles* para la realidad del mundo concreto en que se esté, aunque sean *posibles* para la cosmovisión misma como tal [4]. Hay, pues, como dijimos, «estímulos», pero también, en efecto, «desestímulos» que desalientan la aparición de ciertas características.

Afirmábamos, perdónese la insistencia, que la mirada primitiva tiende a confundir, simbólicamente, la esencia con el accidente. Se identificaba así la esencia del objeto con sus cualidades, convertidas en esenciales, y, por tanto, en inmortales: Nada puede cambiar, hemos dicho. Según esto, a ninguna cria-

---

[4] Esto puede aplicarse también a escala individual: situado yo en una determinada cosmovisión, cuya estructura puede conducir a la actualización de la posibilidad X, en mí no se realizará acaso ésta porque mi personal biografía, proyecto o temperamento lo están impidiendo.

tura, animal o vegetal, le correspondería morir, puesto que la vida es una condición de esas criaturas, y toda condición debería continuar siendo siempre lo que es, sin modificación ninguna. Pero he aquí que los hombres primitivos *no pueden* sacar esta consecuencia de su modo de ver el mundo, que sería no sólo posible en esa manera de mirar, sino, mucho más que eso, sería la consecuencia que obligatoriamente se deduciría con logicidad extrema por sí misma, incluso a ras de la pura vitalidad, de no estar impedida la deducción con fuerza brutal e incontrastable por lo que llamaríamos, tomando el término del psicoanálisis, el «principio de realidad», esto es, la evidencia misma de la experiencia cotidiana. Cada día observaban aquellos hombres, como observamos nosotros, la muerte de algo o de alguien, de forma que su tendencia espontánea a considerar inalterable el mundo había de corregirse y reservarse para aquellas cosas que sus ojos no veían cambiar, desaparecer, extinguirse. Moría Pedro, que era labrador, pero continuaba su hijo en la labranza. Eso era, pues, lo que no podía destruirse: el hecho de ser cada uno esto o aquello, labrador o guerrero. Labradores los habría siempre, y lo mismo pasaba con los guerreros, con los artesanos, con los judíos, con los pobres y con los ricos, con los reyes, los emperadores y los criados. Y era justamente este resultado cosmovisionario, fruto del compromiso entre el desarrollo «posible» de la cosmovisión y la empírica realidad de todos los días, lo que esos filósofos, después, racionalizaban y explicaban en sus argumentaciones, las cuales, según vimos, tenían en cuenta (con su idea aristotélica de la «forma substancial», inmortal, como informante de la perecedera materia) el doble fenómeno, considerado real por la cosmovisión, de que «este perro» moría, pero no el hecho de haber perros en el mundo.

CASO EN QUE NO PARECE HABER ES-
TÍMULOS PARA UNA CARACTERÍSTICA

De nuevo hemos comprobado, en el rápido esbozo que de cierto sector de la cosmovisión medieval hemos trazado, el

hecho evidente de que para ciertas características de la Edad,
nada más fácil que hallar «estímulos», frecuentemente «materiales», y en algún caso «espirituales»[5]. Ahora bien, en ciertos
casos, no son perceptibles «estímulos»: sólo «causas». Así, por
ejemplo, la tendencia simbolizante, con todas sus numerosas
consecuencias, deriva, exclusivamente, al parecer, del primitivismo mental, esto es, del escaso individualismo de ese momento histórico. ¿Se opone tal hecho a nuestra tesis acerca de
la necesidad de los «estímulos»? Creo que no, pues debemos
percatarnos de que, en realidad, «no individualismo» *implica*
«no racionalismo», el cual *implica*, a su vez, «primitivismo», y
éste, la tendencia simbolizante. Una cosa *es tanto como la otra*,
y, por consiguiente, no hay aquí *elección* entre *distintas* posibilidades, que es para lo que se hace indispensable el «estímulo»: no individualismo» viene a coincidir sin restos con «primitivismo», con «simbolización». No se trata, en último término,
de características diferentes de la época, sino de nombres, o
aspectos distintos, *de una sola característica*, y, por consiguiente, no hay razón para que se dé el «estímulo». Esta doctrina
podría aplicarse a todos los otros casos en que verdaderamente
no aparezcan estímulos, esto es, cuando no nos hallemos frente
a un simple «enmascaramiento» del estímulo, al ser éste puramente psicológico o biográfico[6].

---

[5] Véase la nota 1 de este capítulo, pág. 453.
[6] Véanse las págs. 177-179.

CARÁCTER SIMBÓLICO
DE LA CULTURA

Capítulo XX

CARÁCTER SIMBÓLICO DE LA CULTURA. COSMOVISIÓN Y PROCESO «Y»

LA SERIE EMOTIVA DEL PROCESO «Y» COSMOVISIONARIO

Después de exponer, muy sumariamente, nuestra doctrina acerca de las épocas culturales y de su evolución, cabe preguntarse: ¿qué significa la conclusión que hemos alcanzado de que todas las épocas tengan como elemento central el sentimiento individualista en cierta dosis? Hemos afirmado que el sentimiento en cuestión nace, en cada uno de los miembros de la sociedad de que se trate, del hecho de vivir, todos ellos, en una determinada situación histórica, con su horizonte de posibilidades y de imposibilidades, su grado de desarrollo técnico, científico, económico, etc., interpretado además éste de cierto modo (por ejemplo, de modo positivo, o, al contrario, de modo negativo), y cuanto es consecuencia de tales condicionamientos materiales, así como del grado de responsabilización o desalienación que se haya logrado en ese preciso instante. Ahora bien: los datos que acabo de bosquejar nos llevan, de entrada, a dos observaciones. La primera consiste en decir que tales datos son perfectamente heterogéneos con respecto al individualismo de que hablamos: en un lado están las realidades objetivas e históricas: una manera de hallarse situada la sociedad; en el otro lado lo que hay es un sentimiento, «inadecuado» sin duda, respecto a tales realidades, pues que resulta de «leer» éstas

en relación con el yo. La observación segunda es conexa a la
primera: pues si hay heterogeneidad entre realidad histórica y
sentimiento, ello supone —aunque el hecho pueda, en una primera instancia, sorprender— un proceso «Y» de tipo «vital»,
por lo que toca a su serie emotiva [1], en el que haya podido darse
ese salto a otro género de que hablamos (se pasa de una realidad externa a una idea del yo), que, indudablemente, pertenece
al mismo tipo de traslaciones absolutas que tan notorio se
hace en el análisis de la formación de los símbolos realizados
en mi libro *Superrealismo poético y simbolización* (véase el
«Apéndice» II del presente libro). Importa, pues, comprobar
en unos ejemplos concretos ese paso a lo totalmente otro, en
la aparición de la emoción individualista. Pensemos, por ejemplo, en la situación feudal. No hay comercio ni industria; las
clases quedan separadas por abismos infranqueables, etc., etc.
Estos son hechos históricos objetivos que están ahí con su cruda
materialidad exenta. Si frente a ellos experimento una sensación de impotencia que me lleva a una escasa conciencia de mí
mismo y a la emoción correspondiente («individualismo cero»)
nos habremos situado, de pronto, con tal manera de sentir *en
otro reino*, en una *noción* (pues que las emociones son siempre
intencionales y, por lo tanto, nocionales) que nada tiene que
ver, en sí misma, con la premisa de la que se desprende. Esta:
«no soy apenas nada: mi persona tiene muy poca realidad».
Hemos dado con ello un gran brinco en el vacío y estamos ya,
por completo, en la orilla opuesta. Sin duda entre una realidad
(la histórica) y otra (la sentimental, referida a un objeto distinto, el yo) habrá algún o algunos enlaces que den razón de
ese viaje a cosa tan dispar. Tal vínculo es el que podríamos
sintetizar en esta fórmula:

> No hay industria ni comercio; las clases sociales son infran-
> queables, etc. [= yo he de vivir en ese mundo = en ese mundo

---

[1] Para la comprensión del lenguaje técnico de este capítulo y del
siguiente es indispensable leer el «*Apéndice II*» que va al final del presente volumen, titulado «Contexto y símbolo», excepto para aquellos
lectores que conozcan mi libro *Superrealismo poético y simbolización*.

no podré llevar a cabo lo que yo querría e incluso lo que yo necesitaría emprender para realizarme = soy impotente = tengo poca realidad =] emoción de «tengo poca realidad», escasa conciencia de mí mismo («individualismo cero»).

La emoción experimentada se nos ofrece aquí, incuestionablemente, como irracional, *como simbólica*, en cuanto que no deriva directamente del primer miembro de la serie, sino de su cadena asociativa; más concretamente, de su último eslabón del que, por supuesto, en ningún instante hemos sido conscientes.

Ahora bien: éste no es un caso excepcional; encontraríamos lo mismo si nuestra elección hubiese recaído sobre otro período cualquiera. Elijamos, para mostrarlo, el ejemplo romántico. También en el romanticismo se da una situación material (la Revolución Industrial y la Revolución Francesa, etc.), y una relación emocional (un individualismo en un grado mayor al ya elevado que dio origen a la época neoclásica, aunque menor al que fue propio del período posterior contemporáneo). La relación entre ambos sectores podrá ser, *a posteriori*, comprensible, explicable; pero no hay duda tampoco de que, al vivirla, hemos pasado, sin darnos cuenta (eso es lo esencial), de un «género» a otro, desde unos acontecimientos históricos que existen visiblemente fuera de mí (la existencia de máquinas y de libertades, etc.), a un acontecimiento de otra índole, que ocurre sólo en mi interioridad: cierto tipo de emoción, derivada (como antes) de cosa *divergente* de aquello de que parece proceder («inadecuación»). Esto quiere decir que el nexo entre un término y otro, el externo y el interno (lo mismo que ocurría en el caso medieval) es puramente simbólico. Repitamos aquí lo que adelantábamos al comienzo: la descripción que de tal nexo hemos dado nos dice que éste se engendra en la serie emotiva de un proceso «Y» «vital»:

Revolución Industrial y Revolución Francesa, etc. (existencia de máquinas y de libertades) [= yo vivo en ese mundo = tengo más posibilidades de realizar mi vida en la dirección que me interesa = puedo confiar en mis capacidades humanas =] emoción de «puedo

confiar en mis capacidades humanas, alta conciencia de mí mismo
en la forma de confianza en el propio yo» (individualismo en un
grado mayor que el neoclásico, aunque inferior al contemporáneo).

La evidencia de que nos hallamos, en efecto, ante un proceso «Y» la tenemos de nuevo en el hecho de que la emoción
no viene propiamente del miembro inicial de las ecuaciones,
sino del último. Y la evidencia de que, dentro de ese proceso,
nos hallamos en su serie emotiva, es que finaliza en una emoción (el sentimiento individualista) y no en un sintagma. Lo
dicho puede ser generalizado a todos los casos, y, por supuesto,
al medieval considerado hace poco. *Siempre el sentimiento individualista*, el de todas las épocas, *ha de ser interpretado*,
pues, *como el «momento emocional» del proceso «Y» al que
aludimos*, el cual, asimismo, se nos ha manifestado como de
tipo *vital*: no se incoa frente a palabras, sino frente a ciertos
fenómenos sociales, que se dan realmente en una determinada
fecha del desarrollo humano.

CAUSA DE QUE EL ORIGINADOR VITAL COSMOVI-SIONARIO SEA «LEÍDO» SIEMPRE DEL MISMO MODO

La pregunta que inmediatamente se nos ocurre ahora es
ésta: ¿cuál habrá de ser la causa de que todos los períodos
culturales queden centrados por el sentimiento individualista?
O, en otra expresión: ¿por qué todos los hombres que viven
en determinada fecha han de leer el originador vital, esto es,
el contorno social en que viven, de un único y mismo modo?
La universalidad del fenómeno nos está indicando que éste
ha de hallarse vinculado muy estrechamente a la estructura
misma de la vida humana[2]. Para poder actuar, para poder
vivir, precisamos, ante todo, saber a qué atenernos acerca de
nosotros mismos: conocer, con la mayor exactitud posible, cuá-

---

[2] Sobre el concepto de «estructura de la vida humana» véase Julián
Marías, *Introducción a la filosofía*, Madrid, ed. Revista de Occidente,
1956, págs. 223-257.

les son los límites de nuestras fuerzas, con las que hemos de
contar para el logro de esa actividad nuestra que nos proponemos desarrollar. Toda acción humana tiene, en efecto, como
supuesto, en el sujeto de ella, una idea del hombre que la
realiza, una valoración de nuestra capacidad para movernos
en éste o en otro sentido, una conciencia de nosotros mismos,
a fin de conseguir nuestro propósito, vivir de cierto modo, hacer una heroicidad, un poema, o un crimen. Y ello, de manera
más acuciante cuanto mayor sea la importancia de nuestra
acción. Ahora bien: la acción para nosotros suprema es nuestra
vida como tal, que consiste, precisamente, en una empresa,
cuya realización nos importará *antes que nada*. Para realizarla,
hemos de ser conscientes de nosotros mismos, concretamente
de nuestra capacidad para llevarla a término. Pero la conciencia de nosotros mismos es, justamente, lo que define al sentimiento individualista. De ahí que a cada paso, en cada momento
histórico, interroguemos, con exigencia perentoria, y también
antes que nada, a la realidad en la que se ha objetivado el espíritu del hombre, procurando saber a través de ella, aunque sólo
sea emotivamente, la cuantía, la calidad y la fuerza de ese espíritu y hasta qué punto podemos tener fe en sus poderes para
la realización plena del proyecto que somos.

LA SERIE SINTAGMÁTICA DEL PROCESO
«Y» COSMOVISIONARIO. CASOS TÍPICOS

Cerrada la primera serie del proceso «Y» cosmovisionario
con la suscitación del sentimiento individualista, ¿emprenderá
tal proceso, también aquí, una serie segunda?[3]. No creo que
deba amilanarnos, al llegar a tal interrogante, optar por una
respuesta afirmativa, pese a la conclusión a que esta respuesta

---

[3] Para los conceptos de proceso «Y», «serie emotiva» o «primera», «serie sintagmática», etc., véase el mencionado *Apéndice II* del presente
libro, de lectura indispensable, vuelvo a decir, para la comprensión de
estas páginas.

haya de conducirnos, que no es otra sino la evidencia del carácter simbólico de la cultura [4]. Por supuesto, como aquí el proceso preconsciente no es literario sino vital; quiero decir, como de lo que se trata es de interpretar *la realidad* y no unas palabras escritas en un poema, la serie sintagmática, en el caso de las cosmovisiones, ha de presentar, aunque sólo a veces, irregularidades respecto de los correspondientes procesos «Y» literarios, bien que irregularidades no esenciales y perfectamente comprensibles.

Pero, antes de ocuparnos de tales relativas atipicidades, veamos los casos que no se apartan en ningún punto de la regla. En uno de nuestros dos supuestos nos hallábamos en la Edad Media. Sigamos en esa hipótesis. Partimos, pues, de un sentimiento individualista muy bajo (individualismo «cero», o sea, primitivismo de la estructura mental) y nos encaminamos ahora en busca de unos originados. ¿Cuáles serán estos? Nuestra respuesta es, por lo pronto, aunque ya no para nosotros, inesperada. Los originados son los distintos componentes de la cultura que nosotros, hombres del medioevo, hemos contribuido a plasmar: la literatura, la música, la pintura, el pensamiento de nuestra época; o, hablando con amplia generalidad, el «estilo» que a la cultura hemos sido capaces de imprimir. Y así, ciertas características medievales quedarían perfectamente explicadas por una serie sintagmática que dispondríamos en el siguiente diseño:

> emoción de individualismo «cero» (primitivismo) [= interés por lo concreto y no por lo abstracto = mirada ascendente desde la parte concreta al todo, al que puede no llegarse = visión de las partes como todos genéricos =] visión genérica de lo individual; y, también, casuismo, minuciosidad analítica en la literatura y en la plástica (detallismo de los pintores «primitivos»), a veces farragosa; falta de un plan general en las construcciones de ciudades y pueblos; atomización feudal en la política; digresiones en la literatura, etc.

---

[4] Ortega habla del carácter «simbólico» de la Física. Pero con esa expresión quiere decir algo que nada tiene que ver con lo afirmado por nosotros.

Todos estos elementos de la cultura de la Edad Media son, pues «originados» de un proceso «Y» de tipo simbólico. He aquí otros tres ejemplos de lo mismo pertenecientes, esta vez, a la estructura romántica:

sentimiento individualista ya muy elevado (mayor que el neoclásico, aunque menor que el correspondiente al período contemporáneo) [= interés por lo individualizado =] gusto por el «color local»; estilo realista de ciertos costumbristas; amor al folklore, etc.

Sentimiento individualista ya muy elevado [= soy mucho =] afán de gloria.

Sentimiento individualista ya muy elevado [= soy mucho = necesidad de la libertad para realizar lo mucho que soy = interés por las realidades libres =] tema del mar libre y de la libre selva; jardines que fingen un abandono silvestre; interés por las personalidades «a quien nadie impuso leyes»: tema del don Juan, del pirata, del cosaco, del mendigo interpretado de ese especial modo, etc.; libertad técnica (rompimiento con las reglas neoclásicas); rompimiento con las ataduras de la razón: interés por lo fantástico, misterioso e imaginativo, etc.

Ejemplos contemporáneos:

Sentimiento individualista mayor que el romántico [= interiorización mayor que la romántica = imperialismo de la impresión = desprecio del mundo objetivo =] uso de la irrealidad con fines emocionales: irracionalidad «irreal» pero también, en definitiva, «real»; sugerencia (fidelidad a la impresión, no a la objetividad); pudor (despersonalización de los sentimientos, desaparición del yo); paisaje autónomo.

Sentimiento individualista mayor que el romántico [= mayor racionalidad = racionalidad en la redacción del poema, allí donde éste lo consiente =] «sentido de la composición».

CASOS ATÍPICOS

Existen, sin embargo, como digo, aparentes anomalías, que en definitiva no son tales, en este hallazgo final cosmovisionario de los originados culturales. Para hacerlo ver, examinemos antes cuál es el esquema de los procesos «Y» literarios, cuando estos se empalman unos en otros, al modo de los que pueden verse en las páginas 670 y sigs. del Apéndice II, pues es ese tipo de ligazón el que más se asemeja a la realidad cosmovisionaria que ahora nos interesa estudiar. Copio la frase aleixandrina que en tal Apéndice nos sirve de referencia y completémosla ahora con un elemento más:

> En tu cintura no hay nada más que mi tacto quieto. Se te saldrá el corazón por la boca mientras la tormenta se hace morada. Este paisaje está muerto.

Los procesos preconscientes que han dado origen a este párrafo son los expresos en el «Apéndice» en cuestión, exceptuados los propios de la última secuencia, que ahora, en cambio, consigno (subrayo los términos conscientes):

> *tacto quieto* en cuanto caricia amorosa [= tacto quieto en cuanto «apretón mortal» =] emoción en la conciencia de «apretón mortal» [= apretón mortal =] *se te saldrá el corazón por la boca* [= se te saldrá el corazón por la boca = ahogo =] emoción de ahogo en la conciencia [= ahogo = rostro morado = realidad morada = tormenta morada =] *mientras la tormenta se hace morada* [= color oscuro = oscuridad = no veo = estoy muerto = muerte =] emoción de «muerte» en la conciencia [= muerte = realidad muerta = paisaje muerto =] *este paisaje está muerto.*

El esquema general con el que podemos representar este tipo de relaciones sintagmáticas tendría esta configuración, en la que supongo que todas las series tienen el mismo número de miembros (lo cual no se corresponde con los hechos: en el ejemplo aleixandrino que acabo de transcribir se ve perfectamente la desigualdad cuantitativa de las series):

> A [= B = C =] emoción de C en la conciencia [= C = D = E =] E [= E = F = G =] emoción de G en la conciencia [= G = H = I = J =] J [= J = K = L =] emoción de L en la conciencia [= L = M = N =] N.

Se trata, en el esquema, de tres procesos «Y» que se van encajando sucesivamente entre ellos *sin solución de continuidad*: *A* proporciona al autor la emoción de *C*, y desde esa emoción llega aquél al originado *E*, el cual, a su vez, produce la emoción de *G*, a partir de la que se hace posible la aparición del originado *J*, etc. Hay, en efecto, como adelantábamos, una perfecta continuidad asociativa, que cabría abreviar así:

$$A [= B = C = D =] E [= F = G = H = I =]$$
$$J [= K = L = M = N =] Ñ$$

y eso mismo es lo que observamos en el ejemplo del «tacto quieto».

Pues bien: la irregularidad que los procesos «Y» cosmovisionarios en su serie sintagmática nos ofrecen es que en ellos puede haber en tal caso (al contrario de lo que ocurre en los procesos «Y» literarios), *interrupción* del flujo asociativo. En ocasiones, en efecto, no se va *directamente*, en una serie sintagmática, como hasta ahora hemos visto, desde el sentimiento individualista en el grado de que se trate (momento emocional del proceso «Y») hacia unos originados. Puede suceder que, desde tal sentimiento, el autor «lea» previamente, en un nuevo proceso «Y», una «realidad» (y no un originado): es sólo entonces cuando se llega al resultado sintagmático, que, como se ve, nace, sin excepciones, pese a todo, del sentimiento individualista inicial, que es la fuente de toda la serie, lo mismo que en los casos «normales». El esquema nos daría este trazado:

A (realidad histórica objetiva en conjunto) [= B =] emoción de B en la conciencia (sentimiento individualista en cierto grado).
Emoción de B en la conciencia (sentimiento individualista en cierto grado) + lectura de un elemento C de la realidad objetiva histórica [= D =] E.

«E» sería entonces el originado cultural. Pongamos un ejemplo concreto: el antes expuesto de la economía de la Edad Media. Recordemos el apotegma de Santo Tomás: la riqueza debe ir a las clases aristocráticas. Nos preguntamos: ¿por qué?

Esta interrogación la hemos contestado en el capítulo anterior: a causa de que los hombres de ese momento se hallan en la creencia, perfectamente irracional, simbólica en el sentido técnico de la palabra, de que los grandes están obligados a la ostentación. Nótese que la opinión profesada por nuestro siglo XX es, justamente, la inversa: no deber de gasto, sino derecho a ganancia: cada cual tiene, en efecto, como «desideratum» el derecho a ganar tanto como produce [5]. Pero para aquellas gentes del medioevo, por el contrario, la «economía de gasto» se mostraba como un hecho evidente, algo así como la realidad misma, que no hay por qué someter a interrogación. Tampoco los historiadores modernos arrojan, sobre este punto, mayores luces, precisamente porque el período no ha sido estudiado desde la perspectiva que ahora pretendemos imponer. Pues todo queda súbitamente claro si nos aprestamos a entender el fenómeno susodicho como resultado de un proceso «Y» en su serie sintagmática, bien que con la interrupción de continuidad a que me he referido: un hombre, con una emoción de individualismo «cero» y, por tanto, con una mirada primitiva, tiende a confundir, de un modo «inesencial», «serio» y «totalitario», la forma con la esencia de las cosas, y, consiguientemente, el comportamiento externo de alguien con su realidad íntima, esto es, con lo que ese alguien es por dentro y de verdad. Hay que cuidar, pues, la apariencia, ya que ésta denuncia lo que somos, o, dicho quizá mejor, ya que ésta nos hace, en alguna medida, ser. Si nuestro rango es el de condes, nos obligamos moralmente a manifestarlo visiblemente en la apariencia de nuestro atuendo y presentación y, en general, en nuestro modo de vivir y de estar. Tenemos, pues, que mostrar ostensiblemente nuestro señorío, hacer que éste entre por los ojos: habrá que gastar. La sociedad es, en ello, imperativa, y, como lo es, se ve constreñida a encauzar hacia nosotros los bienes que posea. No hay duda de que lo ocurrido en este caso es lo antes estipulado: desde un sentimiento individualista suma-

---

[5] Véanse la nota 22 a la pág. 417, y nota 23 a la pág. 418.

mente bajo, ha sido leída, sin más, la realidad «apariencias externas de los grandes» según esta serie sintagmática:

Apariencia [= esencia = importancia esencial de la apariencia =] emoción de que la apariencia es esencial, de donde se deduce el deber de mostrar la apariencia en correspondencia con el estado de cada cual.

Cabe aún una variante más compleja: que el sentimiento de individualismo produzca primero una asociación preconsciente, *desde cuya emoción interpretemos, «leamos», un elemento de la realidad*:

Emoción de C en la conciencia (grado de individualismo) [= D =] emoción de D en la conciencia.

Emoción de D en la conciencia + lectura del elemento E de la realidad objetiva histórica [= F =] G.

Tal es lo que ocurre en la época contemporánea en lo que atañe al modo de tratar el paisaje:

Sentimiento individualista mayor que el romántico [= interiorización mayor que la romántica = intrasubjetivismo, o sea, imperialismo de la impresión (sólo importa la impresión, no la objetividad: ésta sólo interesa en cuanto suscitadora de impresiones) =] emoción en la conciencia de imperialismo de la impresión.

Emoción en la conciencia de imperialismo de la impresión + lectura de «este paisaje que en la realidad veo» (o de «este paisaje que imagino como real») = interés exclusivo por la impresión que me produce tal paisaje =] paisaje autónomo.

Tomemos ahora otro ejemplo de esto mismo, pero más complicado aún. ¿Cómo explicarnos cosas como el gusto romántico por el tema de la Edad Media, o por el exotismo oriental, etc.? El complicado proceso «Y» en su serie sintagmática que habría de dar cuenta de tal tendencia estaría, en tales casos, constituido por tres segmentos:

Sentimiento individualista mayor que el neoclásico y menor que el contemporáneo [= soy mucho = afán de gloria =] emoción de afán de gloria en la conciencia.

Emoción de afán de gloria en la conciencia + lectura de la realidad concreta que tengo ahora que vivir [= decepción: la realidad es mala =] emoción de decepción en la conciencia (emoción de que la realidad es mala).

Emoción de que la realidad presente es decepcionante, es mala [= huida de esa realidad =] tema medieval; orientalismo; idealización de la realidad; sarcasmo y humor negro frente a ella; rebeldía (revolucionarismo); etc.

Las irregularidades del proceso «Y» cosmovisionario en su serie sintagmática deben, por consiguiente, resumirse en sólo dos grupos de hechos: 1.º, la interrupción de la continuidad asociativa de tal serie (fenómeno que ocurre, en consecuencia, siempre después de la percepción del sentimiento individualista), por la lectura de uno *o varios* originadores vitales; y 2.º, la existencia (igualmente tras la aparición del sentimiento en cuestión) de uno o varios «momentos emocionales», relacionados, o con las mencionadas «lecturas», o con asociaciones preconscientes que el sentimiento individualista mencionado pudiere directamente llevar consigo.

EL AUTOR IGNORA, EN PRINCIPIO, SU COSMOVISIÓN

Si las cosmovisiones todas son resultado de procesos «Y», se nos muestran ahora perfectamente comprensibles dos hechos, entre sí conexos, que, a su vez, abonan y ratifican el aserto inicial, como los efectos hacen siempre respecto de su causa. Me refiero, en primer lugar, a la evidencia de que ningún autor conoce la visión del mundo en que se halla situado como hombre (salvo que, *a posteriori* y enajenándose de ella, la interrogue e inquiera y despedace analíticamente, como podría hacerlo un historiador o crítico ajenos). Consecuencia de ello es, precisamente, el otro hecho de que quería hablar, pues el autor, al ser inconsciente de su propia visión del mundo, habrá de desconocer, asimismo, el motivo que le lleva a tratar este tema y no el otro, o a utilizar esta fórmula expresiva y no aquélla, etc. Si se le preguntara a un poeta romántico la razón de su frecuentación de ciertos asuntos, por ejemplo, el lunar, probablemente respondería (tal como, más o menos, hizo Espronceda en trance parejo) que ese asunto era, en sí mismo, «especialmente poético». Y es que los temas (o rasgos estilísticos) que se desprenden de la visión del mundo de cada época llaman sobre sí la atención del artista y son tratados por éste bajo una compulsión puramente desiderativa. *Las visiones del mundo se configuran, en efecto, ante todo, como sistemas de preferencias, de gustos,* que, claro está, parecen nacidos del acaso. Las cosas, a nivel de espontaneidad, nos gustan, en principio, aparentemente *porque sí.* El artista ignora el motivo de sus aficiones y predilecciones: este tema o este tipo de sintaxis, etc., *le atraen:* eso es todo lo que sabe. Ha de suponer, entonces, al menos en primera instancia, que ello se debe a cierto carácter «más poético» ostentado objetivamente por ese tema o esa sintaxis poéticamente tan seductores. Nada de lo dicho sería posible si el sistema cosmovisionario formado sucesivamente en el autor lo hubiese hecho en su mente despierta y no en su preconsciente. Es evidente que la ignorancia del poeta acerca de por qué le apetece tanto iniciar un poema sobre la luna en un determinado acento o registro (el romántico, por ejemplo), es de la misma índole que la padecida por un autor que, habiendo escrito este originador:

> En tu cintura no hay nada más que mi tacto quieto,

se produce a continuación trazando este originado:

> Se te saldrá el corazón por la boca [6]

sin que, en tal instante, ni como autor, primero, ni como lector, después, de lo que ha trasladado al papel, adivine racionalmente el secreto motor de la frase que acaba de redactar. También

---

[6] Véase el «Apéndice II» que va al final del presente libro.

aquí, igual que allí, el poeta es consciente sólo de que se ha sentido llamado a enunciarla, y que ese enunciado suyo le emociona, le resulta «expresivo». Lo demás permanece para él, igualmente, en la oscuridad. No tenemos, pues, derecho a dudar de la identidad de naturaleza entre la irracionalidad de los símbolos poemáticos y la irracionalidad genética de las cosmovisiones.

LAS PROPIEDADES DE LAS ECUACIONES COS-
MOVISIONARIAS: SERIEDAD Y TOTALITARISMO

Ahora bien: si ello es como decimos; si el proceso cosmovisionario se reduce a un proceso «Y», o, mejor dicho, a una suma de procesos «Y» con dos elementos en todo caso comunes, el originador vital y el momento emocional individualista, se sigue que sus sucesivas ecuaciones habrán de poseer las propiedades que son inherentes *a todos* los flujos preconscientes: «seriedad», «totalitarismo», posible «inesencialidad», etc. La «inesencialidad» sólo es, pues, «posible»; la seriedad y sus consecuencias («totalitarismo», etc.), resultan, por el contrario, indispensables. Quiero decir que lo decisivo e inesquivable consiste en que en toda serie cosmovisionaria A [= B = C =] D habrá de pasarse íntegramente y sin reservas (seriedad totalitaria) desde el término A al B, y desde el B al C, de tal modo que B sea «del todo B» y C «C del todo», etc. Y así, si desde el sentimiento individualista nos trasladásemos, por ejemplo (caso romántico) al tema lunar, estaríamos realmente en tal tema, sin ninguna especie de restricción. El poeta no lo tomaría, digamos, como una mera metáfora de otra cosa, sino que, a nivel lúcido, sentiría interés por el tema de la luna *en sí mismo*, sin percatarse, claro es, de su origen simbólico. Le parecería una realidad, como sucede siempre con los símbolos; y lo que le habría de seducir no podría ser entonces sino esa realidad como tal, única cosa que se percibiría de manera consciente. El traslado cosmovisionario, al no ser lúcido, ha resultado, en efecto, como preveíamos, «serio», «totalitario».

LA INESENCIALIDAD EMOCIONALMENTE PERCEPTI-
BLE DE LAS ECUACIONES COSMOVISIONARIAS SÓLO
AFECTA AL PERÍODO MEDIEVAL. CAUSA DE ELLO

En este examen de las propiedades cosmovisionarias nos
sale al paso, de pronto, un extraño enigma. Y es que, si comparamos la visión del mundo medieval con las otras que hasta
hoy mismo se han ido sucediendo a lo largo de la historia de
la cultura, no deja de intrigarnos el hecho, por lo menos curioso, de que en ninguna de tales cosmovisiones, salvo en la primera de la serie, la de la Edad Media, se produzcan ecuaciones
basadas en relaciones *inesenciales* del tipo «forma (o accidente)
[= esencia =] emoción de esencia en la conciencia». Como
todas las visiones del mundo (y no sólo la propia de los siglos
medios), según hemos tenido ocasión de comprobar, poseen,
en su constitución, naturaleza preconsciente, parecería, al primer acercamiento, que la inesencialidad igualatoria no tendría
por qué hallarse ausente de ninguna de ellas. Claro está que
tal propiedad, como acabo de recordar, no es requisito impres-
cindible de las ecuaciones no lúcidas: se trata sólo de algo
posible en ellas. Aun así, la ley de las probabilidades o, simplemente, el sentido común, nos dice que, si la inesencialidad no
se da en tan extenso lapso temporal, ha de haber una causa de
peso que se oponga a su existencia. No parece hacedero, en la
práctica, un azar tan perseverante, tan sostenido y sistemático.
     Creo que, efectivamente, esa causa existe. Se trata, a mi
juicio, de la índole misma del individualismo al llegar éste a
cierta graduación, ya que entonces la racionalidad que le es
inherente tiene ya suficiente poder para entrar en acción e impedir tan disparatados enlaces, los inesenciales de que hablamos, entre los dos términos de una igualdad preconsciente. Podría oponerse, con aparente fundamento, a tal idea, el hecho
de ser inaceptable que la razón se inmiscuya en procesos que
actúan, justamente, al margen de la conciencia, y, por consiguiente, fuera del control lúcido. Según tan discreto reparo,

nuestro aserto aparece, sin duda, como un contrasentido. Juzgo, no obstante, cosa fácil mostrar que tal contrasentido es sólo aparente.

Para hacerlo, procedamos a un distingo. La razón, por supuesto, carece de jurisdicción *en el proceso como tal.* Lo que *en ese proceso* ocurra, le es ajeno por completo, e inasequible: su crítica nada tiene que hacer allí. Pero sí puede, y lo hace, discriminar *las consecuencias lúcidas* de las no lúcidas fluencias, no sólo cuando tales consecuencias sean sintagmáticas («originados»), sino también cuando sean puras emociones, ya que éstas, al igual que los originados, comparecen, por definición, *en la conciencia,* con lo que pueden ser juzgadas, en esa región luminosa, por nuestro insobornable intelecto. Éste rechaza siempre, y por descontado entonces, cuanto le es incompatible, sea un producto verbal, sea un puro sentimiento, tal como mi libro *Superrealismo poético y simbolización* ha intentado hacer ver repetidas veces en casos semejantes. Un hombre primitivo que sienta la apariencia como esencial, o las figuras de cera o trapo como las personas mismas a las que tales efigies representan, no se pone a juzgar esta emoción suya; la da por buena *y se la consiente,* justo porque el racionalismo de que dispone es aún débil, y, por consiguiente, poco activo y exigente. Pero una persona racionalmente desarrollada, si llegase a un sentimiento similar, no podría menos de someterlo a crítica, con el efecto de su inmediato repudio. Repárese que, en tal caso, el proceso preconsciente y su fruto, la emoción irracional, *se habrían producido,* pero esta última quedaría inmediatamente en entredicho, no sería tomada en serio, se habría de descalificar y anular, y, en definitiva, resultaría expulsada, de hecho, de la conciencia, *en calidad de «no real».* De ahí que las cosmovisiones del gran período racionalista o «razonista» *(que en este sentido llega hasta hoy)* no nos puedan ofrecer ejemplos de esa inesencialidad a la que nos referimos.

LA INESENCIALIDAD EMOCIONALMENTE
IMPERCEPTIBLE DE LAS ECUACIONES COS-
MOVISIONARIAS (LA IMPLICADA EN LA
SERIEDAD) AFECTA A TODAS LAS ÉPOCAS

Ahora bien: ocurre exactamente lo contrario en el caso de
la inesencialidad emotivamente no perceptible que la «seriedad»
metafórica lleva siempre consigo. Pues, como sabemos, el paso
desde «A del todo» a «B del todo» supone la identidad de A
no sólo con el aspecto de B que se le asemeja («caballos negros = noche en cuanto a su color»), sino también la identidad
de A con aquellos otros aspectos de B que no tienen nada en
común con A («caballos negros = noche en cuanto a que en la
noche yo no veo»). He ahí la inesencialidad: la identidad seria,
totalitaria, entre A y B es siempre inesencial (aunque B y A
se parezcan mucho), puesto que se hace entrar en la ecuación una enorme zona de B que no tiene nada que ver con A.
Esto es válido incluso cuando se trata de emociones. Veámoslo.
Y ya que aquí pretendemos, sobre todo, probar que en las
cosmovisiones posteriores a la Edad Media se admite el tipo
de inesencialidad de que ahora hablamos, pongamos un ejemplo que nos sirva para ilustrar ambas cosas.

Imaginemos, pues, un romántico que se sienta decepcio-
nado por un fracaso suyo frente a la realidad, a la que, sin
duda, habría, en nuestra hipótesis, «pedido demasiado». Su-
pongamos aún que se trata de una emoción política que, por
su exceso, hubo de fracasar. Esa frustración ha tornado
desapacible y melancólico a nuestro personaje, lo que le hace
escribir (pues es poeta) unos versos a la luna en el modo propio de la escuela a la que pertenece. Anótese, por lo pronto,
la evidente inconsecuencia, desde el punto de vista de la pura
razón. Se trataba de un fracaso político, y he aquí que hemos
ido a parar a algo tan ajeno a la política como es la descripción de nuestro pulcro satélite. No hay relación lógica entre
uno y otro término, sino relación puramente emocional, sim-

bólica. La luna puede producir un sentimiento de melancolía, y el fracaso político, también. Ese es el único punto de unión entre ambas realidades, que, por lo demás, no se congracian ni se asientan una en otra. Hay entre ellas incoherencia lógica, disparate, salto a un «género» diverso. Pero este magno traslado lleva interiorizado otro que es el que ahora nos importa más, pues es el que nos va a mostrar el fenómeno que investigamos. El enlace:

fracaso político [= melancolía =] tema lunar

nos dice con claridad, una vez analizado, que el término «melancolía» ha sido usado con aquella seriedad y totalitarismo que implica, en nuestra tesis, el fenómeno de la inesencialidad, ya que la emoción melancólica que corresponde al fracaso político no es exactamente la misma que corresponde a la visión de una luna pálida. Ahora bien: si desde el primer miembro igualatorio («fracaso político») se ha podido pasar al tercero (tema lunar) es porque se ha experimentado la emoción de melancolía en un sentido amplio y genérico, que cubre ambas especies de tristeza, y así uno de sus lados congenia con el elemento inicial, y el otro, con el último (lo mismo que en el caso que antes mencioné en un paréntesis se tomaba la palabra «noche» no sólo en el sentido de «negrura» sino también en el sentido de «imposibilidad de que yo vea»). Pero ello ocurre así porque en realidad las ecuaciones, si las formulamos según su esquema analítico, y no según su esquema sintético [7], han sido éstas:

fracaso político [= tristeza correspondiente al fracaso político =] tristeza en la conciencia correspondiente al fracaso político [= tristeza correspondiente al fracaso político = tristeza correspondiente a la visión de una luna pálida =] luna pálida

en donde la serie emotiva no es simbólica, pero la serie sintagmática indudablemente lo es. Ahora bien: dado el totalitarismo

---

[7] Véanse las páginas 222-226.

y seriedad de las ecuaciones del esquema precedente, se deduce que

> fracaso político = tristeza correspondiente a la visión de una luna pálida

identidad que evidentemente es inesencial. El salto a lo otro en que consiste siempre una ecuación preconsciente lleva dentro de su seno, en todo caso, tal como suponíamos, con disimulo perfecto e impercepción total, incluso a un análisis que no sea muy minucioso, la inesencialidad de la relación. Este tipo de inesencialidad tan hondamente oculta tras la pantalla de la seriedad, y precisamente porque se oculta tanto, sí puede darse, repito, en las cosmovisiones que podríamos denominar, en cierto sentido, «racionales» (lo acabamos de ver: caso romántico de la ecuación «fracaso político = melancolía»), no la otra, emotivamente palmaria, y, por palmaria, desechable desde la vigilancia de nuestra lucidez (caso de la fórmula medieval «apariencia = esencia»).

Capítulo XXI

COSMOVISIÓN, CIENCIA Y FILOSOFÍA

CIENCIA Y COSMOVISIÓN

Cosmovisión engendrada por una suma de procesos «Y», que parten de un mismo originador vital y de una misma serie emotiva, pero que se diversifican en cuanto a la serie sintagmática; cultura de una época como el conjunto de los originados, en que los procesos mentados llegan a cumplimiento y realización verbal: tal es lo que, en resumen, han ido mostrándonos las anteriores páginas. La cultura es, pues, algo así como un gigantesco símbolo de gran complejidad, que puede descomponerse en símbolos menores, que serían las distintas manifestaciones de esa cultura en un momento de su desarrollo: literatura (o música, artes plásticas, filosofía, ciencia, etc.), precisamente del Renacimiento (o del Barroco, o del Romanticismo, etc.). Y aun tales símbolos se reducirían a otros de más pobre entidad, y éstos a otros, hasta llegar a los constituidos por los más pequeños rasgos de estilo.

De tales actividades, sólo la citada en el último lugar de la enumeración que acabamos de realizar, la ciencia, ostenta un principio de autonomía, claro es que muy relativo, respecto de las cosmovisiones [1]. Pues, una vez alcanzado cierto grado de

---

[1] Arnold Hauser ve algo semejante por lo que respecta al origen social de la cultura. Para él, «las diversas construcciones del espíritu, como

crecimiento en determinada dirección, la ciencia, por su especial naturaleza y por la índole de su objetividad, tiende a continuarlo por sí misma, sin necesidad de recibir siempre nuevas incitaciones decisivas de las mutaciones sistemáticas más menudas (las «generacionales») que se van sucediendo en el interior de las grandes. Sin embargo, el nexo cosmovisionario persiste en cuanto a lo esencial, pero referido en ellos exclusivamente a los magnos cambios que sólo de tarde en tarde acaecen, los de época, tanto en ciencia como en cosmovisión.

PENSAMIENTO Y CIENCIA DE LA ÉPOCA SIMBOLISTA: IRRACIONALIDAD

Como no se trata aquí de hacer un estudio sistemático, y menos aún un desarrollo exhaustivo del tema, me limitaré a tomar, un poco al azar, algunos períodos para examinar en ellos la relación entre cosmovisión y pensamiento o ciencia.

Empecemos por el momento que se ha denominado simbolista. ¿Qué es el simbolismo? Ante todo, procuremos no confundir el simbolismo-escuela literaria con el simbolismo-procedimiento retórico. Pues bien: refiriéndonos a lo primero, a la escuela literaria, habremos de convenir en el hecho de la falta de precisión que sobre las posibles respuestas a nuestra interrogante ha manifestado la crítica, incluida la más solvente. Pero, aplicando aquí la doctrina que sobre las épocas y los estilos profesamos, creo que la niebla al punto se disipa. Para

---

religión, filosofía, ciencia y arte se encuentran, cada una, a diversa distancia de su origen social» (...). «A medida que se camina del arte a las ciencias exactas, va creciendo también la autonomía de las construcciones del espíritu, de acuerdo con su lejanía de las vivencias inmediatas del individuo concreto» (*Introducción a la Historia del Arte*, Madrid, Ediciones Guadarrama, Madrid, 1961, págs. 44-45).

Por otra parte, Bertrand Russell piensa que «la causalidad social cesa en gran medida de aplicarse tan pronto como un problema se hace detallado y técnico» (*Historia de la Filosofía Occidental*, t. II, Madrid, Espasa Calpe, pág. 409). Mi opinión es bastante parecida, como se ve.

nosotros, el simbolismo-escuela no es más que un determinado grado del individualismo contemporáneo unido a sus consecuencias cosmovisionarias. Quiero decir que habremos de llamar simbolista al sistema *entero* que se derive de esa graduación individualista, la que fue propia de la cultura occidental entre, digamos, 1885 y 1914. Puestos a determinar el sistema en cuestión, hallaríamos, como dato inicial, el intrasubjetivismo de que hemos hablado («no importa la objetividad: importa la impresión que la objetividad me produce»), y luego sus resultados psicológicos mediatos e inmediatos, de los que se destacarían, por su importancia, estos tres: 1.º, la irracionalidad o simbolización, casi siempre del primer tipo[2] (empleo de las palabras, no, o no sólo, por sus referencias a la objetividad, sino, sobre todo, por las *emociones* que suscitan en el lector como fruto de asociaciones no conscientes); 2.º, el impresionismo (uso de la impresión en calidad de «realidad verdadera» en detrimento de la objetividad, que se sitúa en posición ininteresante); y 3.º, el esteticismo o idealismo («no importa la objetividad de la vida o la naturaleza, sino su belleza, esto es, la *impresión* estética de la objetividad en mí —idealismo esteticista—, o la de una obra de arte que exprese tal objetividad —esteticismo propiamente dicho— [3]).

De estas tres gruesas ramificaciones sólo necesitamos fijar de momento el concepto de impresionismo. El mundo y las cosas del mundo interesarán, en esta época, exclusivamente por la impresión que nos causan. Ahora bien: el mundo y sus

---

[2] Los símbolos utilizados por los simbolistas son, en efecto, casi siempre símbolos «de realidad» («irracionalidad del primer tipo»). Símbolos «irreales» («irracionalidad del segundo tipo») hay pocos en el simbolismo, salvo esa clase de símbolos irreales que son las sinestesias; éstas, sí, muy frecuentes.

[3] En el simbolismo, el idealismo esteticista («la verdadera realidad es la Belleza») fue bastante más importante que el esteticismo propiamente dicho («la verdadera realidad es el arte»). El tema del tiempo y de la muerte es otra de las consecuencias de idéntico foco, ya que, al ser la impresión puramente actual, se pone de relieve en las cosas su fugacidad, como digo, más abajo, en el texto.

contenidos poseen una relativa estabilidad (al menos contemplados desde la óptica de la experiencia cotidiana, que es la decisiva en estas cuestiones). Opuestamente, las impresiones son, por esencia, mudables, resbaladizas: cambiantes. Yo miro esta pirámide egipcia, y mi impresión es una; pero dejo de mirar la pirámide, y fijo mi retina poco después en una nube o en una palmera, y ahora mi impresión es otra. De nada vale que la pirámide siga en su sitio, inmutable: la pirámide no se ha movido, pero mi impresión sí. Mi impresión ha dejado de existir, y ha dado paso a una impresión esencialmente distinta. Y aun en el caso de que mi vista permanezca fiel a su primer impulso, la impresión se modificará, pues mi foco atencional es, por naturaleza, inconstante y voluble, y aunque siga apuntando hacia la pirámide se va deslizando desde unas zonas a otras de ella, sin detenerse nunca, o sólo un instante, en ningún punto; pero, además, en mi impresión actual intervienen no sólo conceptos y sensaciones, sino sentimientos que se hallan, asimismo, en perpetua fluencia. Los estados de ánimo son, pues, en suma, una «corriente».

Se desprende de lo anterior que, si para los impresionistas la verdadera realidad de las cosas consiste en la impresión que nos producen y ésta es esencialmente cambiante, cambiantes esencialmente serán todos los objetos *en cuanto a lo que importa de ellos*. En la escuela impresionista, por tanto, se halla, a mi juicio, aunque implícita e informulada, la idea de que las cosas mudan su ser a cada instante, ya que el trueque de un mero matiz, por pequeño que éste sea, resulta en ellas, por lo apuntado (es decir, en cuanto que el trueque de matiz supone el traslado de una impresión a otra), una transformación esencial. Dejan de ser esto para ser aquello. El valle, al ser visto a través de cristales de colores, es *otro* valle, un valle «nuevo»:

Valle nuevo a través de la cristalería de colores [4].

---

[4] Juan Ramón Jiménez, *Segunda Antolojía Poética*, poema **239**, Madrid, ed. Espasa Calpe, Col. Austral, 1969, pág. 151.

Y una mujer, al aparecer en el espejo con pormenores de que carece en la objetividad, tendrá una belleza igualmente «nueva»:

> Con tu belleza nueva me inundabas el alma [5].

Varía la luz:

> y como en otra estancia, de pronto, nos hallamos [6].

Las cosas quedan, pues, relativizadas (en cuanto a su entidad más profunda) respecto de la circunstancia (luz, hora, situación) en que se asientan. Lo que habrá de tenerse en cuenta por el artista es, consecuentemente, la cosa *en cierto instante,* pues en el instante que le sigue, al modificarse en ella el más aparentemente nimio de sus accidentes, se habrá producido una transformación decisiva. Los objetos en cuanto impresiones no ostentarán más que una pura *actualidad,* y eso será lo que habrá de ser captado por el artista, especialmente lo que en mi impresión de tales objetos es puramente momentáneo: no el concepto (que es permanente), sino la sensación y el sentimiento, los cuales se expresarán con la mayor exactitud posible. El matiz triunfará así como protagonista principal del poema o del cuadro.

Creo que tan breves datos sobre el sentido de la época simbolista, por lo que toca a sus relaciones con la irracionalidad simbolizante, el esteticismo y el impresionismo, son suficientes para comprender lo que pasa en la ciencia de la época. Empecemos por la simbolización. ¿No es significativo que, por ejemplo, la psicología freudiana y el simbolismo de los simbolistas franceses coincidieran *por las mismas fechas* (subrayémoslo) en el interés por las derivaciones de las fuerzas oscuras, inconscientes y preconscientes, de la mente humana? ¿Podría tan exacto paralelismo deberse a una mera casualidad? ¿No es mu-

---

[5] «Laberinto, voz de seda, II», en *Primeros Libros de poesía,* Madrid, ed. Aguilar, 1964, pág. 1.176.

[6] «Velando a Clara», *Segunda Antolojía,* poema 164, ed. cit., pág. 115.

cho más lógico pensar en un origen común cosmovisionario?
Y aun añadiríamos a nuestra argumentación que el paralelismo, por una vez al menos, no se queda en esto. Pues igual que,
a lo largo del siglo XX, el uso de símbolos no ha hecho sino
desarrollarse en nuevas formas (simbolización de Rilke, de
Eliot, de Machado, de Valéry, de Salinas, de las Canciones
de Lorca; simbolización superrealista, etc.), lo mismo le ha
pasado al psicoanálisis, que ha ido, en ese mismo período,
ampliando sus conocimientos y sufriendo desviaciones: junto
a la escuela ortodoxa representada por un importante número
de profesionales y teóricos, fieles al cuerpo de ideas del fundador, las disidencias de un Jung, de un Adler; la de los culturalistas como Erich Fromm, Harry Stak Sullivan, Karen
Horney, etc. [7].

Se ha dicho que Freud influyó en los superrealistas. No lo
pongo en duda. Pero hay que añadir de inmediato que la causa
del suprerrealismo de ninguna manera reside en los descubrimientos del psicólogo vienés. Sin éste, el superrealismo acaso
hubiese tenido, en alguno de sus momentos no sustantivos, otra
figura; pero lo decisivo se habría producido del mismo modo,
puesto que la existencia de procesos preconscientes simbolizantes es, en poesía, anterior al psicoanálisis —Baudelaire, Verlaine, Rimbaud, etc.—, y el superrealismo sólo consiste, como
en el «Apéndice II» del presente libro intentaré mostrar, en la
intensificación de este mismo impulso irracional, muy fuerte
ya, y, a mayor abundancia, superrealista ya de algún modo, en
los poemas en prosa del último poeta mencionado. La verdad,
pues, parece ser, en lo sustantivo, distinta: no un influjo de
Freud sobre la poesía o el arte, sino un influjo común *del sistema cosmovisionario* del nuevo tiempo sobre Freud y sus seguidores, y también sobre los poetas y artistas. Sólo *después* de
tan radical motivación vendrían las relaciones fraternales, los
vínculos menores o inesenciales (siempre posibles) entre los
descubrimientos de la ciencia y las transformaciones estéti-

---

[7] Ricardo G. Mandolini Guardo, *De Freud a Fromm*, Buenos Aires, editorial Ciordia, 1965, págs. 277-302 y 383-466.

cas [8]. La visión del mundo contemporáneo llevaba, en efecto, al interés por lo irracional. Ese interés lo manifestaban los poetas haciendo versos simbólicos; lo manifestaban los científicos como Freud ocupándose del estudio del inconsciente, del preconsciente, y de sus productos (sueños, síntomas neuróticos, símbolos que en esos fenómenos se producen, etc.). Y resulta que pasaba cosa similar, aunque en diferente clave, dentro de la Física. Ortega dedicó un breve ensayo a establecer las relaciones de Einstein con su época [9]. Una de las notas que destacó a este propósito en su trabajo fue, precisamente, el «antirracionalismo»; y aunque esta palabra no pueda tener en Física el valor que nosotros le hemos técnicamente reconocido al vocablo parejo «irracionalidad», la evidente semejanza de términos indica una semejanza genérica de esos vocablos similares en cuanto a sus respectivas designaciones: desde la parecida materialidad del significante aluden los dos, en efecto, a una superación del puro racionalismo en el sentido del siglo XVIII: «frente al pasado racionalista de cuatro siglos, se opone genialmente Einstein e invierte la relación inveterada que existía entre razón y observación. La razón deja de ser norma imperativa y se convierte en arsenal de instrumentos: la observación prueba éstos y decide sobre cuál es el oportuno. Resulta, pues, la ciencia de una mutua selección entre las ideas puras y los puros hechos» [10]. Antes había dicho Ortega: «No es la razón pura quien resuelve cómo es lo real. Por el contrario, la realidad selecciona entre esos órdenes posibles, entre esos esquemas, el que le es más afín» [11]. La «Teoría de la rela-

---

[8] Tanto los psicoanalistas como los superrealistas pretenden integrar lo irracional en lo racional (Yvonne Duplessis, *El surrealismo*, Barcelona, Oikostou, 1972, pág. 90); ambos grupos, por otra parte, describen «sueños» y se interesan por su expresividad (Gérard Durozoi y Bernard Lecherbonnier, *Le surréalisme, théories, thèmes, techniques*, Paris, Larousse, col. Thèmes et textes, 1972, págs. 108-113); etc.

[9] José Ortega y Gasset, «El sentido histórico de la teoría de Einstein», en *Obras Completas*, t. III, Madrid, ed. Revista de Occidente, 1950, páginas 231-242.

[10] *Ibid.*, pág. 241.

[11] *Ibid.*, pág. 241.

tividad» es, a su modo, un fruto más de la crisis del racionalismo (o sea, de cierto tipo de razón) que caracteriza a nuestro tiempo (visible, claro está, asimismo, en la Filosofía, desde Nietzsche, Bergson y Unamuno hasta Heidegger).

PENSAMIENTO Y CIENCIA DE LA
ÉPOCA SIMBOLISTA: IMPRESIONISMO

Pero esa teoría, que es perspectivista [12] y que viene a relativizar conceptos que antes eran absolutos (tiempo, masa, velocidad), es también afín, en este último sentido, a otra de las direcciones del simbolismo. Me refiero al impresionismo que antes intenté describir brevemente. Edmund Wilson vincula a Einstein con Proust [13]. Creo que, como he insinuado, esa semejanza puede alargarse hasta cubrir a todo el movimiento que acabo de mencionar. Hauser, a su vez, puso al gran físico en contacto, en este mismo sentido, con Freud [14] y con el pragma-

---

[12] José Ortega y Gasset, «El sentido histórico de la teoría de Einstein», *op. cit.*, págs. 234-237.

[13] Dice Wilson: «La convicción de que es imposible conocer y dominar el mundo exterior impregna todo el libro» de Proust (...) «En este sentido, Proust ha creado una especie de equivalente en ficción a la metafísica creada por ciertos filósofos sobre nuevas bases físicas. A Proust le había influido profundamente Bergson (...). Para la física moderna, todas nuestras observaciones de cuanto ocurra en el universo son relativas: depende de dónde estemos en ese momento, con qué rapidez y en qué dirección nos movamos. Y para el simbolista» (léase Proust) «todo lo que se percibe en un momento de la experiencia humana es relativo a la persona que lo percibe, y a la circunstancia, al momento, al estado de ánimo. El mundo deviene así cuatridimensional —siendo el tiempo la cuarta dimensión»—, como en Einstein (Edmund Wilson, *El castillo de Axel*, Madrid, Cupsa Editorial, 1977, págs. 126-127). Proust «recreó el mundo de la novela desde el punto de vista de la relatividad: engendró por vez primera en literatura un equivalente a gran escala de la nueva teoría de la física moderna» (*op. cit.*, pág. 148).

[14] Para Hauser, Freud se liga al impresionismo y a la concepción relativista del mundo propia de la época, en cuanto que su psicología es dinámica (*Historia social de la literatura y el arte*, Madrid, Ediciones Guadarrama, 1967, t. III, pág. 1.257).

tismo filosófico[15]. No olvidemos la rigurosa coetaneidad de Proust (nacido en 1871), de Einstein (nacido en 1879) y de Freud (nacido en 1856) respecto del impresionismo poético, y de William James (nacido en 1842) respecto del impresionismo pictórico. Se ha hablado asimismo, a este respecto, de Bergson. De otra parte, Dornis[16], Juan Ramón Jiménez[17] y luego J. M. Aguirre[18] hicieron ver la esencial afinidad del modernismo teológico con la escuela simbolista, de la que el impresionismo es, como ya dije, una rama, según creo haber llegado a establecer[19].

No se quedan, con todo, en esto las relaciones entre ciencia y cosmovisión de la época. Señalé antes que el impresionismo se basa en la noción de fugacidad: las criaturas todas, *en cuanto a lo que importa de ellas*, son, en su esencia misma, volubles: *todo cambia de ser*. No me parece fruto del azar que, justamente en esta sazón la Genética estudie esas variaciones bruscas y discontinuas que el botánico Hugo de Vries (1848-1935) bautizó con el nombre de «mutaciones»[20]. Empieza

---

[15] Para William James lo verdadero es lo útil; luego toda verdad tiene cierta actualidad: vale sólo en situaciones determinadas. Todo el pragmatismo surge de la experiencia impresionista, mudable, de la realidad (Arnold Hauser, *op. cit.*, t. III, pág. 1.259).

[16] Jean Dornis descubre «estrechas correspondencias entre la manera en que interpreta la exégesis el Abate Loisy, Bergson la metafísica» y la manera de escribir propia de los simbolistas (*La sensibilité dans la poésie française contemporaine (1885-1912)*, Paris, 1912, pág. 75).

[17] Juan Ramón Jiménez, *El modernismo (Notas de un curso, 1953)*, Madrid, Aguilar, 1962, págs. 250-251.

[18] J. M. Aguirre hace ver cómo la condenación de las doctrinas religiosas de los teólogos llamados «modernistas» en la encíclica de Pío X *Pascendi dominici gregis* (8-IX-1907) parece una condenación del simbolismo literario. Se condena, en efecto, el intimismo, el símbolo como una manera de aludir al misterio implícito en la experiencia vital; el subconsciente y el misterio; el valor de la predicación como poder sugestivo, etc. (véase J. M. Aguirre, *Antonio Machado, poeta simbolista*, Madrid, Taurus, 1973, págs. 195-196).

[19] En un ensayo titulado «El impresionismo poético de Juan Ramón Jiménez («Una estructura cosmovisionaria»), Cuadernos Hispanoamericanos, oct.-dic. 1973.

[20] Aunque la interpretación impresionista de esos datos es de mi exclusiva responsabilidad, para los datos mismos véase M. Caullery y J. F.

este autor sus investigaciones sobre la materia en el mismo año que se ha determinado para nombrar a la generación de los poetas simbolistas-impresionistas: 1885. Y publica su libro *Teoría de las mutaciones* en Leizgig, 1901, cuando el impresionismo poético se ha extendido ya por todas partes. Es, por ejemplo, la fecha en que se escriben los primeros libros de Juan Ramón. Pero, además, Vries no estaba solo: en 1894 el zoólogo W. Bateson publicaba un escrito sobre el mismo tema (*Materials for the study of variation treated with special regard to discontinuity in the origin of species*) y en 1899 hacía lo propio el botánico ruso S. Korginski (1860-1900), en su obra *Heterogénesis y evolución, teoría de la formación de las especies*, etc.

PENSAMIENTO Y CIENCIA EN
EL SIMBOLISMO: ESTETICISMO

Veamos ahora la tercera variación de gran formato en que puede consistir el simbolismo: habla del idealismo, con su posible variante esteticista. No hay duda de que la teoría de Wölfflin, a la que ya nos hemos referido, acerca de la evolución artística [21] es tan esteticista como la práctica coetánea del «arte por el arte» y como la crítica correspondiente. Ahondemos un poco más en este punto.

El esteticismo se nos ofrece como una mera «rama» de la cosmovisión simbolista (aunque se dé también, y con más fuerza, en el parnasianismo anterior). El imperio de la impresión sobre la objetividad ha llegado a una primera culminación cualitativa. Lo que importa en esa visión del mundo es, pues, como dijimos, la impresión, y, por lo tanto, también *la impresión estética*, o sea la actividad artística. Se rebajará entonces, consiguientemente, la objetividad, la naturaleza, la vida espontánea, en favor del arte, el cual, últimamente, es siempre, en efecto, una impresión mía. Y como la vida y la naturaleza no

---

Leroy, «Orígenes de la Genética», en *Historia general de las ciencias,* vol. III, Barcelona, ed. Destino, 1973, págs. 614-616.
[21] Véanse págs. 144 y sigs. (y notas 2, 3 y 4 a la pág. 145).

interesan y el arte sí, éste vale y aquéllas, relativamente, valen menos. Ahora bien: si el arte se halla por encima de la naturaleza y de la espontaneidad vital, no tiene por qué estar al servicio de estas últimas realidades en ningún sentido: ni en el de una obligación mimética con respecto a ellas (arte como imitación de la naturaleza), ni en el de tener constricciones morales (arte moral, o, al menos, no inmoral) o constricciones intelectuales (arte como verdad), pues todo ello no son sino formas del compromiso vitalista.

Tal es lo que se halla en la visión del mundo propia de los estetas, que luego se refleja en el arte propiamente dicho, y, también (y ello es lo que de momento nos importa más), en la crítica y en la teoría acerca de éste. En efecto: el arte, con alguna frecuencia, no respetará la estructura de una objetividad que, en consideración de época, le resulta inferior. Los poetas, pintores, etc., pueden así empezar, en sus obras, a tener en cuenta y a utilizar lo irreal sin significado lógico alguno (aunque con significado, claro está, simbólico; pero, en cuanto a esto último, no se olvide que tal significado, por definición, no se percibe desde nuestra lucidez y, por lo tanto, en lo a ella relativo, es como si no existiese).

Algo similar acaece en lo que toca a la moral: el esteta se siente liberado de responsabilidades éticas, tanto como de responsabilidades intelectuales de «veracidad». Recuérdese la famosa frase de Wilde: «no hay libros morales o inmorales, sino bien o mal escritos». La crítica (y no sólo la literatura de creación) de este gran esteta no hace sino «racionalizar» estas emociones cosmovisionarias, de forma ingeniosa e inteligente. Pero lo mismo, de otra manera, ocurre con las doctrinas evolutivas que dan origen a la «historia del arte sin nombres», wölfflinianas. El desprecio por la vida y por la sociedad que hemos visto en las págs. 144 y ss. se traduce aquí en la consideración «científica» de que el arte se modifica siguiendo, en lo fundamental, leyes inmanentes, sin relación ninguna importante (en tanto el desarrollo sea «normal») con nada que le sea exterior: el desarrollo social no cuenta decisivamente: el arte, también en esto, se basta, en lo verdaderamente radical, a sí mismo: es hijo, en ésa zona decisiva, del arte, no de la sociedad. Wilde, al hablar con más libertad, en cuanto que no tiene pretensiones exactamente científicas, sino las puramente especulativas de quien se expresa sin cortapisas, desde sus meros sentimientos cosmovisionarios, puede formular estas mismas ideas esteticistas de un modo aún más extremoso que Wölfflin. Repásense algunas de sus sentencias: «El arte jamás expresa otra cosa que a sí mismo. Goza de una vida independiente, al igual del Pensamiento, y se desenvuelve siempre con arreglo a su propio patrón (...). Lejos de ser la creación de su tiempo, por regla general se halla en oposición directa a él, y la única historia que nos conserva es la historia de su propia evolución (...). Pasar del arte de un período histórico al período mismo es el gran error de todos los historiadores (...). Las únicas cosas bellas son las cosas que no nos atañen»[22]. Esta opacidad, absoluta en unos casos, relativa en otros, respecto de la vida en torno, que se decreta para el arte, ¿no tiene en las teorías de la evolución de Wölfflin o en las especulaciones paralelas de Wilde la misma raíz que detectamos en la prosa creadora de éste o en la de De Quincey, o en el verso de Juan Ramón Jiménez y los modernistas hispanos o sus equivalentes foráneos, o en los artistas del «modern style»? En las actividades, tan diversas (ciencia de la evolución artística, teoría crítica, práctica estética propiamente dicha —poesía, pintura, etc.—, de todos estos autores) aparece un decisivo factor común, que no puede ser sino cosmovisionario: el primado del arte y su autonomía y hermetismo respecto a la naturaleza, la sociedad y la vida.

Ahora bien: la ciencia y la técnica contemporáneas se mueven igualmente con frecuencia, sin duda, a espaldas de lo natural[23]. Se ha creado una geometría no euclidiana: un espa-

---

[22] Oscar Wilde, «La decadencia de la mentira», en *Intenciones*, Madrid, ed. Taurus, 1972, págs. 45-46.

[23] Dice Abbagnano: «La relatividad general emplea una noción de espacio distinta de la descrita por la geometría de Euclides: la noción abstracta o generalizada que había sido descrita por Riemann. Por primera vez en esta teoría, se empleaba la geometría no euclídea para la interpretación de la realidad física. Además en ella salta a primer plano

cio de *n* dimensiones; se han sintetizado substancias químicas que previamente no existían en el mundo (los cuatro «transuranos», el tecnecio, etc.) [24]; se han fabricado materias artificiales (el mundo de los plásticos, etc.) [25]. Es evidente la relación entre este «creativismo» amimético de la ciencia y de la técnica (intrasubjetivista, por tanto) con aquella otra autonomía intencional del arte por lo que toca a la naturaleza, y con las consecuencias irrealistas antes mencionadas que se siguieron para aquél. Lo que pasa en la ciencia y en la técnica ¿no equivale a lo que es, digamos, la pintura no figurativa o el simbolismo de irrealidad en la poesía, desde Baudelaire para acá? A la luz de lo expuesto, se pone de relieve que esa conexión y equivalencia de ningún modo pueden interpretarse como fenómenos azarosos.

Pero si del aspecto positivo del esteticismo, que aquí habría que denominar con el nombre más amplio de «culturalismo»

---

el concepto de *campo*, que había sido elaborado en electrología y que Einstein extiende a la interpretación de toda la realidad física. La noción de *campo* implica la desaparición de la diferencia entre materia y energía sobre la cual se fundaba la física clásica. La interpretación relativista tiende a considerar los cuerpos mismos como especiales «densidades de campo», y por tanto a eliminar la diferencia cualitativa entre «materia» y «campo» y sustituirla por una diferencia sólo cuantitativa. *La física relativista se aleja radicalmente, con este concepto, de la representación de la naturaleza propia de la percepción y del sentido común. El «campo» no se parece a ninguna cosa perceptible;* es algo *construido,* es decir, una construcción conceptual cuya utilidad para la interpretación matemática de la naturaleza es grandísima, *pero cuya base representativa o perceptiva es casi nula»* (Nicolás Abbagnano, *Historia de la Filosofía*, Barcelona, Montaner y Simón, 1973, t. III, pág. 607). (Los subrayados son míos.)

[24] Pedro Laín Entralgo y José María López Piñero, *Panorama Histórico de la Ciencia moderna*, Madrid, Ediciones Guadarrama, 1963, páginas 69, 275, 382 y 386.

[25] Aparecen en nuestro tiempo «cuerpos nuevos, de propiedades previamente inventadas, exigidas por ciertas pretensiones del hombre; por ejemplo, un material de construcción de cierta densidad y determinada resistencia, o un alimento de tantas calorías por unidad de volumen, con tal resistencia a la temperatura o tal posibilidad de conservación». Está a nuestro alcance «un tejido de cristal, un metal de aleación ligera, un objeto de materia plástica», todo ello *no natural* (Julián Marías, *Introducción a la Filosofía*, Madrid, Revista de Occidente, 1956, pág. 40).

(creatividad de la ciencia y de la técnica), pasamos al negativo (desprecio de la naturaleza y de la vida) que se le correlata, hallamos que también hay en las últimas dos décadas del siglo XIX un notable paralelismo (que nunca he visto consignado) entre lo que ocurre en la ciencia y lo que ocurre en el arte. Del mismo modo que Wilde desdeñaba las manifestaciones naturales por su creatividad nula o inferior («la naturaleza imita al arte»), los anatomistas de la misma sazón histórica (Ambrosius Hubrecht, 1853-1915; Anton Dohrn, 1840-1909) llegan a conclusiones muy parecidas. Alineados éstos en las filas de Geoffroy Saint-Hilaire (quien, al comparar animales distintos entre sí, puso el acento en las conexiones y no en la función de los respectivos órganos) más que en las del Cuvier (que al hacer anatomía comparada se refirió, opuestamente, a la función de los órganos puestos en similitud y no a sus conexiones), infieren que *la naturaleza no crea nada auténticamente original*, pues en todos los cuerpos vivos se hallan los mismos elementos en cuanto al número y en cuanto a las conexiones. «El principio de homología entre los organismos es, en último análisis, identidad» [26]. Citando a Darwin, extrae Hubrecht en 1887 de las tesis de aquél la deducción siguiente: «no pueden aparecer órganos nuevos por obra de la selección natural, a menos que esos órganos hayan sido precedidos por otros, de los que aquéllos han derivado gradualmente por un lento cambio». Y, por su parte, Dohrn deduce de los conocimientos de la época que la naturaleza usa órganos antiguos *en vez de inventar* órganos nuevos. Así, las aletas se derivan de las branquias, etc. La vida no tiene capacidad creativa: tal es la conclusión a que se llega [27]. No hay duda que esta aseveración de la ciencia se halla en perfecta armonía y en concordancia que a nosotros no puede aparecérsenos como extraña con el pensamiento de los estetas.

---

[26] J. Piveteau, «Anatomía comparada de los vertebrados», en *Historia general de las Ciencias*, vol. III *(La ciencia contemporánea)*, I *(El siglo XIX)*, pág. 559. La relación con el esteticismo es de mi exclusiva responsabilidad.

[27] J. Piveteau, *ibid.*, pág. 559.

LA FENOMENOLOGÍA DE HUSSERL Y LA
POESÍA CONTEMPORÁNEA, ESPECIALMEN-
TE EL MOMENTO DE LA «POESÍA PURA»

Pasemos ahora a una relación entre poesía y filosofía que me interesa destacar porque, según parece, no ha sido establecida aún por nadie. Me refiero a la que indudablemente media, a mi juicio, entre ciertos decisivos y definitorios aspectos del pensamiento de Husserl y ciertos decisivos y definitorios aspectos de la poesía escrita entre Baudelaire y el superrealismo, aunque sean especialmente operantes en el ámbito de la poesía pura [28].

Por lo pronto, hemos observado en la poesía contemporánea (dentro de la española, a partir, sobre todo, de Antonio Machado, pero con más fuerza en el instante que he mencionado de la «pureza» poemática), el destronamiento del yo, fenómeno que calificábamos como «distanciación», «impersonalización» o «pudor» [29]. Si para los románticos, decíamos, la verdadera realidad era el yo, para los contemporáneos lo es la impresión; el yo biográfico, histórico, del poeta desaparece o se disimula: lo que hay es una conciencia abstracta como soporte de las vivencias. Importa no quien mira o quien siente; importa lo sentido o lo mirado como tales. La percepción, no el espectador: he ahí el tema fundamental del arte en este período. Pues bien: eso mismo es lo que, en asombroso paralelismo, viene a mostrarnos, desde su especial ángulo meditativo, Husserl. Husserl, como es sabido, parte de Brentano, que había definido la conciencia como *conciencia de*: todo acto mental remite a un objeto. La reducción fenomenológica que Husserl propone hace que la existencia real del objeto en cuestión se deje a un lado: que la conciencia sea conciencia de algo es una cosa y que ese

---

[28] Véanse las págs. 265-272.
[29] Aparte de lo que digo en el texto, no hay duda de otra relación entre filosofía y poesía contemporánea: la crisis, no de la razón pero sí del racionalismo, que páginas atrás veíamos también en la Física.

algo tenga existencia real es otra. La novedad máxima de Husserl consiste, a este respecto, en extender al yo tal «epojé» o estrechamiento del objeto a la categoría de mera aparición ante mí o «fenómeno» (desestimando su posible efectividad). El yo histórico, el que se halla instalado en un aquí y un ahora, sufre la acometida de la pulcritud analítica del autor con la misma intensidad que el mundo objetivo: también su existencia real se pone «entre paréntesis». Lo que queda del yo tras la reducción a mero fenómeno es lo que Husserl denomina «conciencia pura» o «yo puro», yo o conciencia que nada tienen ya de biográficos. Se trata sólo de un mero portador o sujeto de la experiencia vivida. ¿No es esto el equivalente exacto del procedimiento poético que denominábamos «distanciación»? Dicho al revés: ¿no es la distanciación una epojé, una «reducción fenomenológica» del yo?

Por otra parte, la segunda operación husserliana, la «reducción eidética», o reducción de la vivencia del objeto intencionado por la conciencia a sus esencias, esto es, la reducción de la vivencia del objeto a aquellas notas suyas que están unidas por «fundación» [30], ¿no tiene vivo parentesco con la visión, también *esencialista*, del segundo Juan Ramón y del primer Guillén (el Guillén, al menos, de los dos primeros *Cánticos*)? Husserl, Juan Ramón Jiménez y ese Guillén inicial coinciden en contemplar las cosas en cuanto a sus esencias, que son, en los tres casos, «eternas». Juan Ramón:

> Estás, *eterna*, en su inmanencia,
> *igual*, en lo sin fin de tu mudanza [31].

> Todo dispuesto ya, en su punto,
> para la *eternidad* [32].

---

[30] Husserl llama «fundación» a aquella relación según la cual una parte está unida a otra, pero sin implicarla. Así el color respecto de la extensión. Todo color es extenso, pero el color no implica la extensión, sino que la complica, como dice Ortega.

[31] *Eternidades*, 88, pág. 113.

[32] *Diario, Segunda Antolojía Poética*, 373, pág. 256.

Enclavado a lo *eterno* eternamente [33].

El alma queda y sigue,
siempre, por su dominio *eterno* [34]

te sitúan, oh madre, entre las olas,
conocida y *eterna* en su mudanza [35].

Jorge Guillén:

Todo está concentrado
por siglos de raíz
dentro de este minuto
eterno y para mí.

Y sobre los instantes
que pasan de continuo
voy salvando el presente,
eternidad en vilo.
......
Ser nada más. Y basta.
Es la absoluta dicha.
Con la esencia en silencio
tanto se identifica [36].

Fijo en el recuerdo,
vi cómo defiendes,
corazón ausente
del sol, tiempo *eterno*.
......
De nuevo impacientes,
los goces de ayer
en labios con sed
van por hoy a siempre [37].

---

[33] *Diario, ibid.*, 383, pág. 261.
[34] *Diario, ibid.*, 399, pág. 270.
[35] *Diario, ibid.*, 404, pág. 273.
[36] *Cántico*, «Más allá» *Aire nuestro*, Milán, 1968, pág. 27.
[37] *Los tres tiempos, Cántico, Ibid.*, pág. 51.

... horizonte
final. ¿Acaso nada?
Pero quedan los nombres [38].

¡Oh presente *sin fin,* ahora *eterno!* [39].
¡Oh *absoluto* presente! [40].

La «reducción eidética» sería entonces el equivalente exacto de la «supresión de la anécdota» (que existe en toda la época contemporánea, pero mucho más en el período de la poesía pura), así como la «distanciación» («contemporánea» también, e intensificada en ese mismo período) era el equivalente exacto de la «epojé».

CIENCIA Y FILOSOFÍA DEL GÓTICO

Si nos remontásemos a las demás épocas, hallaríamos lo mismo. Se ha unido el nominalismo filosófico de la Edad Media con el comienzo de la ciencia experimental [41] y con el realismo del Gótico [42]. Desde nuestra tesis, diríamos esto: en los tiempos de Juan Duns Scoto (hacia 1266-1308) y Guillermo de Ockam (hacia 1284-1349) hay una nueva cosmovisión, la que vino tras la del Románico, *en que el individualismo, más alto ahora, empieza a contar,* gracias fundamentalmente a los resultados de haberse reanudado el comercio mediterráneo, y, con el comercio mediterráneo, la industria. El individuo y la realidad concreta son, por primera vez, en consecuencia, cosmovisionariamente importantes. Consecuencia de ello: en la escultura gótica el rostro humano pierde el aspecto abstracto y genérico que tenía en el Románico, y asoman los caracteres individuales.

---

[38] «Los nombres», *Cántico, Ibid.,* pág. 36.
[39] «Anillo», V, *Cántico, Ibid.,* pág. 184.
[40] «Desnudo», *Cántico, Ibid.,* pág. 186.
[41] Véase, entre muchos, G. Beaujouan, «La ciencia en el occidente cristiano», en *Historia general de las ciencias,* vol. I («La Ciencia antigua y medieval»), de varios autores, Barcelona, Ediciones Destino, 1971, página 667.
[42] Arnold Hauser, *Historia social de la literatura y el arte,* t. I, Madrid, ed. Guadarrama, 1957, págs. 325-333.

Hay, pues, aquí un evidente realismo, observable igualmente en la literatura[43]. Las cosas en su singularidad, la vida en su particularización y color, las personas en sus rasgos distintivos cobran relieve y significación: Juan Ruiz, Boccaccio, Chaucer. Asoma el habla popular, en sus giros y léxico peculiares (Hita; luego, en el siglo xv, Talavera, digamos, y La Celestina); se pintan costumbres y caracteres, incluso en la historia (Canciller Ayala); y si de este modo surgen psicologías diferenciadas en cuanto a los personajes, lo propio acontece respecto del autor: brota, por vez primera, el estilo personal (don Juan Manuel, Hita). Es sintomático que don Juan Manuel intente borrar de sus escritos las fuentes que utiliza[44]. Pero esta nueva valoración de lo individual y lo concreto se extiende, asimismo, a la teoría política, a la religión, a la filosofía y a la ciencia. Los teóricos de la política parten ahora, en efecto, como los científicos, que en este tiempo inician la ciencia experimental, de la observación de lo concreto; la piedad, de otro lado, se centra principalmente en la *persona* (*concreta*, asimismo, claro es) de Cristo[45]. Duns Scoto no cree ya, como Santo Tomás, que la verdadera realidad quede reservada en exclusiva para las especies: los individuos ostentan, igualmente, realidad[46]. Por su

---

[43] Pero es en la escultura donde aparece el realismo primeramente, llegando hasta el retrato individualizado (véase Léopold Génicot, *El espíritu de la Edad Media*, Barcelona, Ed. Noguer, 1963, págs. 291-293).

[44] Véase José Manuel Blecua en la «Introducción» a su edición del *Libro Enfinido y Tractado de la Asunçión*, de don Juan Manuel, Universidad de Granada, 1952.

[45] Léopold Génicot, *op. cit.*, págs. 291 y 292 respectivamente.

[46] Arnold Hauser establece una relación entre nominalismo y sociedad (nosotros hablaríamos aquí de «estímulo»): «el nominalismo corresponde a la disolución de las formas colectivas de tipo autoritario y al triunfo de una vida social individualmente articulada sobre el principio de la subordinación incondicional. El realismo «[filosófico = idealismo]» es la expresión de una visión del mundo estática y conservadora, y el nominalismo, por el contrario, de una visión dinámica, progresista y liberal. El nominalismo, que asegura a todas las cosas singulares una participación del ser, corresponde a un orden de vida en el que también aquellos que se encuentran en los últimos peldaños de la escala social tienen una posibilidad de elevarse (*op. cit.*, pág. 333).

parte, Ockam demuestra que no se dan los universales en el mundo efectivo: no existe «el hombre» sino «este hombre» [47]. De ahí que este pensador defendiese, como dice Crombie, «que el único conocimiento cierto sobre el mundo de la experiencia era el que llamaba 'conocimiento intuitivo', adquirido por la percepción de cosas individuales a través de los sentidos [48]. No asombra que desde este nuevo individualismo destructor de la lógica silogística, basada en la existencia de los universales, se ocupara Ockam de la lógica de la inducción, que parte de la experiencia sensible, es decir, de la experiencia de lo individual y concreto (nótese) y se eleva hasta el descubrimiento de leyes generales, lógica en la que tal filósofo introdujo notables perfeccionamientos [49]. Nicolás de Autrecourt (contemporáneo de Ockam) llegó a un empirismo mayor: negó la posibilidad de conocer la existencia de sustancias o de relaciones causales [50]. El interés recaerá, por consiguiente, en el mundo de la experiencia: si en la naturaleza todo era contingente, se hacía precisa, también desde los supuestos de la Filosofía, la ciencia experimental.

Los filósofos nominalistas, como se ha dicho, dan un fundamento a esta última. De hecho, son los ockamistas de París (franciscanos, no por casualidad, digámoslo de paso) [51] los ini-

---

[47] José Ortega y Gasset, «En torno a Galileo», en *Obras Completas*, Madrid, ed. Revista de Occidente, 1947, pág. 133.

[48] A. C. Crombie, *Historia de la Ciencia: de San Agustín a Galileo*, t. 2, Madrid, Alianza Editorial, 1974, pág. 36.

[49] Véase, como ejemplo de ello, Guillermo de Ockam, *Super Libros Quatuor Sententiarum*, libro 1, distinción 45, cuestión 1.

[50] Crombie, *op. cit.*, pág. 38.

[51] El amor a las criaturas de Francisco de Asís, cultivado por tradición entre sus discípulos, los franciscanos, haría a éstos (en forma de «estímulo») especialmente aptos para ser expresión de la cosmovisión nominalista. Ocurre aquí, a nivel más colectivo, lo mismo que acontece con ciertas experiencias biográficas que resultan «estimulantes» y propias para dar salida y hacer real en alguien cierta cosmovisión. Pongamos un ejemplo muy distinto del franciscanismo en que ahora estamos. Toda la poesía de Luis Cernuda, en relación con las intuiciones liberadoras del superrealismo, nace desde un fuerte «deseo», el cual, pese a su fuerza, se enfrenta inútilmente a una todopoderosa «realidad». El resul-

ciadores de esta nueva forma de razón científica. Pero me atrevo a sostener que, incluso sin el correspondiente respaldo filosófico, habría comenzado, por lo antes sugerido, en Juan Buridán, Nicolás Oresme, Alberto de Sajonia, etc., ese tipo de ciencia, pues (y ésta es la novedad que nuestra tesis de conjunto introduce) el interés en lo individual y concreto en que ella se cimentaba era, como decíamos, cosmovisionario, y, por lo tanto, *previo a cualquier especie de filosofía.* Desde la nueva gradación individualista, se habría impuesto en todo caso, a mi juicio, la tendencia a la observación científica de las cosas concretas y a sacar de ella, por inducción, las conclusiones pertinentes.

Y es que lo mismo que el arte se conecta con la filosofía, pero no según nexos de efecto a causa, así también la ciencia, la religión y la política. Si éstas, y la pintura, la escultura o la literatura se asemejan dentro de un mismo período, ello no se debe, en principio —insistamos en ello una vez más—, a que uno cualquiera de los términos (por ejemplo, la filosofía) influya sobre los otros, sino a que todos hallan origen común (*no siempre simultáneo,* y de ahí el espejismo del influjo) en

---

tado es que este poeta experimenta su vida como sin cumplimiento; vive, pues, el poeta, «sin estar viviendo». Tal es el sentimiento primordial de sus libros. Ahora bien: su biografía homosexual y de desterrado, con todo lo que el destierro supone de disminución vital, intensificó e hizo posible en tal autor la expresión plena de la cosmovisión que acabo de sintetizar (léase lo que digo en la nota 1 a la pág. 181).

Lo sentado supone, pues, la idea de que sólo aquellas personas que han pasado por determinadas experiencias o que poseen determinada psicología son verdaderamente capaces de dar expresión a ciertas parcelas cosmovisionarias. No es a veces artista quien «nace», sino quien, teniendo dotes para ello, claro está, ha vivido una muy precisa biografía desde una psicología dada. Tómese lo dicho, naturalmente, con un grueso grano de sal, pues aquí estamos hablando exclusivamente de «estímulos». La biografía es un «estímulo», como lo puede ser la psicología o el hecho de pertenecer a esta raza y no a aquella otra. Un estímulo, pues, *entre varios,* alguno de los cuales podría sustituir en sus funciones al primero, y hacer triunfar, pese a todo, al artista que el hombre en cuestión llevaba dentro. Apliquese lo dicho, repito, al caso del franciscanismo en relación con el nacimiento de la ciencia experimental.

la cosmovisión a la sazón reinante; lo cual no impide, claro
está, que, tras ese tipo de vinculación sustantiva y primaria,
se establezcan toda clase de lazos secundarios, según los cuales
la filosofía, digamos, proporcione argumentos, solidez y osadía
a ciertos usos mentales nuevos, por ejemplo, los científicos;
o, por supuesto, al revés (con lo que, en cualquier caso, se confirma, engañosamente, la tesis recién aludida del influjo de la
filosofía, o de la ciencia, sobre las otras disciplinas, o vice-
versa [52]).

---

[52] Como ejemplo de generalización errónea de esos adelantamientos
de una manifestación cultural sobre las otras pertenecientes a la misma
cosmovisión, escuchemos a Azorín. Nos habla del impresionismo, movimiento en el que, como nadie ignora, la pintura fue, en efecto, pionera
respecto de las demás artes. «Todos estos pintores, de Van Gogh a Re-
goyos» (el autor cita también a los españoles Joaquín Mir y Casimiro
Sáinz), «han vivido desconocidos por el público, tal vez escarnecidos,
befados; pero ellos han tenido fe, se han sentido fuertes y animosos en
su fe; por ellos y por todos sus compañeros, los que hacen de la pintura
una religión, *ha podido caminar la estética. La pintura siempre ha ido
a la vanguardia de las innovaciones; detrás viene la poesía lírica.* La pintura, más animosa, más intrépida, *parece abrir el camino para que pase
la delicada y fina poesía lírica; allá detrás, a gran distancia, vienen lentas,
despaciosas, tardígradas, la literatura novelística y la dramática*» («Pintores españoles, Madrid, diario *ABC*, 26 de diciembre de 1928. Los subrayados son míos).
   ¿Es verdad todo esto? Creo que nada de esto pasa de ser una generalización apresurada de lo que Azorín tenía *en aquel momento* delante
de los ojos. Lo comprobable para el impresionismo de ningún modo es
válido para las otras épocas, pues ningún arte particular puede ser pre-
dicho, a este propósito, como prioritario, ni menos aún cabe sentenciar
que «abra el paso» para que las otras actividades espirituales puedan producirse, para que camine y se desarrolle «la estética», como sugiere
nuestro autor. En la segunda posguerra del siglo XX, digamos para poner
un solo ejemplo próximo a nosotros, se puede, en efecto, documentar
exactamente lo contrario de lo que propone Azorín como ley inexorable.
El realismo existencialista y paraexistencialista (véanse las páginas 577-
580 del presente libro) se adelantó, no en la pintura, sino en la poesía
social inglesa de los años treinta; luego aparece precisamente (pero
tampoco porque la poesía inglesa *haya abierto* esa posibilidad) en la
novela y en el drama de, por ejemplo, Sartre (o Camus), y en la poesía
política y social de España y de Italia y de los países de habla española
(y también, de otro modo, en la de Estados Unidos). El cine neorrealista

PENSAMIENTO Y CIENCIA DEL BARROCO

Pasemos ahora a un período muy posterior. ¿Llegaremos a idénticas conclusiones? Veamos. El siglo XVII se halla, sin duda, signado por el aristocratismo. Esa fue la forma que tomó el individualismo, acrecido respecto del imperante en el Renacimiento, al finalizar el siglo XVI y durante casi todo el siglo XVII. La actitud aristocrática (cuyos «estímulos» sociales son a la sazón evidentes) [53] lleva, por definición, al desdén por cuanto pueda ser considerado como vulgar. Ahora bien: lo natural puede ser interpretado de ese modo, ya que lo natural *es aquello que se da siempre y en todos los seres.* La natura-

---

italiano y la «nouvelle vague» francesa son también manifestaciones de lo mismo. Pues bien: sólo mucho después surge, como movimiento generalizado, un hiperrealismo en la pintura. No necesito decir que la Filosofía fue aquí más tempranera aún que la poesía. Lo que sí creo que podemos sentar es que el pensamiento (ciencia y filosofía) suele ser, a estos respectos, madrugador. Y no sin motivo, pues éste podría ser hallado probablemente en el hecho de que el arte manipula emociones, y que para que las ideas se conviertan en emociones se precisa tiempo. Que la pintura o la poesía, etc., sean, cada una por su lado, morosas o diligentes tiene causa, y causa, por supuesto, investigable, pero siempre de tipo casuístico. Es preciso, para dar con ella, descender al caso particular: influjo, por ejemplo, de la índole y la circunstancia de los «encargos», manejos de los marchantes, etc. Y otra cosa, tal vez de mucho relieve: la naturaleza misma de la cosmovisión que ha de ser expresada. No todas las artes tienen el mismo grado de idoneidad para la plasmación cosmovisionaria de cierto instante cultural. Tal vez ahí se halle la explicación, precisamente, de la temprana aparición del impresionismo en la pintura. Pues como el impresionismo se basa muy fundamentalmente en la fidelidad a la impresión, a la sensación, y, de entre las impresiones, de entre las sensaciones, *son las visuales las que tienen mayor importancia en el hombre,* parece natural que fuese la pintura un arte privilegiado para dar salida antes que los otros a este decisivo aspecto de la visión del mundo de aquella sazón histórica.

[53] Véase mi *Teoría de la expresión poética,* Madrid, ed. Gredos, 1976, t. II, nota 12 a la pág. 233.

leza, en cuanto a su manifestación espontánea, quedará así
desvalorizada y descreída [54]. Si el Renacimiento pensaba que la
naturaleza era buena, bella y verdadera, ahora se tenderá a
pensar lo contrario [55]; la naturaleza nos engaña; el pecado original ha pervertido nuestra índole; trajo, en efecto, al hombre una «vulneratio in naturalibus» [56]; el mejor estilo será
el menos natural, el rebuscado y recóndito (culteranismo y

---

[54] Hay también un importantísimo «estímulo» material para el desdén barroco por la naturaleza: el desarrollo incipiente de la técnica, que
muestra a las claras la superioridad del artificio sobre lo propiamente
natural. (En Hobbes, esta relación está ya clara: lo artificial es mejor
que lo natural, pues sólo lo artificial es perfecto, dice).

[55] He aquí un famoso soneto de Argensola, mencionado por Menéndez Pidal a este propósito (véase Ramón Menéndez Pidal, «El lenguaje del
siglo XVI», en *España y su historia*, II, Madrid, ed. Minotauro, 1957, página 158):

> Yo os quiero confesar, don Juan, primero,
> que aquel blanco y carmín de doña Elvira
> no tiene de ella más, si bien se mira,
> que el haberle costado su dinero;
>
> pero, tras eso, confesaros quiero
> que es tanta la beldad de su mentira
> que en vano a competir con ella aspira
> belleza igual de rostro verdadero.
>
> Mas ¿qué mucho que yo perdido ande
> por un engaño tal, pues que sabemos
> que nos engaña así naturaleza?
>
> Pues ese cielo azul que todos vemos
> ni es cielo ni es azul. ¡Lástima grande
> que no sea verdad tanta belleza!

La naturaleza nos engaña: no es verdadera; una beldad mentirosa puede superar a la belleza natural: lo natural no es ni lo más bello ni lo
mejor.

[56] «Corrupción» de la naturaleza del hombre («corruptio naturae»)
para los protestantes; para los católicos, «desorden» en lo natural y de-
bida subordinación de las potencias inferiores a las superiores («concu-
piscentia»). Véase Pedro Laín Entralgo y José María López Piñero, *Panorama histórico de la ciencia moderna*, Madrid, ed. Guadarrama, 1963, página 173.

conceptismo, en España; euphuismo, en Inglaterra). El poeta se expresará a través de cultismos, hipérbatos, perífrasis, eufemismos; evitará el nombre cotidiano o vulgar de las cosas por medio de incesantes metáforas[57]. Este mismo sentido antinaturalista explica otros muchos aspectos del nuevo tiempo.

Así, la ausencia de funcionalidad en los elementos arquitectónicos: columnas y pilastras que no sostienen nada; así también el hecho de que en pintura las figuras puedan iluminarse con frecuencia de modo artificioso. Gustará lo anómalo, lo monstruoso, lo paradójico (y, por lo tanto, lo sorprendente) en todos los aspectos de la vida y no sólo en el arte. Por otra parte, lo natural es lo permanente de las cosas, lo que siempre está del mismo modo en ellas; por tanto, lo inmóvil. La nueva edad antinaturalista pondrá de moda, por contraposición, el movimiento, sea en el espacio (dinamismo), sea en el tiempo (fugacidad).

¿Cómo se reflejará todo esto en la ciencia, por ejemplo, en la física? Tomemos la figura más representativa de ella, perteneciente a la generación de Góngora: Galileo, nacido en 1564 (Góngora nace en 1561). No me parece difícil la comparación entre ambas personalidades. Realizada la equiparación, ¿qué se nos pone de relieve? Por lo pronto, Galileo, en sus estudios de Mecánica, se interesa (igual que Góngora y los otros artistas de su tiempo, aunque claro está que a su modo) *por el movimiento*: es precisamente, y no por azar, el fundador de la dinámica[58]. Descubrió la importancia de la aceleración[59]. Sus temas son[60]

---

[57] Dámaso Alonso, *La lengua poética de Góngora*, Anejo XX de la Revista de Filología española, Madrid, 1935, págs. 43-119 y 177-203.

[58] Con antecedentes, claro está, especialmente en los nominalistas de París y luego en Leonardo da Vinci (véase Aldo Mieli, *Panorama General de Historia de la Ciencia*, IV, *Lionardo da Vinci, sabio*, Madrid, ed. Espasa Calpe, 1968, págs. 230-238). Pero los verdaderos fundadores de la dinámica son Simón Stevin, y, sobre todo, Galileo (Aldo Mieli, *op. cit.*, III, *La eclosión del Renacimiento*, 1967, pág. 201).

[59] Bertrand Russell, *Historia de la Filosofía occidental*, t. II, Madrid, Espasa Calpe, pág. 152.

[60] R. Dugas y P. Costabel, «Nacimiento de una nueva ciencia: la Mecánica», en *Historia general de las ciencias*, vol. II *(La Ciencia moderna)*, de varios autores, Barcelona, Ediciones Destino, 1972, págs. 275-280.

las *caídas* de los graves, las *oscilaciones* del péndulo, la *trayectoria* de los proyectiles. Pero, aparte de esta cuestión temática que observamos también en las otras ciencias de la época [61], Galileo aporta a la Física dos importantes contribuciones metodológicas que tienen mucho que ver con la cosmovisión del momento en un determinado sentido que luego diré, pues me parece que no ha sido señalado. En primer lugar, nadie ignora que aparece una nueva precisión que nace de la alianza de esta disciplina con las matemáticas. Galileo para esto tenía, claro está, antecedentes que se remontaban a Leonardo da Vinci [62] (todo ello resulta, no es preciso decirlo, del racionalismo que

---

[61] Así, gracias a este dinamismo del Barroco, afirman Laín y López Piñero, William Harvey (1578-1657) descubrió la circulación mayor de la sangre; y la anatomía de la época estudia, por la misma razón, «las partes del cuerpo en que acontece *el movimiento* local»: los vasos coronarios, bronquiales y cerebrales y la estructura vascular de la placenta. A idéntico «acicate dinámico», siguen diciendo los autores citados, se debe «el auge alcanzado por el estudio de las glándulas» y el «considerable progreso» que se logra «en el conocimiento del sistema nervioso o en el de los órganos de los sentidos». Por otra parte, relacionan Laín y Piñero el nacimiento del cálculo infinitesimal de Leibniz y Newton con el infinitismo del barroco, del mismo modo que es infinitista (...) a la sazón el naciente capitalismo: «el beneficio de las riquezas actuales y posibles del mundo es en principio ilimitado» como lo es «el espacio para Galileo, Descartes y Newton».

En este mismo impulso infinitista habría que colocar, siempre según Laín y Piñero, el invento del microscopio, compuesto poco antes del siglo XVII (1590) y del telescopio en 1608 por el holandés Lippershey: lo *infinitamente* pequeño o alejado se abre así para la ciencia, y con ello se vuelve posible el descubrimiento de los espermatozoos, los protozoos y las bacterias (véase Pedro Laín Entralgo y José María López Piñero, *Panorama histórico de la ciencia moderna*, Madrid, Ediciones Guadarrama, 1963, págs. 151, 159, 171-172, 180, 181; por mi parte, me permito pensar (y no creo que ello sea aventurado) que el gran perfeccionamiento de los relojes, en la época de que ahora hablamos, se deba al interés barroco, arriba consignado, por la temporalidad (recuérdense, entre otras cosas, los poemas de Quevedo y de otros poetas de ese tiempo acerca del paso de las horas; recuérdese, incluso, la importancia que alcanzó en la poesía quevedesca el tema estricto de los relojes).

[62] Aldo Mieli, *op. cit.*, págs. 225 y 229-238. Leonardo incluso se acerca, dice, «a la formulación del principio de inercia» (*ibid.*, pág. 233).

se iba sucesivamente desarrollando). Pero lo que importa es que fue él, Galileo, el responsable de llevar a su culminación perfectiva la susodicha tendencia [63]. ¿Qué significa esto? Como dicen Lenoble y Belaval, se trata aquí (sin duda, añadamos nosotros, en relación también con el racionalismo, ya importante en el siglo XVII, que acabo de señalar) «de sustituir el mundo *sentido* de la percepción *inmediata* por el mundo *pensado* del matemático, prolongado, *gracias* al microscopio, en un más allá de la percepción» [64]. No es difícil deducir (y eso es lo que, según creo, ha sido pasado por alto) que se trata de someter la naturaleza visible y tangible a un proceso de depuración y suplantación similar al que nos es dado observar en Góngora y sus coetáneos. La espontaneidad natural queda así, también aquí, evitada, trascendida. Enseguida volveré sobre esto, pues debemos considerar antes la otra novedad de Galileo.

En esta segunda novedad, nuestro autor fue aún más original. Consiste en aquel método del que hablo más extensamente en el Apéndice I, de índole constructivista o abstractiva, que intenta obtener, precisamente por abstracción, las verdades físicas. Me refiero al famoso «análisis de la naturaleza» del que volveré a ocuparme en esas páginas. Veámoslo ahora (y ahí está la novedad de que hablo) desde otra perspectiva. Según tal análisis, había que suprimir de la realidad sensible todos los elementos que enmascaraban y escondían la ley que, *por debajo de las apariencias*, estaba operando. De este modo, para

---

[63] «La naturaleza está escrita en lenguaje matemático», dice Galileo (Saggiatore, 1623) en famosa sentencia sólo apuntada antes en el Cusano y en Leonardo (Nicolás Abbagnano, *Historia de la Filosofía*, Barcelona, Montaner y Simón, 1973, t. II, págs. 150-151).

[64] R. Lenoble y Y. Belaval, «La revolución científica del siglo XVIII», en *Historia general de las ciencias*, vol. II (La ciencia moderna), *ed. cit.*, página 214. Pero la frase, en realidad, es de Brunschvicg. Meyer viene a decir algo parecido cuando afirma que Galileo «no adapta sus representaciones mentales a los fenómenos externos, sino, a la inversa, interpreta los fenómenos de manera tal que éstos se hallan en armonía con los enunciados estrictamente matemáticos que la razón extrae de sí misma» (Hermann Meyer, *La tecnificación del mundo*, Madrid, ed. Gredos, 1966, página 160).

hallar la ley del péndulo, Galileo elimina «la oposición del aire, el hilo y otros accidentes»[65]; para conocer el ser del movimiento «concibo por obra de mi mente», dice, «un móvil lanzado por un plano horizontal y quitando todo impedimento»[66]. En el «Segundo día» de *Los dos sistemas*[67], Simplicio afirma «que las sutilidades matemáticas se comportan muy bien en lo abstracto, pero no funcionan cuando se aplican a la materia sensible y física». Le responde Salviati (es decir, Galileo) que el científico «cuando quiere reconocer en concreto los efectos que ha demostrado en abstracto, debe restar los obstáculos materiales; y si es capaz de hacer esto, te aseguro», añade, «que las cosas no tienen menos acuerdo que los cómputos aritméticos».

Todo ello, lo mismo que la tendencia matemática de la Física de Galileo, ¿*no representa* —y a eso iba fundamentalmente— *una desconfianza frente al testimonio de los sentidos semejante a la que imperaba en el Manierismo y el Barroco artísticos*? La realidad concreta, la materialidad física o naturaleza sensible son, en efecto, un «obstáculo» para poder percibir la ley que tras éste se oculta. «La naturaleza nos engaña», parece decir desde su doble método Galileo, a coro con sus coetáneos poetas, pintores, etc. Lo que hace la realidad empírica es tapar la verdad, engañar. Hay que desconfiar de los sentidos y forjar, por medio de la imaginación, un supuesto ideal no engañoso sobre el que opere sin tropiezos la razón. La apariencia sensible queda desconsiderada, negada y sustituida: «argumento ex suppositione», como decía el autor. No sólo estamos aquí en el orbe de Góngora, que sortea igualmente cuanto significa fidelidad a lo natural, sino, más ampliamente, en el orbe en el que se mueve y cobra ser todo el siglo XVII, desde Descartes hasta Quevedo, Gracián, Calderón, amén de toda la picaresca española. ¿Cuál es ese orbe? Si los sentidos

---

[65] A. C. Crombie, *Historia de la ciencia: de San Agustín a Galileo*, t. 2, Madrid, Alianza Editorial, 1974, pág. 133.

[66] *Discorsi e dimostrazioni matematiche intorno a due nove scienze attenenti alla mecanica ed i movimenti locali* (Leyden, 1638).

[67] *Diálogo sobre los dos sistemas principales del mundo*, 1622.

son poco de fiar, si el mundo que en ellos comparece es poco serio, la mejor actitud ante ese mundo de los sentidos, tal vez ilusorio, será la duda. Pero la mente es seguro apoyo e instrumento eficaz. Partamos, pues, de la perplejidad y superémosla con el análisis: Descartes. El mundo ya no es ahora, como a comienzos del siglo XVI, un mundo primariamente firme y que en principio inspira confianza, sino un mundo que inicialmente se ofrece como problemático y frente al cual se impone el recelo (pesimismo del siglo XVII). Los autores dramáticos españoles, los picarescos, Quevedo, Calderón o Gracián, se inspiran, en sus obras, en estas premisas de cautela. Pero, si la realidad o apariencia se muestra en el primer instante como un aparato de insidias, fraudes y trampas, estemos alerta. Frente a la hipocresía, la astucia. Descartes y los protagonistas de nuestras comedias o nuestras novelas, aunque parezcan diferir, concuerdan. Lo que es la dubitación para Descartes, es el recelo para los españoles; lo que es la razón para aquél, es para éstos la agudeza. En el fondo se trata, si mi interpretación no yerra, de algo similar en sentido absoluto. Como lo es, asimismo, el método constructivista o abstractivo y matemático de Galileo. En todos estos casos, una apariencia cuestionable o mendaz engendra incertidumbre, que la inteligencia resuelve. El teatro de Racine, fundado en razón, y el teatro de Lope y sus seguidores o la novela picaresca, fundados en ingenio, o, en su distinta esfera, el método dúplice de Galileo, nacen de una estructura anímica única, según creo ver; son variantes de idéntico sistema; son, esencialmente, la misma cosa.

PENSAMIENTO Y CIENCIA DEL ROMANTICISMO

Desde la ciencia del siglo XVII, vayamos hacia la de la época romántica. Es éste un momento interesante para la demostración de nuestra tesis, pues en él han nacido más ciencias nuevas que en ningún tiempo anterior: la iniciación de una ciencia es siempre muy marcadamente vinculable a la cosmovisión que a la sazón impere, como es fácil colegir. Para realizar nuestro

trabajo nos basta con recordar algunas de las notas que caracterizaban a la visión del mundo que nos interesa. Así, las nociones de realidad concreta, irreductible a cualquier otra, y,
por lo tanto, las nociones de evolución cualitativa y de historia; pero también el infinitismo, el subjetivismo y el expresi-
vismo [68].

Empecemos por lo primero. Aunque en el siglo XVIII se
hallen antecedentes insignes (Vico, Voltaire, Hume, Gibbon,
Lessing, Herder), podemos decir que fueron los románticos
quienes descubrieron la historia. Humboldt, Savigny, Bopp, los
hermanos Grimm, Ranke, Niebuhr, Lachmann, etc., son algunas
de las ilustres personalidades a quienes debemos la ciencia histórica en el sentido moderno de la expresión. Se cultivó, en
efecto, con provecho extraordinario, en este tiempo, la Historia del derecho y la general; la de la religión, la lingüística,
la filológica. Si los poetas de entonces se sentían atraídos por
el pretérito, otro tanto les ocurría a los científicos. Incluso
serían éstos más extremosos, e irían hacia los orígenes; se creó,
de este modo, nada menos que la Prehistoria (Jouannet, Ami
Boue, Tournal, Schmerling, Mac Enery, Boucher de Perthes
y, sobre todo, Édouard Lartet) y la Paleontología. Georges
Cuvier (1779-1832) fue su creador, al que vinieron pronto a continuar Étienne Geoffroy Saint-Hilaire, Édouard Lartet (1801-
1871) y muchos más (hasta hoy). Idéntico impulso explica que
se estudien por estas fechas las lenguas antiguas. En suma:
desde muy diversas perspectivas y en variados horizontes se
exploran los archivos en busca de la verdadera realidad de
otros tiempos, a través de la crítica documental y del estudio
de las fuentes.

La idea romántica de evolución cualitativa será tal vez la
más fecunda para la Ciencia. Pero, por lo pronto, la hallamos,
a la sazón, asimismo, en la Filosofía. Para Schelling, el universo
se halla en continua evolución hacia las formas superiores del
ser. Tienen en cuenta también la evolución, claro es, Goethe y
los *Naturphilosophen*. Hegel da de la evolución cualitativa,

---

[68] Véanse las págs. 26-48, y especialmente las págs. 27-32.

como nadie ignora, una genial explicación: al alcanzarse cierto punto crítico en el aumento cuantitativo, se produce un «salto» desde un ser hasta otro, que resulta irreductible al primero.

La ciencia, como digo, se hace eco de tales concepciones; no, en principio, repito, por influjo de los filósofos, sino por participación cosmovisionaria. Añadamos que los conceptos de la ciencia serán todos, en adelante, crecientemente dinámicos, en contra del estatismo que los presidía en todo el período que llega hasta el momento de la Revolución industrial [69]. Ésta, con sus hondas transformaciones en la sociedad y en el hombre, ha hecho, junto a otras causas, nacer no sólo el grado de individualismo, el romántico, que conducirá a este interés cosmovisionario por el cambio; en forma de poderoso «estímulo» ha «tirado», además, de ese grado y ha extraído de él, hacia la luz y la realidad, ha hecho «reales», estas posibilidades que en su interior yacían.

La atención a lo evolutivo explica que Karl Ernst von Baer (1792-1876) haga surgir una nueva disciplina, la Embriología, mientras Charles Lyell (1797-1875) construye ·la Geología sobre la idea de la transformación continua de la corteza terrestre. Empieza a constituirse la Genética en forma de Biometría o Estadística (Adolphe Quetelet, 1796-1874) y como estudio de los cruzamientos entre las variedades de la misma especie o entre especies distintas (pronto estarán ahí Mendel, etc.). Pero tal vez lo que más espectacularmente puede confirmar nuestra opinión (en la que no estamos solos, claro es) sobre los nexos entre ciencia y cosmovisión sean, a la sazón, dos cosas: 1.º, la aparición, por estas fechas, de la teoría evolutiva de Jean B. Lamarck (1744-1829), antecedente importantísimo de Darwin, y 2.º, la configuración de la Química como ciencia, al descubrir Antoine-Laurent Lavoisier (en este sentido, como Lamarck, un prerromántico: nace en 1743 y muere en 1794) el hecho de las combinaciones: dos cuerpos distintos que, al unirse de un modo determinado, *hacen surgir un tercero que difiere de ambos.*

---

[69] Lancelot Law White, *El inconsciente antes de Freud*, México, Editorial Joaquín Mortiz, 1967, pág. 57.

Lamarck fue, en efecto, autor de la primera gran teoría evolutiva que ha existido, desarrollada por él en la *Philosophie Zoologique*, 1809 (fijémonos en la fecha: pleno período romántico). Al cambiar el medio, cambian los hábitos del animal; sus actos entonces se modifican, y, como consecuencia, también lo hace su forma; la función crea el órgano, y luego el uso lo perfecciona, tanto como el desuso lo atrofia; los caracteres adquiridos se transmiten por herencia. Estas son las ideas fundamentales de Lamarck. Darwin (1808-1882), ya en la época positivista, inspirándose en las nociones de lucha por la vida y de selección natural de la famosa obra de Malthus (*An Essay on the principle of population*, Londres, 1798), llega a una concepción evolutiva más madura (*On the origin of species by means of natural selection*, Londres, 1859): las transformaciones del ambiente producen ciertas variaciones en los organismos vivos al operar aquéllas sobre el cuerpo o sobre *las células reproductoras*; primera novedad importante (la subrayada) respecto a la teoría de Lamarck. He aquí otras: *la lucha por la vida* hace que sólo los individuos con variantes positivas triunfen, con lo que se produce indefectiblemente la *supervivencia del más apto*. (El «estímulo» de estas ideas se hallaría, creo, fácil es de advertir, en las concepciones del capitalismo de entonces).

En cuanto a la Química, podemos afirmar que el prerromántico (si se me permite llamarlo así) Lavoisier fue su fundador, ya que antes de él lo que existía era una Química de «principios», que poco o nada tiene que ver con lo que hoy consideramos ciencia. Lavoisier vino, con sus experimentos, a destruir uno de estos principios, acaso el más importante de todos, la teoría del «flogístico», que, nacida en 1697, había dado a la Química, hacia 1770, una apariencia de perfección completamente infundada. Georg Ernst Stahl (1660-1734) fue su autor; en *Experimenta, observationes, animadversiones chymicae et physicae*, de 1697, expuso, por primera vez, su idea; luego la desarrolló en varios libros posteriores, entrado ya el siglo XVIII. Era el «flogístico», en su pensamiento, un elemento imponderable e inasible de que todos los cuerpos combustibles participaban (el carbón, el azufre, los aceites, el fósforo). Al producirse la combustión, el flogístico se desprende y el cuerpo que lo contenía queda modificado. Y así, al quemarse, el azufre, privado del flogístico, da ácido vitriólico; aceites y vegetales engendran del mismo modo carbón, donde el flogístico se concentra. Los metales se transforman en cales al ser calcinados *en presencia de aire* y perder su flogístico. Cuanto más flogístico tenga un metal, resultará más fácil modificarlo. Stahl explica de este modo la necesidad de realizar la combustión al aire libre: el aire es necesario para que las partículas de flogístico se pongan en movimiento y finalmente se desprendan, al alcanzar cierta velocidad.

Esta teoría envolvía, sin embargo, un problema inquietante: la evidencia de que la desaparición del flogístico producía un *aumento* de peso en el producto resultante, y al revés, la ganancia. Se dieron varias explicaciones a tan desconcertante hecho: el metal, al quedar sin la parte inflamable, retenía la más pesada; o bien: la salida del flogístico dejaba vacíos que eran comprimidos por el aire, con lo que se hacía mayor el peso del producto. Más tarde surgieron otras razones: el flogístico tenía peso negativo [70] (esto introducía un cambio substancial de criterio, pues Stahl había concebido el flogístico como imponderable e inextenso). Se ve que los motivos que se encontraban para dar cuenta de la paradoja no convencían por completo.

Tal era la Química, completamente fantasista y pintoresca, que Lavoisier vino a derruir. Precisamente el fenómeno, tan controvertido, de la ganancia en peso que manifestaban los cuerpos calcinados le incitó a una concepción revolucionaria; la absorción y fijación de oxígeno (digámoslo en términos de hoy) por la substancia quemada, lo cual explicaba no sólo la cuestión del peso, sino la de la necesidad de realizar el experimento en presencia de aire. Esta nueva doctrina se inicia ya en 1772 para el azufre y el fósforo, y se completa en 1774 para los metales. Lo que ocurría, pues, era el fenómeno de la oxida-

---

[70] M. Daumas, «La Química de los principios», en *Historia general de las ciencias*, vol. II *(La ciencia moderna)*, Barcelona, Ediciones Destino, 1972, págs. 394-396.

ción. La combustión formaba óxidos. Hacía muy poco que se había descubierto, en efecto, el oxígeno por obra de Priestley (1733-1804) y del propio Lavoisier[71]. Pero, para Priestley, prisionero de las viejas ideas, el aire atmosférico era un cuerpo simple, por lo que al descubrir, de pronto, el oxígeno, durante un experimento en que se calentaba óxido de mercurio o de plomo, Priestley lo interpretó como «aire desflogisticado», aire que había cedido su flogístico a tales óxidos. El nitrógeno era la porción del aire atmosférico que no podía ser separada de su flogístico. Sólo Lavoisier supo interpretar correctamente los hechos. En 1776 hizo su célebre experimento: calentó mercurio y formó óxido; luego descompuso el óxido formado y reconstituyó el aire atmosférico.

Un descubrimiento parecido se hizo respecto del agua. Al tener noticia de un experimento ajeno[72], Lavoisier y Laplace afirmaban ya que el agua no era una substancia simple: está compuesta, peso por peso, de «aire inflamable» (hidrógeno) y «aire vital» (oxígeno). En 1785, la certeza sobre la verdadera composición del agua era ya completa.

Ahora bien: no me parece comprometido entender tan radicales innovaciones como un adelanto prerromántico de la cosmovisión romántica. Estamos sin duda aquí frente a la idea, romántica, en efecto, de *evolución cualitativa*, e incluso, en cierta medida, de unión de contrarios: dos cuerpos, el hidrógeno y el oxígeno, al combinarse, originan un tercero, el agua, cualitativamente diferente de ambos[73]. Al generalizarse el descu-

---

[71] El primer químico que descubrió un gas como distinto del aire atmosférico fue Joseph Black, a mediados del siglo XVIII. Black descubrió, en efecto, el gas carbónico, al que llamó «aire fijo». Henry Cavendish le siguió en el mismo camino e identificó el hidrógeno. Lo llamó «aire inflamable». Sólo a continuación le llegó su turno al oxígeno.

[72] Henry Cavendish por medio de la chispa eléctrica logró que se uniesen el oxígeno y el hidrógeno en proporciones determinadas, dando agua. Lavoisier conoció este experimento en 1783 (M. Daumas, «Nacimiento de la Química moderna», en *Historia general de la ciencia*, t. II, *ed. cit.*, págs. 619-620).

[73] Aunque en cierto sentido el oxígeno y el hidrógeno no son exactamente contrarios, en otro sentido lo son. Para verlo no tenemos más que

brimiento hacia otros elementos, nacía, frente a la Química de los principios, la Química de las combinaciones, y con ello, la verdadera Química, la única Química que hoy consideramos científica.

Pasemos ahora al infinitismo, propio de la cosmovisión romántica. Incursa en esta tendencia habría que situar, por lo pronto, la propensión de la época a la formulación de leyes universales, así como su gusto por lo infinitamente pequeño. La Química científica, recién nacida, llega, en efecto, a la teoría atómica con las aportaciones de John Dalton (1776-1844) y a la de los pesos atómicos con las aportaciones de William Prout (1785-1850). Se intenta aclarar, incluso, la dinámica interna de las combinaciones químicas: Humphry Davy (1778-1829), Jacob Berzelius (1779-1848), Jean Baptiste André Dumas (1800-1884) y Auguste Laurent (1808-1853).

Después de la gran pausa representada por la Ilustración, *no atraída por la infinitud*, se reanuda ahora el interés del Barroco (otro momento infinitista: no es casualidad) por los microscopios, que, a la sazón, en efecto, se perfeccionan. A fines del siglo XVIII, Jan y Hermann van Deyl, construyeron los primeros aparatos de esta clase de tipo acromático que Oberhäuser mejoró [74]; por otra parte Fraunhofer, Charles Chevalier y Giambattista Amici, desde 1811 a 1827, perfeccionaron mucho los objetivos [75]. Ahora bien: gracias a estos adelantos y, como digo, al infinitismo del momento, Agostino Bassy (1773-1856) pudo descubrir, en 1835, un hongo que servía de agente para la mayor parte de las enfermedades parasitarias microscópicas, lo cual le permitió, a su vez, anunciar, antes que nadie, el hecho de que casi todas las enfermedades contagiosas se debían a microorganismos. Fue, pues, un evi-

---

pensar la fórmula «oxígeno + hidrógeno» de este otro modo: «oxígeno + no oxígeno»). Todo lo diferente tiene algo de contrario y todo contrario no es sino un diferente extremoso.

[74] M. Caullery y J. F. Leroy, «Teoría celular. Citología. Histología», en *Historia General de las Ciencias*, vol. III (*La ciencia contemporánea*), I. (El siglo XIX), pág. 445.

[75] Pedro Laín Entralgo y José María López Piñero, *op. cit.*, pág. 286.

dente precursor de la Bacteriología, a quien Pasteur se complació en mencionar [76].

Las mismas razones explican el nacimiento de la Histología. Rebasado por Xavier Bichat (1771-1802) el concepto de «órgano» con la noción más minuciosa de «tejido», pronto se llega, por ese mismo camino de necesario desmenuzamiento y decisiva nimiedad, hasta el elemento fundamental mínimo de cada tejido, la célula. Vislumbrada para las plantas ya en el siglo XVII (recordemos el infinitismo de este siglo), empieza a ser estudiada a partir de 1805 por Lorenz Oken, y sobre todo, entre 1824 y 1830, en las obras de Dutrochet, Turpin y Brisseau de Mirbel; pero son Mathias Jacob Schleiden (1804-1881) y Theodor Schwann (1810-1882) quienes realizan entre 1838 y 1839 la importante generalización del concepto de célula como elemento básico de todos los órganos, vegetales y animales [77].

Pasemos desde aquí a hablar del subjetivismo. El subjetivismo romántico de la Filosofía no es más que un episodio muy conocido del creciente subjetivismo de esta disciplina a partir de Descartes. El yo es el fundamento del pensamiento de Fichte; tanto, que el yo se convierte en «todo» [78], puesto que *pone* el «no yo». En Hegel y en Schelling el yo es «semidiós en acto y pleno Dios en potencia». Este subjetivismo general de los románticos tiene como consecuencia inmediata que para los «Naturphilosophen» sea la especulación y no el experimento el método mejor para llegar a conocer. Como para Schelling el hombre era naturaleza invisible, podía éste hallar dentro de sí las leyes de esa naturaleza en que precisamente consistía. Tales ideas influyeron en los métodos de algunos científicos de entonces, dados a la intuición «genial», al encuentro repentino

[76] M. Caullery, «Pasteur y la Microbiología», en *Historia general de las ciencias*, vol. III *(La ciencia contemporánea)*, I. (El siglo XIX), página 499.

[77] M. Caullery y J. F. Leroy, «Teoría celular. Citología. Histología», en *ibid.*, págs. 444-446.

[78] José Ortega y Gasset, «Las dos grandes metáforas», en *Obras Completas*, II, Madrid, ed. Revista de Occidente, 1950, pág. 400.

con la verdad en un golpe de «inspiración» (usemos esta palabra, tan grata a los poetas y artistas de la época)[79].

Otra consecuencia del subjetivismo romántico es el abandono de las ideas sobre la mimesis propias del magno tiempo anterior. La concepción de los estetas, que antes expusimos, tiene su raíz, efectivamente, en la época romántica, sólo que en este período muestra un sentido y una forma muy diferentes. No se trata ya de la supremacía del arte sobre la naturaleza y la vida (esteticismo), sino de un individualismo subjetivista (precisamente el romántico), que de algún modo diviniza el yo, *convertido en todopoderoso*. El caso es que entre los románticos alemanes hallamos, en efecto, el pensamiento de que el arte puede ser fruto, no de la imitación sino de la invención, de la creación. Tal en Karl Philipp Moritz: si hay imitación de la naturaleza, esa imitación no tiene como sujeto a la obra, sino al artista; pero lo que éste imita no son los productos; lo imitado es la actividad creadora misma de la naturaleza, que sabe inventar lo que no existía previamente. Todorov resume la estética de Moritz con las siguientes palabras: «ce n'est pas l'oeuvre qui copie la nature, c'est l'artiste, et il le fait en produisant des œuvres. (...) L'œuvre ne peut imiter que les *produits* de la nature, alors que l'artiste imite la nature en tant que celle-ci est un principe *producteur*»[80]. Copia Todorov,

---

[79] Los «filósofos de la naturaleza», cuya cabeza más insigne fue Schelling, influyeron, sobre todo, en el pensamiento biológico (Goethe, Oken, Kielmeyer). Kielmeyer fue el primero que habló del paralelismo entre el desarrollo embriológico individual y el colectivo, según el cual se pasa de unos animales a otros a lo largo de los siglos (aunque el más remoto origen de la idea sería Harvey, *De motu cordis*, 1628). Oken (1805 y 1809), Johann F. Meckel (1811), Geoffroy Saint-Hilaire y E. R. A. Serres amplían las concepciones de Kielmeyer. También influyeron los «*Naturphilosophen*» en los científicos de la estructura vertebral, infundiendo en ellos la teoría del arquetipo: Richard Owen (1771-1858). Y en los científicos de la homología entre los órganos de animales distintos: Geoffroy Saint-Hilaire y Richard Owen. (Véase J. Piveteau, «Anatomía comparada de los vertebrados», en *Historia general de las ciencias*, vol. III, págs. 550-554.)

[80] Tzvetan Todorov, *Théories du symbole*, Paris, Col. Poétique, éd. du Seuil, 1977, pág. 185.

en este punto, un párrafo de Moritz [81]: «*L'artiste-né*, écrit Moritz, ne se contente pas d'observer la nature, il doit l'imiter, la prendre pour modèle, et former (*bilden*) et créer comme elle» [82]. Sigue Todorov: «Il sera donc plus précis de parler non d'imitation mais de construction: la faculté caractéristique de l'artiste est une *Bildungskraft*, une faculté de formation (ou de production); le traité esthétique principal de Moritz s'intitule, significativement, *Sur l'imitation formatrice du beau* (1788), *Mimesis:* oui, mais à condition de l'entendre au sens de poiesis» [83]. (Aunque Schlegel atribuye estas ideas a Moritz, la noción creativa, afirma aún Todorov, se había insinuado antes, en el inglés Shaftesbury y en el alemán Herder: del último es una frase tan significativa como ésta —que luego repetirá, casi literalmente, Huidobro [84]—: «el artista ha devenido un Dios creador»).

Veamos ahora nosotros lo que ocurre en la Ciencia. El creativismo que se nos hizo evidente para ella dentro del período posterior, se insinúa ya en el Romanticismo. Como han escrito Pedro Laín y López Piñero, «la geometría de Lobatchevski y el análisis de Cauchy son, para el hombre de 1830, dos resultados de una creación humana *capaz de engendrar entes ajenos al mundo real. El matemático ya no imita, crea*» [85]. En cuanto a la técnica vemos algo muy parecido. Por lo pronto, el invento de la máquina de vapor (patentada por James Watt en 1769) supuso, dijimos páginas atrás [86], un cambio radical por lo que toca a la relación entre el hombre y la naturaleza. Hasta enton-

---

[81] *Schriften zur Aesthetik und Poetik*, Kritische Ausgabe, Tübingen, 1962, pág. 121.

[82] Todorov, *ibid.*, pág. 185.

[83] Todorov, *ibid.*, pág. 185.

[84] Conferencia dada por el autor en el Ateneo Hispano de Buenos Aires en 1916: «toda la historia del arte no es más que la historia de la evolución del hombre-receptivo hacia el 'hombre-dios' o el 'artista-dios', que resulta ser un 'creador absoluto'».

[85] Pedro Laín Entralgo y José María López Piñero, *Panorama histórico de la ciencia moderna*, Madrid, ed. Guadarrama, 1963, pág. 276 (el subrayado es mío).

[86] Véanse las págs. 108-109.

ces, lo que hacía aquél era aprovechar las fuerzas naturales *tal como éstas se ofrecían* (viento, agua, bestias), esto es, amoldándose a su caprichosidad y ausencia de regularidad (el molino de viento, pongo por caso, sólo funciona cuando el viento quiere soplar). La máquina de vapor supera por primera vez esos inconvenientes y limitaciones y es ahora el hombre el que impone a su gusto el instante exacto en que las energías cósmicas, traspasando incluso la linde de sus objetivos propios, han de someterse a su dueño [87]. ¿Sería excesivamente aventurado por nuestra parte establecer un nexo entre estos hechos y la no imitación de la naturaleza que los poetas románticos practican (por ejemplo, cuando hacen intervenir en la obra de arte elementos legendarios, supersticiosos o fantásticos —persona que presencia su propio entierro, fantasmas, etc.)? En ambos casos (el del arte, el de la máquina de vapor) el hombre parte, en efecto, no de la naturaleza en su manifestación espontánea, sino de otra naturaleza segunda, resultado de transformar *creativamente* la primera. Pero, además, este creativismo se hace aún más patente en las primeras síntesis químicas que poco más tarde, dentro de la misma época, se producen.

No es preciso añadir que la Filosofía llega, por supuesto, a consecuencias similares. Schelling concibe el yo como potencialmente divino [88].

Me parece lícito relacionar, asimismo, con el subjetivismo romántico el nacimiento de otra nueva ciencia, la Fisiognómica.

---

[87] Hermann J. Meyer, *La tecnificación del mundo*, Madrid, ed. Gredos, 1966, pág. 122.

[88] No menciono en el presente capítulo el caso del positivismo, precisamente porque, en tal período, la relación entre el arte (naturalismo de la novela, parnasianismo de la poesía francesa, realismo de la poesía española), la Filosofía (por ejemplo, en el caso mayor, la filosofía de Comte) y la Ciencia (entre la larga lista de los eminentes científicos mencionemos a Darwin y Mendel para las ciencias biológicas, Wilhelm Wundt para las psicológicas e Hippolyte Taine para la historiografía) son demasiado evidentes, y, por lo tanto, en cierto modo obvias y soslayables en un libro como el presente. Todos coinciden en el amor a los puros hechos y, en consecuencia, a la pura observación, que, en cuanto tal, se pretende desapasionada.

Lo mismo que en este momento histórico se considera que la poesía, el arte, resultan «expresión» de la persona y vida del autor, y que, en escala mayor, la literatura de un pueblo, e incluso el Derecho, etc., vienen de la idiosincrasia de ese pueblo, empieza también a considerarse que el rostro de los individuos expresa y es cifra o símbolo de su carácter. No asombra que los *Physiognomische Fragmente* con que Lavater inició esa nueva disciplina conocieran, de románticos que eran, un éxito extraordinario.

Ocupémonos ahora brevemente, para cerrar ese apartado, de un estudio teórico que viene a ser algo así como el compendio de varias tendencias románticas. Aludo a la tempranísima reflexión alemana (fines del siglo XVIII y principios del XIX) acerca del símbolo, al que esa reflexión ve como «inefable», «inagotable», «infinito», «irracional» y «síntesis de contrarios». No nos parece raro o caprichoso que interese tanto el tema a alguna de las grandes mentes del período (Goethe, Schelling, Meyer, Creuzer, Humboldt, Ast, Solger, Schiller, etc.), y que, para la época[89], hayan sabido ahondar tanto en él, pues en el

---

[89] Hemos de convenir en que las teorías románticas alemanas sobre el símbolo resultan hoy muy insuficientes. Pues como a la sazón no se podían tener a la vista (salvo algunas sinestesias) sino poco más que un limitadísimo tipo de símbolos (cierta familia de los «símbolos de realidad», consistente en ser el simbolizador la concreción del universal representado por el simbolizado: don Quijote símbolo, por ejemplo, de los hombres idealistas); como los pensadores de la época sólo hallaban frente a sí de modo evidente tal modelo simbólico, sobre él hubieron de realizar la teoría correspondiente. Se les apareció *entonces* el símbolo como lo contrario de la alegoría, la cual también concreta, en efecto, lo universal o genérico, pero de manera *racional* (el símbolo es, opuestamente, *irracional*). He ahí la limitación de esa reflexión inicial sobre el símbolo, tan admirable en sí misma, limitación que, pese a su evidencia, nunca ha sido, me parece, señalada. Pues no hay duda de que los símbolos usados posteriormente (ya desde Baudelaire) con frecuencia no resultan de la particularización de lo genérico, sino de la asociación preconsciente entre dos elementos *que pueden ser tan particulares el uno como el otro* (véase, como ejemplo de ello, nuestro análisis del símbolo «soñolientas caricias» en el «Apéndice II», págs. 680-681 del presente libro). Observemos que, sin otra justificación que la inercia, la crítica ha seguido hablando de la alegoría al definir la simbolización. Así en Gilbert Durand

símbolo, tal como era concebido por ellas, venían a juntarse, como se ve, varias de las peculiaridades del romanticismo.

RAÍCES SIMBÓLICAS NO SÓLO DEL ARTE, SINO
TAMBIÉN DE LA CIENCIA Y DE LA FILOSOFÍA

Por todos los sitios llegamos, pues, a la misma conclusión: la filosofía, y en lo fundamental también la ciencia, son, como el resto de la cultura, oriundas de las visiones del mundo, y, por consiguiente, aunque ello parezca paradójico, ostentan orígenes rigurosamente irracionales. Las verdades no se descubren meramente por ser verdades, sino, porque, siéndolo, nos interesan desde una emoción irracional, rigurosamente «simbólica», que experimentamos. Creo que fue Nietzsche el primero en proponer la idea de que tras el conocimiento y la acción no existe algo racional [90]. Después de él, han formulado conceptos similares, de diferentes modos y con desigual fortuna, numerosos pensadores, desde Dilthey a Ortega, pasando por Bergson, Unamuno y Heidegger, y, de otro modo, Marx y el mismo Freud. La no racionalidad de que tales pensadores hablan aquí no es, por supuesto, simbolismo [91]. Lo que nosotros añadimos al «estado de la cuestión» reside, pues, en precisar cuál es la especie exacta de no racionalidad que se esconde tras la cultura, ciencia incluida. No se trata sólo de que tras la cultura y la ciencia existan nieblas de pasión y humedades de senti-

(*L'Imagination symbolique*, Paris, Presses Universitaires de France, 1976, páginas 9-19); Albert Mockel («Propos de Littérature, en Guy Michaud, *La doctrine symboliste. Documents*, Paris, 1947, pág. 52); P. Godet («Sujet et symbole dans les arts plastiques», en *Signe et symbole*, pág. 125); Olivier Beigbeder (*La symbolique*, Paris, Presses Universitaires de France, 1975, pág. 5); J. Huizinga (*El otoño de la Edad Media*, Madrid. ed. Revista de Occidente, 1961, pág. 281), etc.

Creo que ha llegado la hora de poner a la luz tan manifiesto equívoco.

[90] Friedrich Nietzsche, *Más allá del bien y del mal*, Madrid, Alianza Editorial, 1972, págs. 24, 26, 56, 116, 121, 122, etc.

[91] Ya dije que, cuando Ortega habla del carácter simbólico de la Física, quiere decir otra cosa que nada tiene que ver con nuestra afirmación.

miento, amén de fuertes intereses de clase o defensas del yo. Se trata de algo acaso más extraño y que ya conocemos: el proceso «Y», la tendencia irracional propia de la simbolización, en su sentido más riguroso y técnico.

DIVERSA EFICACIA DE LOS DISTIN-
TOS MEDIOS CULTURALES EN SU CAPA-
CIDAD PARA EXPRESAR LA COSMOVISIÓN

Tras la determinación de que tanto el arte (literatura, música, pintura, escultura, etc.), como la filosofía y la ciencia son «originados» simbólicos, esto es, resultados objetivos de una cosmovisión, queda la pregunta de si esta última se expresa con la misma propiedad, intensidad y amplitud a través de tan diversos medios culturales. Creo que podemos dar a la cuestión una respuesta contundente y clara. Las distintas expresiones de la cultura no se ofrecen a este respecto indiferentemente idénticas; no resultan medios igualmente idóneos para manifestar la cosmovisión. La ciencia es la más pobre de las vías para plasmar la visión del mundo; el arte, la más rica, la que ostenta mayores posibilidades, registros más variados y sensibles para decir con precisión y exhaustividad los pormenores y características cosmovisionarias. Comparada con el casi infinito o interminable teclado del arte, la ciencia se nos aparece, bajo este aspecto, como un instrumento sumamente tosco, un piano que no dispusiera sino de muy pocas teclas. O empleando un símil de mayor desarrollo y justeza: en el instante de interpretar la partitura de la sinfonía cosmovisionaria, el poema, la novela, el cuadro, etc., serían las partes nobles: equivaldrían, digamos, al violín, el violonchelo, la viola, el clarinete. La ciencia cumpliría, en cambio, las funciones de algo así como el bombo o los platillos, cuya rigidez apenas si permite otra cosa que un vago acompañamiento del flujo sonoro, llevado con más eficacia, refinamiento y complejidad por los demás instrumentos. La filosofía vendría a situarse en un punto intermedio. Si más expresiva, cosmovisionariamente hablando, que la ciencia, lo sería bastante menos que el arte. Tomemos un solo ejemplo de los utilizados en el presente capítulo. Hemos considerado a Einstein como impresionista, consideración avalada por el relativismo de sus nociones físicas fundamentales (masa, velocidad, tiempo); pero es evidente que, siéndolo del todo, lo es, en otro sentido, de una forma sobremanera sumaria, escasa o deficiente, por su misma índole, en comparación con el arte de la misma época. Un pintor como Monet, un músico como Debussy, un poeta como Juan Ramón Jiménez, sacan del foco de la cosmovisión impresionista y hacen realidad una suma de posibilidades cuya riqueza está negada a un físico como Einstein (e incluso a un filósofo como Bergson). La importancia del color y, en general, de la sensación en toda la sutileza de sus matices, tan característica de los poetas y pintores, y de la totalidad del arte impresionista, no tiene acomodo ni sentido, claro es, en la *Teoría de la relatividad*. Y ocurre algo parecido con tantas otras notas que estamos acostumbrados a considerar típicas de aquel movimiento. Ya dijimos al comienzo del presente libro que cada medio cultural actúa como «estímulo» o «desestímulo» (a veces de fuerza incontrastable) que explica, a su modo, la aparición o no aparición en la época de ciertas peculiaridades o rasgos, de un modo a veces más poderoso aún (los «estímulos», al revés de lo que ocurre con las «causas cosmovisionarias», admiten grados de energía), de un modo más poderoso aún, repito, que la clase social, la generación a la que se pertenece, o la reacción frente al pasado que se experimenta. El caso de la ciencia es, en este sentido, extremoso y, por ello mismo, ejemplar. Pero además, ciertas artes serán más idóneas que otras para expresar determinadas cosmovisiones, con la consecuencia de obtener frutos de mayor excelencia. Y así, la música pudo dar cauce a la cosmovisión racionalista del Neoclasicismo sin desnaturalizarse, cosa que no le ocurrió a la poesía, pues una poesía racional es, en cierto modo, un contrasentido, pero no lo es una música de esa misma especie, y es que la racionalidad en la música no surge como prosaico conceptualismo (tal es lo que sucede, por el contrario en la poesía), sino como rigor constructivo.

CAPÍTULO **XXII**

COSMOVISIÓN Y PROCESO X

Pero si la cultura resulta de un proceso «Y», ¿cabría hablar para ella de un proceso X?[1]. Enunciemos la misma pregunta de otra forma: puesto que la cultura se nos ofrece como un «originado», y, por tanto, ostenta en su constitución un impulso simbolizante; si es, pues, un símbolo, ¿quiere esto decir que ese símbolo simboliza algo?

Para responder correctamente a tales cuestiones necesitamos hacer aquí un breve alto, a fin de recordar, en forma sintética, las distintas maneras de simbolización que los análisis de mi libro *Superrealismo poético y simbolización* (sintetizados en el «Apéndice II» del presente libro) han intentado determinar. Sólo así estaremos en condiciones de decidir cuál sea la forma simbólica que, en principio, convendría a los originados cosmovisionarios, y cuál su tipo de simbolización, si ésta existe.

Lamento tener que repetir, siquiera sea en un apresurado compendio, cosas que he dicho ya. Pero conviene, a mi juicio, tener a la vista todos los datos, para que nos sea más

---

[1] Para la diferencia entre «proceso X» y «proceso Y» véase el «Apéndice II» que va al final del presente libro. Vuelvo a decir que quienes no conozcan mi libro *Superrealismo poético y simbolización* deben leer ese «Apéndice» antes de encararse con el capítulo en que ahora estamos.

fácil, con su contemplación panorámica, la realización posterior de nuestro principal cometido.

Empecemos por reiterar que todo símbolo es resultado de un proceso «Y», que consiste en que *un autor* ha «leído» un originador, vital o sintagmático, y, a través de un proceso preconsciente, ha alcanzado, ya en la conciencia, una emoción determinada (momento emocional del proceso «Y»), desde la que, de inmediato, se encamina, preconscientemente otra vez, hasta un originado. El simbolismo sintagmático (o sea, el no vital, el literario) se nos ofreció en tres diferentes modalidades: simbolismo conexo, simbolismo inconexo y simbolismo autónomo. El primero de ellos es fruto de una «buena lectura» del originador sin concienciación del nexo identificativo entre el originador y el originado; los dos últimos resultan de «malas lecturas» del autor y se diferencian entre sí solamente en que el simbolismo inconexo no conciencia tampoco la relación identificativa entre el originado y el originador, mientras ocurre lo opuesto en el caso del simbolismo autónomo, en el que la concienciación se produce.

Por otra parte, el simbolismo «vital» es siempre efecto de una «mala lectura» del originador por parte del autor, igual que en las inconexiones y en las autonomías. Pero lo que el autor «lee» en ese caso no es algo literario, una frase o sintagma, sino una pura y simple realidad: el poeta contempla, por ejemplo, de veras o con la imaginación, un crepúsculo, un crepúsculo efectivo, y siente una determinada emoción, *que hubiera podido ser otra*: se trata de una «lectura» meramente personal, a la que llamamos, precisamente por eso «mala lectura», en el sentido de que, por definición, no es una lectura que venga predeterminada, digamos por un contexto, y se constituya como obligatoria. Y así, el poeta que acaso ha experimentado una emoción de belleza frente al ocaso de referencia, pudo tal vez haber sentido frente a él otro sentimiento cualquiera: *verbi gratia*, un sentimiento melancólico. Ahora bien: los originados que nacen de una «mala lectura» vital no pueden, en principio y sin más, producir, en el proceso X o del lector, ningún simbolizado, ya que falta para ello un importante dispositivo, el originador, que, al no ser sintagmático, no comparece, de hecho, a los ojos del lector, por ningún sitio. Se hace así imposible apoyarse en él, al objeto de hacer brotar, en alianza con el originado, el simbolizado correspondiente. Recordemos que el simbolismo se engendra, en el caso de las malas lecturas, porque el lector tiene ante los ojos *los dos miembros sintagmáticos* del proceso «Y», el originador y el originado, que se le ofrecen, en el proceso «X», como incasables, tanto lógica como emotivamente; y esta incompatibilidad obliga a los lectores a resolver el conflicto, llegando a una solución que disipe satisfactoriamente el problema. Tal solución consiste en poner juntos los dos términos, originado y originador, y forzarlos a emitir, a ambos, un mismo simbolizado. Pero aquí, en el caso de los originados vitales, el sistema fracasa, pues el lector no cuenta, para sus operaciones simbólicas, con los indispensables dos términos, sino sólo con uno, el originado, por lo que, quedando cojo el artilugio, el simbolizado no puede nacer por sí mismo. Para lograr que, pese a todo, nazca, se precisa que ese originado sea tratado de nuevo, haciéndole sufrir una de estas dos operaciones que estudié en mi libro sobre el superrealismo[2]. Según la primera de ellas lo que aparece es un simbolismo de irrealidad (en sus formas de simbolismo inconexo o de simbolismo autónomo). El originado vital, una vez escrito, se convierte en originador sintagmático, que el autor «lee mal», *en cuanto que lo lee desde la emoción que sólo para él tiene*, la que le procede de su proceso «Y» vital. Si éste había tenido la forma siguiente:

A (originador vital) [= B =] emoción de B en la conciencia [= B =] C (originado vital)

---

[2] *Superrealismo poético y simbolización*, Madrid, Gredos, 1979, páginas 183 sigs y 212 sigs. Lo que va a continuación en el texto es un resumen de lo que vengo a decir en forma más clara en ese libro, y que aquí sólo me cabe sintetizar.

la «mala lectura» que acabo de mencionar sería, digamos, ésta:

> C (originado vital convertido en originador sintagmático) [=
> B =] emoción de B en la conciencia [= B =] D (originado sintag-
> mático) [3].

Como es fácil de colegir a través de este último esquema, el lector, al poner en contacto el originador sintagmático C y el originado correspondiente D y reconstruir de este modo la mala lectura del autor, capta, precisamente, el «momento emocional» del proceso «Y» vital, inalcanzable antes, pues que éste coincide exactamente con el resultado de aquella mala lectura: en los dos casos se trata, en efecto, de la «emoción de B en la conciencia».

La segunda operación, que conduce a lo mismo (a la salvación «póstuma» de la emoción simbólica vital), consiste en el uso del simbolismo de realidad. También aquí el originado procedente del proceso «Y» vital *se escribe*; pero, en lugar de ser sometido al procedimiento «normal» de la «mala lectura», se le hace simbolizar un simbolismo heterogéneo, que ostenta siempre formas irregulares que llamaríamos «oblicuas», juzgadas desde el patrón que es propio al simbolismo de irrealidad. Cabe, en efecto, que el poeta proporcione al originado un cierto énfasis que, al resultar enigmático (tal ocurre, como sabemos, en la frase lorquiana «los caballos negros son»), nos obligue a hacer destilar, a tan inquietante expresión, un tranquilizador proceso «X» simbólico; o, más frecuentemente, cabe también el encadenamiento de ese originado, por redundancia (o contraste —añadamos ahora— [4], con otras palabras), a cuyo contacto se produzca, al menos en el originado en cuestión (caso de «contraste»), o en toda la serie (caso de «redundancia») el mismo simbolizado (que denominábamos, en la fórmula antecedente, «emoción de B en la conciencia»), imposible en el proceso «Y» vital. En cualquier circunstancia, la

---

[3] O bien esta otra:

 C [= B =] emoción de B en la conciencia [= B =] D.

[4] Véase mi libro *Superrealismo no poético y simbolización*, pág. 233.

función del fallido originador de este último tipo de proceso queda sustituida, por un recurso de recambio que obtiene limpiamente el triunfo de instalar, en el ánimo del lector, esa emoción simbólica B sentida previamente de modo «vital» por el autor.

EL SIMBOLISMO COSMOVISIONARIO ¿SE PUEDE ASIMILAR AL SIMBOLISMO CONEXO?

Y ahora examinemos cuál de estos simbolismos es el que corresponde al caso de las cosmovisiones. De primera intención nos parece transparente e indubitable que en ellas ha de haber un simbolismo «vital», con la «mala lectura» del originador que a tal simbolismo corresponde. Pero pronto, en una segunda inspección, nos asalta una duda, pues lo propio de las «malas lecturas» radica en que el lector está situado en un «momento emocional» (el del proceso «Y») *distinto al del autor*: éste lee el originador de un modo, y nosotros, de otro. Ahora bien: aquí (es la única excepción existente, a mi juicio) no ocurre eso. La discrepancia entre autor y lector no se produce; ambos leen el originador *del mismo modo* y obtienen de él *una idéntica emoción individualista*. Parece entonces que, aunque sea vital el originador, el simbolismo que, en este caso, habría de corresponder sería «semejante» al conexo (con su simbolizado respectivo en el segundo elemento sintagmático), ya que este último tipo de simbolismo, el conexo, nace justamente de que, como en el caso vital cosmovisionario, la lectura del originador realizada por el lector *es la misma* del autor y, por tanto, el momento emocional del proceso «Y» resulta, en ambos, coincidente. De ser el simbolismo cosmovisionario «equivalente» al conexo, no dejaría de darse, en efecto, un simbolizado, ya que éste, en el tipo de proceso «Y» que consideramos, nace apoyándose en dos puntos: en la emoción que la lectura del originador produce simultáneamente en autor y lector, y en el originado. Como aquí se ofrecen las dos cosas, el simbolizado, como digo, habría de surgir. ¿Es esto lo que pasa?

Nuestra experiencia, pese a todo, lo niega. Y hay un motivo para tal negación. El simbolismo de tipo conexo, o asimilable al conexo, no puede aquí suscitarse, pues para que se suscitase se precisaría no sólo que la emoción de la que partimos, en nuestro viaje hacia el originado, fuese experimentada —tal es lo que aquí ocurre— *por todos nosotros*; sería necesario que, además, *la «supiésemos» objetiva* (y, por lo tanto, pudiésemos «contar con ella») al haberse engendrado en un originador *sintagmático*. El simbolismo conexo exige, pues, tanto como el otro (el inconexo y el propio de las autonomías) la presencia verbal, «poemática», de un originador, que en el caso de los originados cosmovisionarios de que hablamos, por definición, no existe. Nuestra emoción individualista de ningún modo es sintagmática y, en consecuencia, *no nos damos cuenta, en principio, de que estamos en ella*, y, en todo caso, si nos percatáramos de su existencia, ésta sólo podría ofrecérsenos como subjetiva, puramente personal y «caprichosa» (aunque, de hecho, posea características opuestas). Cada uno de nosotros, en el mejor de los casos, *se sentiría solitario* en su reacción emotiva. No la «interpretaría» como universal, social, compartida por todos, y, en consecuencia, a efectos simbólicos, habría de negar su objetividad[5]; y, por tanto, habría de situar la emoción en un paréntesis de inactividad, y, de hecho, pasarla por alto. Ni haciéndosenos presente nos sería dado, pues, partir de ella, como sucede en la conexión simbólica, para conseguir el simbolismo del originado, gracias al apoyo verbal de éste.

Sin embargo, no hay duda de que, como contrapartida, tal individualismo, *sentido por nosotros* (aunque no lo *sepamos*), habrá de ayudarnos poderosamente en nuestra tarea de «entender» *emocionalmente* ese originado: la cultura de nuestro preciso momento histórico. Nos experimentaremos así identificados y expresados en los productos culturales de nuestra época de un modo más perfecto que en los de las culturas que nos

---

[5] En mi libro *Superrealismo poético...* ed. cit., págs. 250-251 y 255 he buscado mostrar que sólo damos por buenos y, por lo tanto, sólo de hecho existen las significaciones que imaginemos *queridas* por el autor.

han precedido, y nuestro asentimiento (segunda ley del arte) se producirá, consiguientemente, en tal caso, con mayor fluidez y plenitud, con la importante consecuencia de obtener, en principio y en igualdad de condiciones, un goce artístico más elevado, cosa que la experiencia de todos los días viene, confortadoramente, a ratificar. Y si muchas obras estéticas del pasado nos gustan como las de hoy, es que las hemos podido, de algún modo, insertar en nuestra propia cosmovisión: hemos hecho de ellas un arte contemporáneo nuestro.

EL SIMBOLISMO COSMOVISIONARIO ES «VITAL»: UN SIMBOLISMO SIN SIMBOLIZADO

Desechada, pues, la amplia interrogación y reparo que nos había acometido en el parágrafo anterior, podemos ahora volver, tranquilizados, a nuestra primera impresión, y declarar, sin más, «vital» al proceso «Y» que es inherente a las cosmovisiones. Ahora bien: los procesos «Y vitales», aunque producen originados de raíz simbólica, no pueden, según dijimos, por sí mismos simbolizar, pues les falta el apoyo del originador *sintagmático*. El lector de tal originado sólo dispondría, menesteroso y claudicante, de éste, vuelvo a decir, para sus operaciones simbólicas, hechas así imposibles. Carecería, en efecto, tal lector, de la segunda apoyatura sintagmática (el originador) desde la que forzar con objetividad el simbolismo de ambos miembros. Y es que, *aunque el originador lo hemos experimentado nosotros*, los lectores, tanto como el autor, *no somos conscientes de ello* (tampoco lo es el autor). Sentimos la emoción, pero, como ya dije, no sabemos, en principio, que la sentimos, y si lo supiésemos, ignoraríamos *de dónde nos viene*, cosa esta psicológicamente frecuente en muchos casos similares. Y como el originador no nos es presente al carecer de cuerpo verbal; *como no existe, de hecho, para nosotros, el* simbolizado vital resulta, vuelvo a decir, imposible. Pues está claro que no se corrige aquí esa deficiencia por medio de los expedientes expresivos que en el anterior epígrafe consigná-

bamos. Por lo pronto, tenemos que desechar para las cosmovisiones que ahora estudiamos (las de época) el primero de
tales expedientes, el simbolismo de irrealidad, que, por definición, no se da en ellas: *las cosmovisiones de época son todas
realistas*. Pero también hay que prescindir del sistema o módulo (el de énfasis o el de encadenamiento) a través del cual
una expresión realista, como las que ahora encaramos, podía
alcanzar el privilegio de generar un proceso «X» simbolizante,
ya que tal módulo o sistema exige un ánimo «poemático» que
sólo puede concebirse *en un autor*, nunca *en una época* como
tal. El resultado de todos estos hechos es que, en los casos
cosmovisionarios que nos ocupan, no tiene sentido, como avan-
cé líneas atrás, hablar de simbolizado.

El originado no puede entonces, de hecho, emitir el simbolismo que le sería propio: aquella emoción individualista de
cuya actividad preconsciente o serie sintagmática deriva ese
originado. Dicho en otra forma: la cultura se muestra simbólica en cuanto que así se manifiesta en el proceso «Y» o del
autor. Pero tal símbolo tiene una extraña gracia o condición,
que es la de no simbolizar nada. Aunque hay proceso «Y», no
hay proceso «X»; éste no puede engendrarse, y, por lo tanto,
tampoco puede engendrarse el efecto que a todo proceso «X»
acompaña, el simbolizado, asunto siempre del lector, no del
autor. En cuanto tales, ni la ciencia, ni la filosofía o el arte, etc.,
de nuestro tiempo —el que sea— están capacitados para entre-
garnos el simbolismo que habría de corresponderles, esto es,
insisto, el grado de individualismo de que estos datos culturales vienen a ser expresión en el proceso del autor. De otro
modo: tales datos, aunque resultan de un proceso simbólico
en el autor, no aparecen realmente como símbolos en el lector
(ni siquiera en el caso de que el lector sea el propio autor,
pues éste desecha también, a través del mecanismo mental antes descrito, tal efecto simbólico como no objetivo). O, si se
quiere, serían símbolos (todo es cuestión de nomenclatura),
pero símbolos ineficaces, frustrados. Como insinué antes acaso
más gráficamente, nos hallaríamos frente a símbolos carentes
de simbolizado, símbolos que nada simbolizan.

Tal vez se me diga que, de aceptarse mi hipótesis sobre el sistema de las épocas, en los sucesivos períodos históricos, los miembros todos o al menos los representativos de una sociedad dada sienten al unísono cierto grado de individualismo. ¿Contradice este hecho a lo que acabamos de afirmar? De ninguna manera. Ese sentimiento *no les viene* a tales personas de un proceso «X» oriundo de un «originado» cultural, *sino de un proceso «Y»* que deriva de la situación histórica en la que se hallan inmersos. Sienten el individualismo en cuanto «autores», no en cuanto lectores, contempladores u oyentes de las partituras, cuadros, poemas, textos filosóficos, etc. El sentimiento individualista es entonces resultado de un simbolizador. Mas éste no es un *originado* sintagmático (la cultura de la época) sino un *originador* vital (los hechos históricos objetivos que, precisamente, han dado ese precipitado culturalista de que hablamos, a través de su momento emocional: el grado de individualismo).

Estamos, con esto, preparados ya para contestar adecuadamente a la pregunta que formulábamos en un capítulo anterior[6]. Decíamos en él que, en el caso de las *estructuras* cosmovisionarias, cada elemento quedaba delimitado, en cuanto a su significación, por la significación de los otros elementos que lo rodeaban en el organismo de que todos ellos eran parte y por la diferencia de ese organismo con el que le antecedió cronológicamente. La significación de los términos de una *estructura* es, pues, «estructural». Ahora nos damos cuenta de que, en cambio, tales términos carecen de un significado que proceda del *sistema* cosmovisionario en cuanto tal. Las *estructuras* cosmovisionarias significan; los *sistemas* cosmovisionarios, no.

LAS COSMOVISIONES «PERSONALES» PUEDEN TENER SIMBOLIZADO: CASO DE LAS COSMOVISIONES DE IRREALIDAD

Lo dicho para las cosmovisiones de época (o de edad) vale también para las cosmovisiones personales: la de Antonio Ma-

[6] Cap. X, págs. 204-207, y especialmente 205-206.

chado, la de Juan Ramón Jiménez, la de Verlaine, Espronceda, Quevedo, Valéry, Eliot... Pero al referirnos a éstas, a las cosmovisiones personales, necesitamos hacer una importante salvedad. Y es que existen cosmovisiones personales que no son «de realidad», sino «de irrealidad», y entonces nuestros juicios anteriores dejan de tener vigencia.

Existen, en efecto, cosmovisiones personales, aunque sólo en el período contemporáneo, cuyos términos (u originados) se hacen, a la luz de la experiencia cotidiana, *increíbles*. Así, en el primer Aleixandre, en el Aleixandre de sus siete primeros libros, la noción de que la muerte (la muerte en cuanto disolución en la materia, sin paraíso célico, ni salvación personal) sea gloria, vida, supremo amor; o, al revés, que el amor sea destrucción, en un sentido nada sádico, sino, asimismo, glorificante; la idea de que todo ame: el hombre, pero también el león, la roca, el agua. Todas estas afirmaciones y muchas más del mismo orden [7] están ahí, en numerosos poemas, en varios libros: forman un todo *coherente*, se ofrecen como elementos de una cosmovisión. Pero está claro que no resultan aceptables en su literalidad, *ni siquiera para el autor*. Ahora bien: destruida su literalidad, no hay tampoco para ellas un sentido lógico no literal que venga en nuestra ayuda y nos salve del vacío racional; y, sin embargo, tales asertos nos emocionan. Y si nos emocionan y no nos los creemos (y ni siquiera creemos, a través de ellos, desde el nivel lúcido, otra cosa sustitutiva), es porque *no se nos proponen* poemáticamente *para ser creídos*, sino sólo para ser *sentidos*, o sea, para ser tomados en calidad de símbolos. Símbolos, por supuesto, homogéneos, símbolos de irrealidad, ya que, como digo, carecen de significación inteligible que no sea emotiva. La cosmovisión entera del primer Aleixandre (no la del segundo, no la del Aleixandre de *Historia del corazón*, de *En un vasto dominio*), así como la de algunos otros poetas (*muy pocos*: por ejemplo, el Rilke de *Las Elegías del Duino*), son de esta índole simbólico-homogénea, simbólico-irreal. Aho-

---

[7] Véase mi libro *La poesía de Vicente Aleixandre*, Madrid, Gredos, 4.ª ed. (3.ª de Gredos), 1977, págs. 146-156.

ra bien: estas cosmovisiones, al no significar nada lógico, son
obligadas por nosotros (y, antes, el poeta ha hecho, claro está,
lo equivalente en su proceso «Y») a que nos signifiquen algo no
lógico, algo irracional: la verdadera insensatez es repelida por
la mente humana y no puede así tornársenos estética: nos
dejaría, todo lo más, perplejos. El arte del poeta consiste entonces en hacer que el contexto (el constituido por toda su
obra o un sector de ella, pero también a veces un contexto
ocasional y momentáneo) permita la emisión de un simbolizado.
Es decir: la habilidad literaria radica aquí en sustituir la relación «originador vital-originado», inexpresiva para el lector, por
un juego contextual que surta en éste el efecto experimentado
antes por el autor a través de la relación mencionada.

Hemos llegado con esto a una importante división de las cosmovisiones en dos especies perfectamente definidas: las cosmovisiones «de realidad», siempre «creíbles», que son, en cuanto
sistemas, símbolos «heterogéneos», aunque no lleguen a simbolizar nada, y las cosmovisiones de irrealidad, no creíbles,
aunque sí experimentables en la emoción, y, por lo tanto, for-
madas, también en cuanto sistemas, por símbolos homogéneos,
que, éstos sí, han de simbolizar variadamente algo, *precisamente porque carecen de sentido lúcido.*

Las primeras, las cosmovisiones de realidad, son, con mucho,
las más frecuentes: *todas* las cosmovisiones «colectivas», las
de «edad», las de «época» y las «generacionales», son así. Y
también *la inmensa mayoría* de las visiones del mundo «personales». No nos desconcierta esta frecuencia, puesto que las
cosmovisiones son, en efecto, «visiones *del mundo*», o sea, visiones de *este mundo*, el mundo real. Las segundas, las cosmovisiones de irrealidad han podido darse, pero sólo, claro es, en
el período irracionalista, el contemporáneo, y, dentro de él,
según creo, *muy poco*. En el siglo xx, el simbolismo creciente
se va haciendo invasor y comienza a inundar terrenos inespe-
rados: *verbi gratia*, el tema de un poema o, como vemos, alguna rara vez, *pues es cota más alta*, la cosmovisión entera de
un autor o la de alguna de sus épocas.

Capítulo XXIII

FOCOS SECUNDARIOS O VERDADERA REALIDAD

EL GRADO DE INDIVIDUALISMO SÓLO
PUEDE COLEGIRSE POR SUS EFECTOS

Hemos examinado a lo largo del presente libro la relación genética que todas las características de una determinada visión del mundo muestran respecto de un elemento central o foco, que, en todos los casos, resultó ser un grado de individualismo. Tal grado ha ido creciendo incesantemente, en la sociedad europea, desde la Edad Media hasta hoy. El cuadro brindado por esa línea ascensional paulatina nos ha ofrecido, sin solución de continuidad, ciertos puntos críticos, en los cuales los resultados psicológicos del sentimiento radical mencionado sufrían un cambio esencial y se convertían en otros: había habido una reestructuración. Se pasaba así, de cierta cosmovisión, a la que le seguía en el tiempo: o sea, se había cambiado de época. Desde la Edad Media, por ejemplo, en su fase gótica, se había ido al Renacimiento; o desde el Renacimiento, al Manierismo, etc. Todo ello lo sabemos ya, pero convenía repetirlo, pues ahora debemos completarlo en una dirección determinada.

Nuestra primera advertencia es recordar que el grado de individualismo, por consistir en un mero sentimiento, cosa gaseosa e inaprensible de suyo, *no se hace directamente perceptible*, y sólo puede ser colegido *por sus efectos*. Son estos, como sabemos ya, los que (muy evidentemente y a las claras,

eso sí) *postulan* y, por tanto, nos hablan del aumento individualista respecto de la época anterior. Lo que asoma visiblemente en cada período histórico son sólo, pues, *los resultados*
cosmovisionarios del grado individualista, y no éste como tal.
Lo dicho viene a explicar, creo que diáfanamente, el motivo de
que haya permanecido en la oscuridad hasta este preciso instante la importancia de tal sentimiento en la formación de los
estadios culturales. He de confesar que yo mismo, cuando me
encaré con el problema hace ya bastantes años, empecé por
pensar (como Bergson, como Ortega, como Pedro Salinas) que
cada autor tenía su particular foco cosmovisionario (ellos no
lo llamaban así) y que lo propio les pasaba (tal era, precisamente, lo que mi trabajo pretendía en su inicio modestamente
añadir a lo afirmado por los autores citados) a las generaciones o a las épocas. ¿De dónde nacía, pues, tan insidioso error?
Tras lo antes indicado, la cosa está clara: el yerro derivaba de
la imperceptibilidad del grado individualista. Como sólo se nos
hacían asequibles sus consecuencias, *era lógico pensar que únicamente éstas tenían efectividad.* Pongámonos en el caso más
simple, aquél en el que un grado de individualismo C, propio
del período X, origine un primer resultado cosmovisionario D,
del cual procedan todas las notas y peculiaridades que en ese
período nos sea dado observar *como distintas* a las de los períodos anteriores. De D nacería, por ejemplo, la serie $E_1 E_2 E_3$ ...
E_n, o la serie $E'_1 E'_2 E'_3$ ... E'_n, etc., y de cualesquiera de estos
ingredientes procederían, a su vez, otras «ramas», las cuales,
por su parte, proliferarían de modo similar, etc. Frente a tales
hechos, ¿qué habría de inferir el crítico o el teórico, al menos
en principio? Sin duda, que D era el foco de la época, puesto
que C (el grado individualista) no se manifestaba por ningún
sitio, *ni tampoco parecía necesaria su postulación.* Fue así
como, en un instante inicial, llegué a la conclusión equivocada
de que el elemento radical, digamos, del romanticismo era el
valor supremo atribuido al Yo, mientras, por el contrario, la
intrasubjetividad surgía como el foco contemporáneo, y la
Razón o lo racional, como el neoclásico, etc. Según esto, cada
tiempo cultural, o cada autor, dependía de un foco *propio,*

diferente al de los otros. Se confirmaba así para las épocas lo que Ortega y Salinas (o Bergson) habían sentado para los estilos individuales.

Ahora bien: partiendo de estas concepciones, *se tropezaba pronto con un inconveniente*: al considerar cualquier cosmovisión, aparecían siempre elementos que, aunque *actuales*, eran *comunes* (acaso en otro grado) con algún o algunos períodos precedentes. Y ocurría que esos elementos comunes *se mostraban como inexplicables*, vistos a la luz de lo que hasta entonces imaginaba yo ser el foco de la cosmovisión investigada. Tal irreductibilidad me hizo comprender que había de existir, por debajo del supuesto foco, un ingrediente explicativo del que no me había percatado. Esto fue lo que me llevó a descubrir la función del individualismo en el desarrollo de la cultura, una vez que hube logrado una definición de tal sentimiento más correcta que la proporcionada por la tradición. Pero, por otra parte, mi equivocación inicial no dejó de serme útil, pues me puso en condiciones de entender, en su verdadero sentido, el especialísimo papel que en cada tiempo histórico desempeña ese término al que yo, erróneamente, había atribuido la principialidad, en cuanto que parecía tenerla. Y es que de tal ingrediente (*hoy veo que no siempre único*: luego me ocuparé de esto) dependen nada menos que todos aquellos elementos cosmovisionarios que el período de que se trate *no comparte* con el o los inmediatamente precedentes. Llamemos a tan decisivo término *realidad radical* o *verdadera realidad*, o bien *foco secundario* del período en cuestión. Y si esta terminología la extendiésemos en todas direcciones, hallaríamos que, aparte del «foco *primario*», *que es siempre el grado individualista* (imperceptible directamente como tal, dijimos) existirían (según considerásemos segmentos cronológicos más o menos largos) «focos *secundarios*» (perceptibles ya) de diversa extensión en su vigencia, pues ésta podría referirse a una «edad» o conjunto de edades, pero también a una «época» o a una «generación». Habría, en efecto, una realidad radical o foco secundario *para la edad* (o para el conjunto de edades) como cosa distinta del foco secundario *de la época*, el cual, a su vez, diferiría *del generacional*: en este último hallarían asiento y sentido los ingredientes que pueden ser percibidos *como novedades* en las distintas cosmovisiones de cada uno de los autores que constituyen los lapsos «breves». En cambio, para encontrar el motivo de los ingredientes de que varios períodos *participan*, habría que salir del «foco secundario» de cada uno de ellos, e ir hacia arriba: hacia el foco secundario de la cosmovisión más amplia que todos esos períodos forman. Pronto habremos de poner ejemplos concretos de todo ello, pues de momento me urge decir aún algunas cosas de tipo todavía abstracto o teórico.

EN CADA COSMOVISIÓN PUEDE HA-
BER VARIOS FOCOS SECUNDARIOS

Por lo pronto, hemos de salir al paso de una confusión en la que es muy fácil caer: la de pensar (con Ortega, Salinas, etc.) que el «foco secundario» o «verdadera realidad» de una visión del mundo cualquiera (extensa o «breve») tiene carácter simple (como lo tiene, sin duda, el «foco primario», *desconocido por tales escritores*). La verdad es la opuesta. Aunque exista en todo caso un foco secundario, que da cuenta de *muchos* de los ingredientes sometidos a estudio (de ahí el posible error), *se dan siempre, a su lado, otros*, que pueden pasar inadvertidos por su menor estela cosmovisionaria, pero que en rigor no deben desdeñarse, pues son ellos los que más nos obligan a postular el grado individualista en calidad de verdadero foco (esto es, en calidad de foco «primario») del período que intentamos investigar. *La idea inicial de Bergson, Ortega y Salinas, de la que partí y que tan fecunda se mostró (si así puedo decirlo), era paradójicamente, falsa.*

En el momento «contemporáneo», por ejemplo, el foco secundario más importante es la intrasubjetividad. Como se infiere de nuestros trabajos, la intrasubjetividad nos aclara

efectivamente en la poesía el irracionalismo verbal o simbolización, la sugerencia, el pudor (impersonalización, distanciación) y la autonomía del paisaje. Pero junto a la intrasubjetividad *ha de haber aún otro foco secundario,* pues el «sentido
de la composición», propio del arte de esa época, se nos hace
irreductible a aquel elemento. ¿Qué foco secundario será éste?
Lo sabemos ya. Puesto que el individualismo es, en nuestra
definición, «conciencia de mí en cuanto que soy hombre», tal
sentimiento supone, repitámoslo una vez más, el hincapié en
la razón: he ahí el «foco secundario» que buscamos. El individualismo, al llegar a cierto grado (en el siglo xviii) aparece
en forma de «racionalismo», y si ese grado se alza aún más
(a partir del romanticismo), tomará una forma diversa: la de
«razonismo» (si se me permite, insisto, tan artificial como indispensable neologismo), cuya forma primera, la romántica, es,
en cierto modo (y sólo en cierto modo), meramente negativa
(no racionalismo), pero cuya forma segunda, la contemporánea,
fruto de un individualismo mayor, ostenta positividad. La consecuencia de ella habrá de ser el intelectualismo en la distri-
bución de los materiales verbales o sentido de la composición
que caracteriza a la poesía desde Baudelaire. El «razonismo»
en su formulación positiva se nos ofrece, pues, como formando
parte de la «verdadera realidad» (o *suma* de los focos secundarios) de la cosmovisión «contemporánea».

Se me dirá acaso: ¿y la sorpresa? ¿y la originalidad? ¿No
hay detrás de ambas notas contemporáneas, pero también, en
otra forma, románticas, un foco secundario distinto? Lo hay,
mas perteneciente, no en exclusiva al período contemporáneo,
sino al período más extenso «romanticismo-contemporanei-
dad», al que llamamos Edad Contemporánea. Es, pues, un foco
secundario, pero «de edad»: se trata del *interés en lo individualizado,* que, en el grado correspondiente al lapso que digo,
conduce a aquellos efectos, pues lo individualizado es original
y lo original es sorprendente. (El Renacimiento se interesaba ya por las realidades individuales, pero no hasta el punto
de especializarse en los elementos pasmosos de ellas: la diferencia cuantitativa se hace aquí cualitativa, y es, en realidad,

otra cosa; de otra parte, aunque el Barroco hallaba gusto en la sorpresa, ésta se vinculaba a la tendencia aristocrática de que luego hablaré: tenía, por consiguiente, otro sentido. En el Romanticismo actúa, pues, como verdadera realidad, junto a la subjetividad o yo, el foco de edad que acabo de enunciar, responsable, aparte del efecto susomentado, de otros efectos, tales como el gusto por el color local, etc. Por su parte, la Edad Media nos mostrará, asimismo, varios focos secundarios: la «forma» entendida como formalismo; el corporalismo, o tendencia a la plasticidad visual de las abstracciones; y, por supuesto, Dios. El sentido jerárquico o señorialismo no es, en cambio, a mi juicio, una entidad radical del Medioevo, sino mera consecuencia del formalismo, como se nos hizo notorio en el lugar correspondiente.

Hasta aquí llega lo que se deduce de nuestros análisis en la presente obra. Pero tal vez no sobre extender nuestras consideraciones y completarlas hasta cubrir, en visión panorámica, el resto de los movimientos culturales. Y así nos preguntamos: ¿cuál es la «verdadera realidad» en el Renacimiento? Como nadie ignora, lo que hace el Renacimiento es afirmar al individuo humano de un modo más decidido aún que en el Gótico: frente al carácter teocéntrico del discurso medieval, la cultura se seculariza y se hace antropocéntrica. Importa enérgicamente ya *este* mundo, el Más Acá; importa la naturaleza. Dios, o el Más Allá, que antes ocupaban, en la perspectiva, un primer plano, se retiran a un segundo término. Y como el hombre se libera, en proporción suficiente, del ascetismo anterior, asoma con impaciencia la alegría del vivir y la necesidad de un goce mundano tan manifiestas ambas, por ejemplo, en las numerosas imitaciones que a la sazón se hacen del «Carpe diem» horaciano. Optimismo, pues, que, aplicado a la visión de la naturaleza recién descubierta, hará brotar la noción más importante del Renacimiento, su más incuestionable foco secundario: la idea de la naturaleza como «buena, bella y verdadera» [1]. De aquí

---

[1] Esa visión optimista de la naturaleza nace de la secularización, que, en tal caso, parece ser el verdadero foco secundario. Pero no debemos

procederá, en efecto, todo un tropel de rasgos y actitudes que
dan carácter al tiempo que consideramos. Pero existen, sin
embargo, otras radicalidades que no podemos desdeñar; sólo
que éstas (en otro grado y, por lo tanto, con otras consecuencias cosmovisionarias, a veces incluso opuestas) no pertenecen
exclusivamente a la cosmovisión renacentista: cubren también,
y se hallan presentes, en todas las cosmovisiones posteriores
del mundo occidental: son focos secundarios, sí, pero pertenecientes a una cosmovisión más amplia aún que la que hemos
denominado «de edad». Tales focos son: la secularización de
que antes hablé; la importancia de la razón; la atención a la
interioridad humana, y, en fin, el interés por lo individualizado,
al que también nos hubimos de referir hace poco. Todo ello,
iniciado ya en el gótico, asoma todavía, por supuesto, con carácter incipiente, y precisamente esa específica graduación inicial, actuando a veces cualitativamente, dará lugar a ciertas
características sólo propias del período; en otros casos, tal graduación actuará, por el contrario, únicamente de modo cuantitativo y producirá peculiaridades o rasgos que estarán llamados
a intensificarse posteriormente.

Los «focos secundarios» del Barroco (llamemos así al conjunto formado por el Manierismo y por el Barroco propiamente
dicho) serán, por un lado, el aristocratismo, o sea, lo distinguido, superior y no vulgar, y, por tanto, lo no natural: estamos
en esto, como en tantas cosas, de espaldas al Renacimiento [2];
y, por otro lado, el infinitismo, la desmesura en todas sus diver-

---

considerar la secularización como foco secundario *del Renacimiento*, pues
lo es de un extensísimo período que desde el Renacimiento llega hasta
hoy. De ahí que para el Renacimiento tomemos como foco secundario el
que digo en el texto, que es la derivación que sigue inmediatamente a la
tendencia secularizante. Formulemos esta regla: dado un foco secundario de «edad» (o de un período aún más amplio), hallaremos el foco
secundario de «época» examinando cuál es la *primera* o primeras consecuencias que en dicha época tiene el foco secundario de la Edad (o del
período más amplio) correspondiente.

[2] Al buscar lo distinguido, superior y no natural, el Barroco valorará
la sorpresa, la cual, como ya dije, tiene entonces una estructura muy
distinta a la sorpresa contemporánea.

sificaciones[3]. Son, a mi juicio, las formas que adopta (desde unos «estímulos» muy concretos) el individualismo, al llegar a cierto punto de su desarrollo y convertirse, de un modo ya notorio, en subjetivismo (recuérdese a Descartes), *pues el yo, en algún sentido, carece, en principio, de limitaciones*, las cuales siempre se imponen desde la objetividad, y resultan del choque entre el yo y el no yo. *Cuanto más se desdeñe a este último, menos presentes se harán tales obstáculos* (a menos que algo lo impida, como sucede en el tiempo neoclásico).

¿Y el dinamismo? ¿Y la conciencia de la fugitividad? ¿No serán estas notas sendos «focos» de tal época artística? Ambas nociones se constituyen, a todas luces, como términos esenciales del Barroco, encabezadores, sin duda, de numerosos estilemas o «culturemas» (si se me pasa el vocablo) del período. Mas, pese a todo, carecen de verdadera radicalidad, pues se comportan como meras derivaciones de una noción previa, que es el auténtico foco. Veamos: lo natural renacentista es siempre lo permanente de las cosas. Me parece legítimo deducir que, en consecuencia, el escepticismo frente a lo natural, inherente al aristocratismo del nuevo tiempo histórico, habrá de sensibilizar al hombre *para la percepción de lo no permanente*, tanto *en el espacio* (movimiento) como *en el tiempo* (idea de fugacidad). Como se ve, ninguna de las nociones contenidas en los paréntesis ostentan, en nuestra interpretación, la principialidad visible que buscamos, la cual reside, únicamente, en la actitud aristocrática que le es previa.

El Barroco muestra, sí, los efectos de otro foco, pero a éste lo conocemos ya, pues, como dije antes, no es específico, y hemos tropezado con él hace no mucho como iniciado en el Renacimiento. Me refiero al racionalismo, que ahora comparece, claro es, de un modo más acrecido y manifiesto, raíz, como

---

[3] Incluso en el vestido (guardainfantes), pero también en otras muchas cosas. Por ejemplo: colosalismo de los edificios; complicación extrema de Góngora, y laconismo, igualmente extremo, de Quevedo, Gracián o Zabaleta: acción rapidísima del teatro (Lope, etc.); carácter hiperbólico del vocabulario quevedesco («negro llanto»; «mi corazón es reino del espanto»); etc. Por todas partes, la exageración.

digo, de numerosos fenómenos de la época, desde la filosofía (cartesianismo) y la ciencia hasta el arte. El racionalismo no sería, pues, sin más, un foco secundario de la época barroca. Habría que matizar. Tal foco habría de ser exclusivamente el *grado* de tal racionalismo.

Ahora bien: este racionalismo que hasta aquí, pese a su importancia, resultaba, en cierto sentido, relativamente marginal o adyacente, crece más aún al pasar los años y, en esa graduación, ocupa ya un poderoso y desalojador centro a todo lo largo del siglo XVIII. El Neoclasicismo dieciochesco está, todo él, hecho, sin restos, de razón en esa alta dosis. La razón y lo racional, así especificados, se convierten en la «realidad verdadera», esta vez, insisto, sin posibles competencias o rivalidades en la época, o casi sin ellas[4], pues hasta el sensualismo o el naturalismo, que también caracterizan al Siglo y que pudieran parecer focos secundarios de él, independientes de la idea de razón, se le relacionan y subordinan. De un lado, el sensualismo y la sensualidad se siguen de la reivindicación de la sensación realizada por Locke: venimos al mundo cual *tabula rasa*; las ideas que no sean «de reflexión» se engendran en las sensaciones[5]. Dada la importancia que lo racional tiene en el momento histórico que nos ocupa, se comprende que las sensaciones alcancen, *en cuanto origen de conceptos*, valor máximo; pero, además y principalmente, el racionalismo seculariza la moral, que desciende hasta lo puramente humanístico y acepta, por consiguiente, el placer y la dignidad de los sentidos (precisamente nacerá de aquí la posibilidad de las ideas de Locke antes

---

[4] Palío ligeramente este juicio porque en la Ilustración existe, sin duda, también subjetivismo, como digo después en el texto, cuando comparemos la filosofía de Kant con la de Descartes. Pero, atendiendo al conjunto de lo que es, en bloque, el período dieciochesco, puede decirse, sin grave exageración, lo enunciado arriba.

[5] Locke, en efecto, distingue (*An Essay Concerning Human Understanding*, 1690) entre «ideas de sensación» (por ejemplo, amarillo, blanco) e «ideas de reflexión» (por ejemplo, las ideas de pensar, dudar, querer, etc.).

consideradas)[6]. Es una época eminentemente erótica e incluso, a veces, libertina: Sade no es un azar de aquellos años. De otra parte, la razón es omnipotente y omnipresente. Todo es o debe ser racional, hasta el arte. Se concibe, en primer lugar, la razón como naturaleza en el hombre. Mas no sólo eso: la naturaleza, a su vez, se entenderá como racional, y por ello se hará supremamente atractiva. La consecuencia de ambas proposiciones habrá de ser el optimismo, típico de la Ilustración, y causa, a su vez, de muchas de sus peculiaridades.

Como el Romanticismo y el tiempo que hemos llamado «contemporáneo» los hemos examinado ya desde este punto de vista, pasemos ahora al momento poscontemporáneo, iniciado para Inglaterra unos años antes de la segunda guerra mundial, y para España, Italia, Estados Unidos, etc., al terminar ésta. Es el instante del cine neorrealista en la vecina península, y de la poesía, el teatro y la novela sociales en nuestro país, y no sólo en él: Neruda y otros muchos poetas representan, en la América de lengua española, algo totalmente similar, y lo mismo pasa en otras lenguas. Es, por ejemplo, el instante del «compromiso» sartreano, no exclusivamente teórico, pues este autor lo extiende, claro está, a su práctica literaria en la novela y el teatro. El teatro, la novela y la poesía (movimiento *beat*) norteamericanos nos proporcionan, a su vez, un equivalente exacto, pero a su modo[7], de las mismas tendencias, etc.

¿Cuál es ahora la verdadera realidad? La he pretendido establecer en otros trabajos míos[8]. La radicalidad se la lleva por estas fechas la noción «yo soy yo y mi circunstancia», para usar la frase de Ortega (pues la filosofía paraexistencialista de este pensador y la existencialista de Sartre y Heidegger son las que se corresponden con las actitudes que estamos intentando

---

[6] Aunque nacido en 1632 y muerto en 1704, Locke es un claro precursor del siglo XVIII, pues, como nadie ignora, tal período se inicia en realidad en el último tercio del siglo XVII.

[7] Pues tiene diferentes «estímulos»: sociedad de consumo, etc.

[8] Carlos Bousoño, «Situación y características de la poesía de Francisco Brines», prólogo al libro *Poesía* de éste (Barcelona, Plaza y Janés, Selecciones de poesía española, 1974, págs. 11-94).

describir: no en vano hemos afirmado no hace mucho que los
científicos y pensadores suelen adelantarse a los artistas en
la formulación de las cosmovisiones). Como se ve, se recupera,
a la sazón, el mundo, que los románticos habían perdido, y el
yo, perdido por los contemporáneos. Pero no se trata ni de
una cosa ni de la otra, sino de las dos juntas: es el yo reali-
zando algo en el mundo, en la circunstancia, situación o sociedad, lo que se constituye en foco secundario. Como la sociedad
configura al yo, habrá que escribir poesía social; como la circunstancia cuenta y se hace algo en ella, habrá que describir
ésta en su concreción y *narrar* ese algo que se hace. El realismo
será la primera consecuencia de ello en la literatura; el lirismo
narrativo, la segunda. La poesía, *sin dejar de ser lírica* (eso
es lo característico), en vez de *canto* se ofrecerá como *cuento*.

El cambio que se va a producir en el concepto de lo que sea
realidad verdadera en la generación que podemos llamar «del
mayo francés» o del 68 (la de los nacidos entre 1939 y 1953)
requiere, de modo irremediable, algún desarrollo, por lo que
se me habrá de permitir abrir en este punto un nuevo apartado.

LA VERDADERA REALIDAD EN LA GENERACIÓN «DEL 68»

Remontémonos, por lo pronto, al período neoclásico, en
que imperaba, como «verdadera realidad», la razón física
o racionalista, la razón abstracta, la razón centralizadora y
excluyente que venía pujando —lo he recordado hace poco—
desde el Renacimiento. Ya desde el Renacimiento comienza, en
efecto, el arrasamiento (tan característico de ese tipo de razón)
de la diversidad, en nombre de la ordenación totalizante y
homogeneizadora. De ahí que desaparezca, o se incoe a la sazón
el proceso de desaparición de aquella complacencia frente a lo
discrepante que tanta fuerza tuvo en la Edad Media. Recordemos: fueros de las ciudades, privilegios de la nobleza, digresiones en la literatura, casuismo en la moral, desorden en el
trazado y construcción de las calles..., pero también, por ejemplo, dispersión del punto de vista en las artes plásticas. Amplie-

mos este último punto, pues es el único que no ha tenido tratamiento aún en el presente libro. El cuadro, por ejemplo, de los primitivos no se ofrecía en cuanto mirado, todo él, como conjunto *unitario* que un espectador escruta: cada objeto representado asomaba en el lienzo por sí y ante sí, cósmicamente, diríamos, sin sufrir de algún modo modificación unificadora apreciable procedente de la *subjetividad*. El punto de vista parecía, por lo tanto, *engañosamente*, múltiple: cada realidad semejaba tener el suyo. De ahí, entre otras cosas que conocemos, la sensación de desconcertante minucia con que el arte primitivo se manifiesta. Se ve que el individualismo, escaso aún, no ostentaba suficiente poder para imponerse como subjetivismo unificador.

El Renacimiento va a cambiar en algún pormenor importante la situación descrita. Leonardo imprime al cuadro una estructura procedente de la razón y, por lo tanto, *de las facultades del sujeto que mira*: las figuras se disponen en composición triangular. Con distintas variantes, la composición racionalista de parejo tenor (de Leonardo, pero también de Rafael) perdura a lo largo del siglo XVI. Es en Velázquez donde surge por primera vez la mirada verdaderamente subjetiva[9]. Los objetos se ordenan en unidad, que ya no es artificial y exterior como antes, sino interna: es la unidad conferida por la mirada misma del espectador, con su foco atencional remoto, constituido por el fondo del cuadro, y su campo de vaga desatención. El mundo pictórico velazqueño se convierte, como dice Ortega[10], en puramente visual, sin auténtica presencia del volumen, fantasmalizándose. En Velázquez está ya, en brote, el impresionismo del siglo XIX: sólo faltaba, para su logro pleno, acentuar aún más ese subjetivismo que empieza a triunfar en Velázquez, como, de otro modo, en Descartes o en Galileo, pero que hallará su total desarrollo dentro ya del período contemporáneo.

---

[9] José Ortega y Gasset, «Sobre el punto de vista en las artes», en *Obras Completas*, IV, Madrid, ed. Revista de Occidente, 1951, págs. 443-457, especialmente págs. 452-453.

[10] José Ortega y Gasset, *ibid.*, pág. 452.

Este centralismo racionalista insinuado en el Renacimiento para el arte, pero también para la literatura (desaparición de las digresiones medievales) y para la política (política «monárquica», que se enfrenta a los restos del disgregador feudalismo) y para todos los elementos de la cultura, culmina en el absolutismo de Luis XIV («el Estado soy yo»), que no difiere gran cosa del absolutismo de otra índole que hemos apreciado en Velázquez («el cuadro soy yo, o aparece en cuanto mirado por mí de la manera en que mi psique percibe las cosas: desde un foco atencional y un campo de desatención fantasmalizante»). Y luego se acrecienta y extiende a lo largo del siglo XVIII. Como nadie ignora, es el momento en que reinan con mayor imperio las reglas abstractas y generales de la exigente y autoritaria Preceptiva neoclásica. Se impone todo desde arriba: incluso (quieras o no) el «buen gusto» (por ejemplo, en el teatro) o (no sin paradoja) en las costumbres indumentarias: ordenanzas sobre capas y sombreros, bien conocidas de todos. El siglo XVIII elimina de las cosas cuanto no se encamine a la totalidad en la que éstas se insertan. Se trata de la dictadura de la razón centralizadora, racionalista, la razón abstractiva y totalizante. De cada hombre interesa —como se ha dicho muchas veces— lo que le une a los demás, no lo que le separa de ellos. Importa, pues, la naturaleza humana universal; y se desestima la discrepancia, *en que consiste* (*nótese*) *la mayor porción del individuo.* Discúlpese tan innecesario recordatorio.

Si el romanticismo significa la primera embestida contra la radical incomprensión del individuo que es propia de la razón racionalista [11], el superrealismo significa (dejando a un lado otros importantes jalones) [12], la embestida segunda. Pero, ade-

---

[11] Véanse las págs. 28-30.

[12] Claro está que antes del superrealismo, Bergson en Francia, Unamuno en España, etc., supusieron importantísimas cotas en el mismo camino. «La inteligencia se halla caracterizada por una incomprensión natural de la vida» (Henri Bergson, *L'Évolution créatrice*, 7.ª ed., 1911, página 179). Para la comprensión del desarrollo de esta crisis de la razón «instrumental» véase también E. Husserl, *Die Krisis der europäischen Wissenschaften und die transzendentale Phänomenologie*, The Hague, Martinus Nijhoff, 1954, 1962 y 1969: M. Horkheimer y Th. W. Adorno, *Dialektik*

más, ahora el malestar de la situación social y ciudadana, fruto indudable del utilitarismo de tal tipo de razón, empieza a cundir. Frente al racionalismo, el superrealismo exalta no sólo los frutos del inconsciente, la escritura automática o los hechos parapsicológicos, que los representantes de esa escuela comienzan a sentir como respetables; no sólo se insinúa la protesta contra los modos habituales de concebir la fantasía de los dementes; se denuncian, sobre todo, los convencionalismos sociales y, en especial, los convencionalismos eróticos; y se pone al descubierto, asimismo, de un modo vivo, la deshumanización a que conduce la racionalización inadecuada de la vida. Al lado de todo ello, se recupera, o empieza a recuperarse, el cuerpo, incluso en cuanto a sus manifestaciones heterodoxas. En el superrealismo hallan, pues, raíz numerosos fenómenos que habrán de encontrar hoy, en la generación que bautizábamos como del «68», amplio desarrollo: el ecologismo; la protesta contra la técnica y el mecanicismo, utilizados de modo erróneo y sin tener en cuenta las verdaderas necesidades humanas; el erotismo; la protesta contra el concepto usual de demencia, que va a hacer posible la aparición de la antipsiquiatría; la parapsicología. Pero, como acabo de sugerir, nada de cuanto hemos dicho se opone a la razón, sino que se halla a su servicio. Aunque no racionalismo, sí «razonismo». Se busca, detrás de la

---

der Aufklärung, Frankfurt, Fischer, 1969; M. Horkheimer, *Zur Kritik der instrumentellen Vernunft*, Frankfurt, Fischer, 1967. Se trata de lo siguiente: la razón occidental, tal como comenzó a configurarse en el Renacimiento, es una razón que va culminando todo su proceso —hoy consumado— de «desustantivización». Lo que en ella había de sustantivo (*Vernunft*) deja paso a una racionalidad calculística científico-técnica que Kant llamaría «entendimiento» (*Verstand*). En el lenguaje de la escuela de Francfort: «instrumentalización de la razón» («razón instrumental», «razón unidimensional»). Weber diría: razón que es capaz de decidir entre medios, pero impotente de cara a los fines o valores últimos. Juego siniestro de la macroirracionalidad («todo» enloquecido) frente a la microracionalidad (partes sojuzgadas). Precedente de estas ideas: la crítica cultural del capitalismo, de la ciencia y de la técnica occidentales (de la «modernidad», en fin) desarrollada por el Romanticismo tardío, en abierto despegue respecto del siglo XVIII, «siècle de la raison».

razón racionalista, una razón «con rostro humano». El super-realismo es un humanismo.

En el período siguiente, el proceso no se detiene (véase la nota 12), aunque adquiera un carácter diverso; lo que preocupa ahora es un tipo de conocimiento hasta esa fecha fracasado: el conocimiento no puramente emocional y de fe o intuitivo como el romántico (o como el propio de la intuición bergsonia-na) del hombre concreto y de la concreta actuación en que a cada instante éste se halla. Para ello, en Ortega y Gasset y en los pensadores existencialistas (Sartre, Heidegger), se exalta la importancia de la situación, circunstancia o mundo. El gran valor que adquiere en esa filosofía el aquí y el ahora, siempre individualizadores, se expresa también, sobre todo tras la gue-rra, como dije ya, en una poesía o una literatura existenciales o sociales. El centro de la atención es, pues, ahora, el hombre de carne y hueso que, aunque sumergido en el grupo y ocu-pado en problemas colectivos, vive y actúa en un determinado lugar y en un determinado tiempo histórico, irreductibles ambos. La razón que opera en todo esto ya no podrá ser la razón abstracta, la razón instrumental y racionalista, incapaz de conocer lo particular. Ortega tal vez se nos ofrezca como el filósofo que mejor ha sabido resolver la cuestión planteada al respecto por las nuevas nociones, al descubrir un nuevo tipo de razón que, siéndolo del todo, es capaz de hacerse cargo y dar cuenta también de las realidades únicas e individuales: la razón vital, la razón histórica o narrativa. Este tipo de razón que Ortega propugna es, en el fondo, el mismo que utilizan intuitivamente y a su modo los neorrealistas de la posguerra, mencionados antes por nosotros. Impera por todas partes una literatura que busca *comprender* (acto de la razón) al hom-bre singular, viéndole actuar en una situación o un mundo determinados.

Pero esta fuga frente a las graves deficiencias y males de la razón «instrumental» *no impedía los estragos de ésta en el seno de la sociedad.* El encuentro con la razón narrativa, vital o histórica sólo podía operar, dada su índole, *minoritariamente,* en el reducido coto de la actividad específica de poetas, escritores y pensadores. El enorme cuerpo restante de la sociedad y de la vida se mantenía ajeno a tales vías de salvación, y no sabía sino de las terribles y progresivas lacras que el racionalismo crecientemente industrial de la sociedad de consumo, con su utilitarismo a ultranza, insaciable y malsano, producía. No es preciso a estas alturas describirlas con parsimonia, pues la prensa diaria se encarga de hacerlo todas las mañanas. Caigamos un instante en el tópico, sin embargo, dando paso a la consabida lista de nuestros infortunios: contaminación del medio ambiente (atmósfera, ríos y mares); escasez de materias primas, graves problemas energéticos, estallido demográfico, pobreza y explotación de los países subdesarrollados, etc. Y otra cosa no menos importante, aunque sí menos espectacular: *el creciente avasallamiento del individuo por el centralismo también creciente del poder del Estado*, cada vez más complejo y más necesitado de una asfixiante burocracia, y, lo que es peor, de una proliferación incesante de regulaciones por momentos más estranguladoras de la pura individualidad del hombre. No me extiendo tampoco sobre este punto, pues en un libro reciente lo ha hecho muy bien Fernando Savater [13]. Desde nuestros Reyes Católicos hasta hoy, sin una sola pausa, el Estado de los diversos países occidentales ha ido dando cumplimiento, en sucesivas etapas, a su secreto ideal, que no es sino éste: «todo el poder para el Todo», para decirlo con la feliz frase del mencionado autor.

Pero estos malestares, por graves que sean, no impiden (volveré sobre ello en un capítulo próximo) el aumento del individualismo, el cual, en nuestra definición (y sólo en nuestra definición) se relaciona con la conciencia que el hombre tiene de sí mismo (y con sus consecuencias inmediatas), cosa que, naturalmente, los sinsabores descritos no han podido menoscabar. Los viajes espaciales, los computadores cada vez más perfectos, los artilugios de toda índole de que hoy disponemos, etc., etc., al incrementar la racionalidad, intensifican el

---

[13] Fernando Savater, *Panfleto contra el Todo*, Barcelona, Dopesa, 1978, expecialmente págs. 23-26.

individualismo, aunque, por supuesto, si el horizonte verdaderamente se cerrara, si definitivamente no pudiéramos resolver los
problemas que hoy nos agobian, sobrevendría una sensación
de impotencia, y entonces, sí, el individualismo descendería.

Y justamente *es este individualismo el que, por ser tan alto
ya, convierte en insoportable la presión puramente utilitaria
con que el racionalismo del poder del Todo nos sojuzga*. La
parte se sabe, más que nunca, individuo, y protesta. No admite
su continua disminución, su incesante merma para servir con
más eficacia en el engranaje de la máquina social. No quiere
ser tan sólo la admirable pieza de un aparato admirable.
Desea *poderosamente* (individualismo) vivir *también* con aquellas de sus porciones que, si no favorecen la existencia del rebaño, producen a la persona un intransferible e indeclinable
deleite. No está probado, por ejemplo, que mi placer erótico,
aunque acaso sea socialmente improductivo, carezca de un
positivo valor. Lo tiene, y grande, aunque sólo a nivel individual [14]. El individualismo de los jóvenes de hoy se manifiesta,
pues, *como crisis intensísima del racionalismo* [15], y, consecuentemente, *como marginación*. Igual que los románticos com-
prendieron que cada poema tenía unas necesidades suyas, in-
transferibles, inexpresables en una formulación general, en una
«regla», los hombres de hoy empiezan a sospechar, con parecido

---

[14] Esto da cuenta del erotismo actual, pero también de algunas de
las costumbres indumentarias de nuestro tiempo, tendentes a resaltar, incluso en las personas del sexo masculino, los valores del cuerpo: trajes
ajustados, moda, hace años, de la minifalda, desnudismo. Claro está que
el desnudismo se relaciona también con la vuelta a la naturaleza (de la
que son igualmente muestras el hippysmo y el ecologismo) como reacción a los excesos de un tecnicismo deshumanizador (cuya causa, tal
como quedó insinuado, sería el utilitarismo de la razón racionalista: el
concepto de utilidad fue, como se sabe, uno de los más típicos del racionalismo dieciochesco).

[15] Recuérdese que este mismo fenómeno acontece, *a la sazón*, probablemente, en la estructura del capitalismo, que, al parecer, inicia una
descentralización, según vimos, lo cual supone la crisis de la razón racionalista que es siempre centralizadora, y su implícita sustitución por una
razón más alta y más precisa (la razón vital, la razón histórica, etc.), que
se interesa por lo puramente individual.

acierto, que las necesidades de cada individuo no deben ser coartadas desde arriba. Si los artistas de hacia 1800 se marginaron de la Preceptiva (primer momento de la crisis), los jóvenes de hoy pretenden marginarse de toda obstaculizadora imposición abstracta (momento final de la crisis susodicha iniciada en el Romanticismo).

Entendamos bien esta palabra, «marginación», que acabo de escribir, pues, en mi opinión, da nombre suficientemente preciso a lo que la generación que hemos llamado del 68, junto a la crisis hondísima de la razón instrumental y como manifestación o rostro de ella, siente como «realidad verdadera», cuyos «estímulos» materiales he intentado describir hace un instante. ¿De qué se marginan o piensan que deberían marginarse los jóvenes de hoy y también los menos jóvenes que experimentan, sin embargo, el mundo al unísono con ellos? La marginación se refiere, claro está, a la coerción implicada en las instituciones (las cuales son como materializaciones del tipo de razón repudiado): matrimonio, familia, universidad, lenguaje, «buenas maneras», y, en general, todo lo que suene a «convención» [16].

---

[16] Quedan repudiados todos los convencionalismos. En primer lugar, los del trato más o menos ceremonioso; pero también los de las costumbres indumentarias: propagación de vestimentas informales. Pasa lo mismo con los convencionalismos del lenguaje. Nada de eufemismos: al pan pan y al vino vino. Léase la prensa (especialmente, cómo no, la española); o léase a un poeta reciente (aún prácticamente desconocido): Irigoyen; o la literatura de Francisco Nieva, que, aunque de otra edad, participa de la cosmovisión juvenil (fenómeno, como sabemos, no infrecuente).

La desconfianza, por otra parte, hacia las instituciones universitarias, implica la desconfianza hacia los maestros. Ahora bien: esto último trae consigo la posibilidad (bastante mayor que en otras épocas) de la suficiencia y hasta de la pedantería en el joven, las cuales, desgraciadamente, no siempre han sido evitadas. Retirar el asentimiento al profesor (o al «senior»: por ejemplo, al padre) en cuanto encarnación de las instituciones, equivale a suponer que quien está en lo cierto es siempre el muchacho. «Las personas de más de treinta años», se ha dicho, «son poco de fiar». Adoración, por consiguiente, de lo juvenil como tal, con lo que se refuerza mucho en esta época la propensión de este mismo tipo, que venía creciendo desde el Romanticismo. (En efecto: la concepción progresista, nacida con la Revolución industrial, había situado el paraíso en el

Dentro de esto, el enemigo máximo, el Estado centralizador [17]. Pero tampoco complacerán a los más extremosos los partidos políticos, que, en definitiva, vigorizan a ese Estado, incluidos los de la oposición, cuyo propósito no es la destrucción del poder del Estado, sino la posesión de ese poder, al que por tanto han de desear amplia salud y larga prosperidad [18]. Y, por supuesto, habrá que marginarse, asimismo, como hacen, por ejemplo, los «hippies», del utilitarismo, de la avidez creciente de nuestra insaciable sociedad. Y como todo ello, insisto, es una sola cosa con el imperio todopoderoso de la razón racionalista o instrumental, los anteriores repudios se nos aparecen como meros capítulos o partes de la verdadera marginación: la que se halla referida a ese tipo de razón y a sus materializaciones concretas, que son las ya dichas. De cualquier modo, *el racionalismo y su peculiar forma de conocimiento habrá de cuestionarse.* Las partes arremeterán contra el todo. Es la hora, como dije en el capítulo V, de las «minorías», que asoman como «poderes»: «poder negro», «poder

futuro, del que los jóvenes son evidente promesa. La estructura de la sociedad de consumo y los manifiestos progresos de la técnica conducen a lo mismo: todo producto nuevo es necesariamente mejor, se piensa en consideración espontánea, que aquél al que viene a sustituir. Síntoma de la reverencia actual al joven: por primera vez en la historia, la moda procede, no de las clases pudientes, sino del mocerío).

[17] El descrédito del Estado (ya que el Estado centralizador es, por ahora, el único Estado a la vista) explica (aunque de ningún modo justifica) el terrorismo y, en general, la violencia, por desgracia tan extendidos hoy. Pues ambos fenómenos sólo podrían darse en un instante histórico en que empieza a sentirse que todo Estado es, en muchos sentidos, violento. El atractivo creciente que desde hace pocos años tiene el anarquismo y las actitudes libertarias para representantes muy significativos de nuestra hora es otra de las consecuencias posibles de ese mismo descrédito.

Hay aún otra razón, creo, para la violencia de nuestra sociedad actual; razón con la que tal vez se hallarían de acuerdo algunos psicoanalistas: la sensación de frustración que el hombre del momento presente (más individualista que nunca, no lo olvidemos, pero imposibilitado de ejercer la individualidad que siente en sí a causa de los excesos del Poder social omnipotente) ha de experimentar (pues sabido es que la frustración engendra violencia).

[18] Savater, *op. cit.*, pág. 28.

gay», «objetores de conciencia», «presos sociales», feminismo. La hora de las «regiones», «países», «nacionalidades», que quieren recuperar su autonomía, esto es, su cercenada individualidad, su ser íntegro, antes parcialmente perdido o acallado. Hasta la Iglesia busca, a través del Sínodo de los obispos, la descentralización, la cual, en formas distintas, por todas partes se siente como deseable [19] (sin exceptuar a los Estados Unidos).

Se ha descubierto que junto a la *utilidad* social o estatal existe la *calidad de la vida,* que es siempre la de cada uno de nosotros [20]. Se trata sólo de marcar al utilitarismo un límite, una frontera: la del respeto a las necesidades verdaderas del hombre. Lo que triunfa en estas nuevas nociones no es, por tanto (insisto de nuevo), una actitud meramente destructiva, de tipo antirracional. Si se va contra la razón instrumental, es en nombre de una razón más alta, la cual sólo admite la utilidad social en la medida en que cada hombre pueda seguir siéndolo en sentido pleno. Y este interés en recobrar la plenitud ontológica de lo que, siendo «parte», es primero «individuo», con unas urgencias suyas, irreductibles a las del conjunto, se habrá necesariamente de acompañar, y se acompaña, claro es, de la virtud de la *tolerancia* para admitir y querer en los otros, asimismo, el cumplimiento de su propia peculiaridad o destino. Si se desea el respeto para la propia divergencia, hay que empezar por respetar y ser solidario de la divergencia ajena. Esto explica un fenómeno curiosísimo, que puede percibirse en más de un poeta de la hora presente: el constituido por el hecho de que, no siendo los poetas de que hablo homosexuales en forma alguna, *lo finjan* a la hora de la protagonización poemática. No se trata, por supuesto, a mi juicio, de una hipocresía revesada, fruto exclusivo del esnobismo, sino de un acto solidario, o, si se quiere, de un «desafío» a los cercenantes intere-

---

[19] Acabo de leer en la prensa (octubre de 1979) unas declaraciones del Presidente francés Giscard d'Estaing referidas a Francia: «Ha llegado el momento de la descentralización», dice en ellas.

[20] La utilidad es uno de los fines de la razón instrumental; la calidad de la vida, uno de los fines de la razón vital: el cambio a este respecto responde, pues, a la crisis del primer tipo de razón.

ses de la inhumana totalidad. Es una protesta idéntica a la tan frecuente hoy del mozo rubio y acaso anglosajón que dispone sus cabellos según la moda «afro».

Lo dicho quizá explique, asimismo, el gusto que muchos jóvenes siguen sintiendo (aparte sus grandes valores) por la poesía de, por ejemplo, Luis Cernuda, cuyo estilo va, sin embargo, en muy diversa dirección a la de ellos. De este poeta admiran, ante todo, caso de que lo interpretemos bien, la denuncia de la hipocresía social, la marginación, la rebeldía frente al Sistema. Si su estética les puede acaso ser ajena, su ética les es profundamente afín.

Tal vez con esto se nos ilumine el sentido de la poesía de esta generación en España, así como el de una amplia zona de la poesía hispanoamericana, de la cual han sido Octavio Paz y antes Wallace Stevens cabezas visibles; o de su novela; pero también se aclara, creo, todo un sector de la poesía, el teatro y la novela de idéntico signo en el resto del mundo occidental. Por lo pronto, se nos pone acaso en evidencia el porqué del esteticismo (llamémoslo así) con que esta generación se inició (Gimferrer, Carnero) y que aún perdura. En alguno de sus miembros (Luis Antonio de Villena), plenamente; parcialmente, bajo forma de metapoesía, en otros. Se trata, en mi opinión, de la intensa conciencia de crisis que, según dijimos, afecta hoy a la razón instrumental, lo cual repercute en el modo que tienen estos autores (léase en España, digamos, a los citados Gimferrer y Carnero, pero también a otros —Jenaro Taléns—; fuera de España, al adelantadísimo Wallace Stevens, T. S. Eliot o a Octavio Paz y su larga estela, tal como insinué) de concebir el lenguaje, el poema y la posibilidad de que a través de él pueda o no conocerse la realidad. A partir de *El Sueño de Escipión*, todas las piezas de Carnero (y algo semejante podríamos decir, *mutatis mutandis* de los otros autores mencionados o aludidos) manifiestan, de un modo u otro, y responden a las siguientes ideas: 1.º Incapacidad de la razón para conocer la realidad concreta, que, de este modo, se nos escapa (en una sazón histórica, añadamos nosotros, en que nuestro gran individualismo hace que nos interesemos más que nunca por lo

individualizado, por lo concreto, lo cual convierte en decisivamente grave el hecho en cuestión). 2.º *Insuficiencia del lenguaje para ese mismo menester*, por lo que luego veremos (el lenguaje se halla al servicio del poder social, etc.). 3.º El poema,
por tanto, no intentará expresar la incognoscible realidad, sino
que, en principio, sólo pretenderá ser cifra de nuestra experiencia de ella. Pero tal pretensión fracasa siempre, no sólo
por las citadas deficiencias de la razón y del lenguaje; también
por las flaquezas y limitaciones de nuestra memoria. Recordamos, en efecto, muy fragmentaria e imperfectamene las cosas,
añadiéndoles no pocos ingredientes que las desfiguran, con lo
que el pasado se vuelve irrecuperable. Pero ocurre, además,
4.º, que, cuando poetizamos, incurrimos en una nueva falacia,
que consiste en disponer nuestros recuerdos y modificaciones
según las necesidades, conveniencias y convenciones de todo
cariz (tradiciones literarias, etc.), del poema mismo para que
éste lo sea, es decir, para que éste resulte poético o más poético.
La vida origina el impulso de que parte la obra, pero la obra
como tal procede de aquella «por vía de violencia» (como dice
Carnero en el poema «Sueño de Escipión», parte II): asegura
«la existencia de un orden» («Chagrin d'amour, principe d'œuvre d'art») mas no el acceso a la realidad. 5.º Consecuencia de
todo lo dicho será que el poema ostente un contenido *irreductible* y *propio*: la realidad dada en el lenguaje sólo en él existe.
Las palabras del poema nos remiten, en efecto, a un mundo
que no es el que el poeta ha vivido, sino otro que el propio hecho
poemático se ha encargado de construir. Dicho en frase distinta: el poema inventa su referente, del cual se constituye
entonces en mero reflejo.

Ahora bien: si todo ello es así; si el mundo práctico, e
incluso la experiencia de ese mundo, en cuanto incognoscible
por la razón y por el lenguaje, no pueden ofrecerse como objeto
de nuestros afanes estéticos; si éste consiste en mera ficción
(bien que verosímil, con todo lo que ello comporta —una relación de cierto tipo con la vida), fácilmente se colegirá que
ahora para Carnero (y para quienes comparten, con variaciones
personales, sus mismas ideas) *la ficción como tal* habrá de con-

vertirse en tema del arte. Quiero decir que el arte *ya no pretenderá darnos una ilusión de realidad,* como hasta ese preciso instante ocurría, sino al revés, *se hallará impulsado a demostrar a las claras su carácter precisamente ficticio, su índole no real.* Las novelas o las piezas teatrales, por ejemplo, se pondrán a narrar, en efecto, *cosas imposibles* (Italo Calvino, Günter Grass, García Márquez, Francisco Nieva, Gonzalo Torrente Ballester, etc., etc.). Los escenógrafos acentuarán la *visibilidad* del artificio de que se sirven, haciendo, entre otras cosas, por ejemplo, que los propios actores sean los encargados de poner y quitar a la vista del público el decorado y los objetos escénicos. Los poetas harán metapoesía y dirán, en el interior de la obra, que lo que han hecho *es un poema,* o aludirán a las operaciones creadoras, al sentido del arte, a sus relaciones con la realidad, etc. [21]. Los pintores acaso tracen un retrato, pero,

---

[21] Ya que en este libro hemos aludido a las relaciones entre el arte y la filosofía o la ciencia, no sobrará que, al menos en nota, diga algo respecto de la filosofía que se corresponde con la actitud metapoética de la generación del 68. Creo que se trata del llamado «Análisis filosófico», que tan en boga ha estado, y no por casualidad, en estos últimos años, aunque algunos de sus representantes hayan nacido mucho antes (Wittgenstein, en 1889; Moore, en 1873; Ryle, en 1900; Carnap, en 1891). Lo que importa es el prestigio, de algún modo excluyente, que ahora alcanzan tales pensadores, o, en otro sentido, Nietzsche, y cómo, en cambio, se arrinconan o desdeñan los filósofos «especulativos». El auge de Nietzsche se comprende enseguida, en cuanto nos percatamos de lo que la época presente tiene de protesta contra los convencionalismos, mitos e hipocresías de la sociedad, los cuales tanta hostilidad despertaban también en el escritor alemán, que fue, ante todo, un desenmascarador.

La moda del análisis es, asimismo, muy comprensible. Nace, creo, de la misma cosmovisión que ha dado origen a la poesía de varios poetas del 68 (Carnero, etc.), pues responde, como ella, a una grave desconfianza frente a las posibilidades de la palabra humana. Los «analíticos» hablan, en efecto, de «los embrollos causados por las complejidades del lenguaje ordinario». La filosofía, para ellos, ha de limitarse, consecuentemente, al examen de las proposiciones, para descubrir si éstas cumplen o no las condiciones indispensables que la veracidad precisa. Lo mismo que Gimferrer o Carnero convierten el poema, durante cierto estadio de su evolución, en una meditación sobre el lenguaje poético, sobre las deformaciones que ese lenguaje introduce en nuestra aprehensión de la realidad, los «analíticos» convierten la filosofía en una meditación sobre deforma-

tras eso, tal vez lo tachen con unas gruesas aspas o de otro modo cualquiera, con lo cual tal obra ya no pretende expresar *una realidad,* sino sólo justamente, *la representación como tal* de una realidad. Lo que se expresa es, en efecto, el hecho de que aquello *es un cuadro,* un cuadro alevosamente agredido (el cual, sí, expresa, por su parte, una realidad). Se explica del mismo modo el esteticismo y culturalismo con que se inició en España la generación de Carnero y Gimferrer, puesto que ahora el interés no va hacia la realidad, sino *hacia la ficción,* esto es, hacia el arte *como tal* y lo artístico. Según se ve, este esteticismo o neoesteticismo de los jóvenes nada tiene que ver ni con el esteticismo romántico, ni con el esteticismo, muy distinto, de los parnasianos y modernistas, tal como lo hemos descrito [22]. Salgo con esto al paso del error tan frecuente entre ciertos críticos de la nueva poesía, que han creído ver algo como modernismo en las actitudes culturalistas de ella, a base de ciertas evidentes coincidencias formales. El esteticismo de Carnero, Gimferrer y de cuantos en España vinieron tras la irrupción de ambos en la literatura (por ejemplo, Luis Antonio de Villena), dista tanto del esteticismo de Gautier, Wilde y De Quincey [23] como el realismo existencialista o paraexistencialista de la posguerra podía distar del realismo positivista de Zola. (*Claro está que otros jóvenes obtienen consecuencias diferentes a éstas del mismo «foco» generacional*).

Pero aún hay otra importante consecuencia de la nueva concepción en este momento cultural. El arte no tiene por misión, dijimos, representar el mundo real, en el sentido que sabemos, sino *representar,* desenmascarándolo, *el acto mismo de representar.* Y cuando no, se tratará de un mundo diferente al objetivo, un mundo de muy particular entidad, el que aparece en los versos, aunque se relacione de varios modos con la vida. Bien. Pero ¿en qué puede consistir esa «particular

---

ciones equivalentes, en el área del pensamiento, introducidas por el lenguaje filosófico. Me parece difícil hallar una semejanza más evidente entre dos esferas tan distintas de la actividad humana.

[22] Véanse las págs. 487-491.
[23] Véanse las págs. 488-489.

entidad», aparte lo ya dicho? La cosa está clara: se tratará, por ejemplo, de la experiencia que tenemos de la vida, *pero modificada ésta* por las debilidades, traiciones y alucinaciones de nuestra memoria; por los convencionalismos y necesidades del poema mismo que escribimos (ritmo, rima, estructura poemática, módulos expresivos propios de la escritura de nuestro tiempo, tradición literaria en la que nos insertamos, etc.); y también por los límites mismos del lenguaje usado, que no son pocos, y, como veremos pronto, por el hecho de que tal lenguaje es un código al servicio del poder social. El recuerdo, *pero tal como puede ser conocido a través de tan deficientes instrumentos*, será ahora uno de los temas que más pueden interesar al poeta:

> De nuevo oigo su voz
> poco a poco apagándose hacia el amanecer...
> ......
> con la mirada lúcida del constructor de frases.

Naturalmente, las criaturas o cosas de que se habla (y eso es lo más peculiar) aparecerán, no como las podemos percibir en la objetividad, sino como son de hecho *en nuestra psique*, al ser evocadas por nosotros, *con todos los cambios*, a veces grandes, que en ella introducen los factores que he dicho:

> En un claro del bosque
> está sentada al borde de la fuente
> con blanquísima túnica que no ofrece materia
> que desgarrar a la rama del espino.
> Corro tras ella sin saber su rostro
> pero no escapa, sino que conduce
> hasta lo más espeso de la fronda
> donde juntos rodamos entre las hojas muertas.
> Cuando la estrecho su rostro se ha borrado
> la carne hierve y se diluye: el hueso
> se convierte en un reguero de ceniza [24].

---

[24] Guillermo Carnero, «Ostende», en *Ensayo de una teoría de la visión*, Madrid, ed. Peralta, Col. Hiperión, 1979, pág. 206.

La protagonista del poema no está vista por el poeta en la realidad, sino en el recuerdo. Pero ese recuerdo se halla deformado y configurado *de un modo voluntario*, por la tradición literaria caballeresca («blanquísima túnica», tela finísima, motivo de la dama misteriosa hallada por el cazador que persigue una pieza). Además, y sobre todo: como el recuerdo es frágil *y se borra*, ella aparece también borrada, extinta, muerta («la carne hierve y se diluye: el hueso se convierte en un reguero de ceniza»). Nótese, pues, que esa «muerte» no se corresponde con nada de un posible referente objetivo: expresa algo —borrarse— *que sólo es cosa de la remembranza*. En este caso, resulta especialmene interesante resaltar la peculiar técnica utilizada por el poeta. Pues como se habla de «muerte», toda la composición está llena de símbolos heterogéneos que aluden irracionalmente a esa noción. Repase el lector la pieza completa, pues aquí no copio el contexto al que me refiero. Hallará en él, desde su mismo arranque, un encadenamiento simbólico de la especie indicada: «hojas muertas»; «grava fría», «hoja de un cuchillo», «sábanas lentas empapadas de noche»; «oscuridad de las cavernas»; «cuerpos agotados»; «cuando duermes»; «dos bueyes que remontan la colina» (los «bueyes» connotan «lentitud», y de ahí pasamos al simbolizado «muerte»); otra vez «senderos de hojas muertas»; «salón de baile abandonado»; «lloran los tritones»; «nieve»; «fuentes heladas»; «reposo»; «cama deshecha»; «viejos opiómanos del siglo XIX» [25]. Lo que importa destacar es que, de este modo, *todo el poema, desde su comienzo*, está técnicamente encaminado a expresar algo (la

---

[25] Se trata, en efecto, de símbolos, pues las asociaciones (a veces asociaciones en serie) que provocan no son conscientes, y sólo se hace lúcida la emoción del último término (no el último término como tal). He aquí algunos de los procesos desencadenados:

bueyes [= lentitud de esos bueyes = lentitud = quietud = muerte =] emoción de muerte en la conciencia

nieve [= frialdad = **muerto** = **muerte** =] emoción de muerte en la conciencia

oscuridad de las cavernas [= oscuridad = no veo = tengo menos vida = me aproximo a la muerte = **muerte** =] **emoción** de muerte en la conciencia, etc.

extinción de la vivencia evocada) *que no pertenece al mundo de la objetividad.*

Puede comprobarse la mucha significación que el procedimiento tiene leyendo, por ejemplo, a Gimferrer. Sus últimos libros, *Tres poemes, L'Espai desert*, utilizan incesantemente el mismo procedimiento (importancia de la memoria) que acabamos de examinar en Carnero, y ocurre que también las realidades nombradas se dan cita allí, con frecuencia, trastocadas y otras a causa de los fenómenos que he señalado como propios de la rememoración, tal como la entienden estos poetas:

> Tornarem a la nit, a la postal guixada
> amb els colors de plom d'una alba lívida
> les clapes de sol, fredes en una claror sorda
> a les aigües del riu, els ponts de fosquedat,
> la campana de llum fosa de la tardor,
> aquests carrers viscuts fa temps, en una escena
> gasosa, com un doble del nostre temps real,
> y tornarem a veure aquell guant verd de seda
> a l'or de la portella del carruatge mort,
> les perles al turbant de la deesa
> i els fulgors xarolats de la nit als hotels.
> Es una estampa de litografia
> en un paper que s' esmicola, lent
> com les fulles que cauen en un somni [26].

---

[26] Volveremos a la noche, a la postal tiznada
con los colores de plomo de un alba lívida,
las manchas de sol, frías en una claridad sorda
en las aguas del río, los puentes de oscuridad,
la campana de luz fundida del otoño,
en estas calles, vividas tiempo atrás, en una escena
gaseosa, como un doble de nuestro tiempo real,
y volveremos a ver aquel guante verde de seda
en el oro de la portezuela del carruaje muerto,
las perlas en el turbante de la diosa
y los fulgores charolados de la noche en los hoteles.
Es una estampa de litografía
en un papel que se hace trizas, lento
como las hojas que caen en un sueño.

Doy la traducción del propio Gimferrer: «L'Espai desert», X, en su libro *Poesía* 1970-1977, *ed. cit.*, pág. 227.

Como las cosas sólo aparecen en cuanto objeto de la evocación que de ellas realiza el poeta, se afectan de la naturaleza neblinosa de ésta: surgen calles «vividas tiempo atrás», en una «escena gaseosa»; el carruaje está «muerto» (por los mismos motivos por los que había «muerte» en Carnero); «es una estampa de litografía en un papel que se hace trizas», puesto que en parte se halla carcomido y roto por el olvido; la escena recordada es lenta «como las hojas que caen en un sueño»: tal lentitud no es cosa de la objetividad, sino resultado de las operaciones a que la vivencia se encuentra sometida.

Pero puede llegarse a más: cabe que la escena sea inventada (parcial o totalmente: el poeta no aclara este punto):

> La menti en blanc, amb claredat celest
> d'alt zodiac encès: cúpula buida,
> blava y compacta, forma transparent
> recer d'una forma. Aïxí em retrobo
> aquest carrer. Ni hi és, ni hi era:
> ahora existeix, en livitació,
> perque la ment l'inventa [27].

La calle, al ser fruto de la imaginación «no está ni estaba: ahora existe en levitación porque la mente la inventa». No son éstas las propiedades de una calle objetiva, sino sólo las que una calle puede tener al ser pensada por la fantasía, y en cuanto que se sitúa en ésta. Pues no se trata tampoco de un simbolismo de irrealidad. Los símbolos irreales *se refieren siempre*, aunque a través de asociaciones irracionales, a *algo que se supone real.* Aquí no: la «levitación» de la calle, etc.,

---

[27]   La mente en blanco, con claridad celeste
         de alto zodíaco, encendido: cúpula vacía,
         azul y compacta, forma transparente
         al abrigo de una forma. Así vuelvo a encontrar
         buscando esta calle. Ni está ni estaba:
         ahora existe, en levitación,
         porque la mente la inventa.

Traducción de Gimferrer, «Nit d' abril», en *Tres poemes, ibid.,* páginas 168-169.

no simboliza ni dice nada, en principio, acerca del mundo
objetivo: es una propiedad que la calle posee *de verdad*, pero
sólo en la mente.

Mas ¿no se daban también modificaciones subjetivas de
esta misma naturaleza en el impresionismo (por ejemplo, en el
impresionismo de Juan Ramón Jiménez)? No hay duda de que
el predominio de la impresión durante esa época hacía que a
veces las cosas no compareciesen en el poema tal como eran
en la objetividad, sino tal como surgían en la impresión. El
poeta y su amada se besan:

> Nuestros ojos cercanos
> se ponían más grandes que la mar y que el cielo [28].

> Entre la sombra verde y azul que hace más grande
> el jardín [29].

Ni los ojos aumentan realmente de tamaño al aproximarnos
a ellos, ni el jardín se hace mayor «entre la sombra verde y
azul». Ahora bien: como al impresionista no le importa la objetividad; como atiende únicamente a la impresión, dará salida
(por primera vez, en cierto modo) en su arte a ilusiones ópticas
semejantes a las citadas, y, en general, a ilusiones psicológicas
e intelectuales de todo género. Por eso, en la novela de Proust
(impresionista, claro está) desaparece la omnisciencia (esa
desaparición es una de sus grandes aportaciones al arte narrativo), que tanto había caracterizado a todos los novelistas anteriores. El autor francés se limita a darnos su mero *parecer*
sobre los personajes; parecer que, claro está, puede ser erróneo (como en los casos mencionados de Juan Ramón) y que
con frecuencia lo es. Y así, Marcel piensa al principio que su
amigo, el Marqués de Saint-Loup, es un mujeriego; sólo mucho
más tarde se entera de su realidad homosexual. Algo semejante
le ocurre con el Barón de Charlus: las extrañas reacciones psicológicas de éste son interpretadas primero por aquél como

---

[28] Poema 116 de la *Segunda Antolojía Poética*.
[29] *Ibid.*, poema 125.

resultado de un aristocrático orgullo; después averigua su verdadera causa: el disimulo que el personaje se impone frente
a los demás por lo que toca a sus inclinaciones amorosas, diri-
gidas también, como las de Saint-Loup, hacia personas de su
mismo sexo.

El sistema de Carnero y Gimferrer, y de cuantos están en su
misma onda, ¿coincide, pues, en este punto, con el impresionismo? Evidentemente, no, y ello por varias razones. En primer
lugar, porque la causa que opera en ambos casos difiere profundamente. En el impresionismo, la deformación respecto de la
objetividad, introducida en las cosas, procede de la importancia concedida, por esa escuela, permítaseme repetirlo, al mundo intrasubjetivo. Entre los jóvenes actuales, tales deformaciones se deben, en cambio, a la crisis de la razón instrumental,
a la crisis del racionalismo, la cual hace, según sabemos, que se
considere incognoscible el mundo de la estricta experiencia.
Pero, a mayor abundancia, tampoco es idéntico el objeto mismo
deformado. Los impresionistas, en cuanto tales, son *realistas*
de la impresión y, además *actualistas:* expresan *tal como es*
la huella dejada ahora en su psique por las realidades; sólo
que al mirar o al sentir sufren ilusiones y engaños. Entre los
poetas que estamos considerando no se trata de la impresión
actual, sino de la *deformación* que, precisamente, esa impresión actual sufre, con el paso del tiempo, en la memoria. El
impresionista es fiel a la impresión, aunque no a la objetividad,
y eso se hace evidente de modo especialmente claro cuando la
impresión se aparta de ésta a causa de una ilusión óptica, psico-
lógica o intelectiva [30]. Los poetas hoy jóvenes ni son fieles a la
objetividad ni a la impresión (doble infidelidad, además, muy
distinta a la también doble que resultó de la tendencia perfec-
cionista y arquetípica que fue propia de los poetas puros. Los
jóvenes de que hablamos no buscan el arquetipo. Nos hallamos,
con ellos, en otro orbe).

---

[30] Recuérdense los ejemplos de la pág. anterior.

LA METAPOESÍA COMO REBELDÍA CONTRA EL PODER

Pero la metapoesía no es sólo un modo de expresar el carácter imaginario y no real del arte (en otro sitio he intentado mostrar que esa expresión, tal como la he descrito aquí, es simbólica); se manifiesta, además, como acusación y repudio de la razón racionalista o instrumental.

He dicho, en efecto, por un lado, que Carnero elabora, desde *Dibujo de la muerte* (y explícitamente desde *El sueño de Escipión*) una visión o teoría del problema de la creación y del lenguaje en función de la incapacidad de éste para reflejar la realidad experiencial de la que parte la construcción poemática. Pero, por otro lado, hemos definido la conciencia colectiva de la joven generación como negación y crítica de las pretensiones uniformadoras con que opera el Poder respecto de la organización social en la que se encuentra inmerso todo individuo, y, por tanto, también el poeta (quienes han de vivir, sin embargo, como algo intransferible y propio, su vida única[31]). Deseo poner en evidencia ahora que ambas cosas son una misma cosa. Pues el lenguaje, en su sentido estrecho (el idioma con el que hablamos y escribimos) y en su sentido amplio (el código gestual, el complejo psíquico de aceptación y repudio de ciertos comportamientos y valores) se halla, en alta proporción, gracias a su control monopolístico de los medios de comunicación, dominado y aherrojado por el Poder, mediante una imposición que resulta tanto más autoritaria cuanto más inconsciente e imperceptible nos sea. Es claro, pues, que, desde este punto de vista, toda crítica a la potencia deformadora de la realidad y la experiencia que posee el lenguaje en cuanto código dominado y manipulado por el Poder *se convierte de suyo en una manifestación, no sólo de insolidaridad, sino de franca rebeldía contra ese Poder deshumanizador.*

---

[31] Es significativo que de una mujer que optaba por desentenderse de los convencionalismos procedentes del Poder social se dijese que optaba por «vivir su vida».

Rebeldía que, mostrándose, para el caso del poeta, en el terreno vital que a éste es propio, es decir, en el uso del lenguaje, no deja de ser concomitante y afín a la rebeldía que para esta época hemos detectado en otras zonas del cuerpo social, que son, además, también, en sentido amplio, «lenguajes», y, para mayor semejanza, lenguajes reprimidos, asimismo, por el Poder: no hay duda, por ejemplo, de la rebeldía que se ha iniciado hoy, según ya dije, contra el lenguaje de las normas restrictoras del cuerpo y del placer, en la medida en que el Poder codifica determinadas respuestas positivas (matrimonio, heterosexualidad, procreación). Y no hay duda tampoco de la actual rebeldía contra otros «lenguajes»; por ejemplo, contra el lenguaje político, en la medida en que el Poder establece falsas y maniqueas alternativas en orden a fines colectivos igualmente sofísticos; alternativas conducentes todas, en su apriorístico y calculado tautologismo, a la conservación, precisamente, de ese Poder de que hablamos.

Quiero decir con esto que *el planteamiento de la poesía como metalenguaje lleva implícita una voluntad de rechazo de los mecanismos uniformadores, deshumanizadores y represores del Poder,* ya que el sometimiento y esclavización del lenguaje por el Poder (en cuanto que el Poder detenta y trasmite, a través del lenguaje —mediante el terrorismo blanco de su impalpable pero eficacísimo influjo, tal como lo he descrito hace un instante—, la acuñación de los valores, represiones y permisividades de una colectividad), esa esclavización, repito, viene a ser la forma más sutil (y por tanto, más difícil de neutralizar) de sujeción, inhibición y destrucción de lo individual. El Poder social actúa entonces con siniestra mansedumbre e invisibilidad. No reprime por la fuerza los deseos que, desde su particular e interesado punto de vista, aparecen como reprobables; al revés, se solapa, como tal Poder social, por debajo de la conciencia de cada uno de nosotros, para instalar en ella, clandestinamente, la horrenda jurisdicción superyoica, que, pese a su carácter foráneo, aparece como perfectamente personal y, por tanto, dotada de máxima capacidad de convicción. El castigo y la censura surgen como autocastigo y autocensura, haciéndose, en consecuencia, inasequibles e inalterables respecto a nosotros, pues se colocan más allá de toda crítica por nuestra parte. De este modo, los impulsos y los instintos quedan filtrados a través de un cedazo, por el que sólo pasan los materiales que obedecen la ley del *statu quo*, o bien aquellos otros que, suponiendo una liberación aparente, pueden ser desactivados por el Poder de su carga explosiva, convirtiéndose, de tal forma, en mecanismos de compensación lúdica (como las Fiestas de Locos medievales), que, al auspiciar una satisfacción, marginal y superficial, no destruyen sino que apuntalan aquello contra lo que parecen dirigirse.

LOS FOCOS SECUNDARIOS DE LOS PE-
RÍODOS BREVES O GENERACIONALES

Todo lo anterior va referido a lo que sea, desde la Edad Media hasta hoy, la «verdadera realidad» en cada uno de esos extensos períodos cronológicos que hemos denominado «épocas». Y si nos hemos encarado, más extensamente, como tramo final de nuestra trayectoria, con una mera «generación» (la que denominábamos del «68»), es porque creo que nos hallamos, con ella, en el inicio precisamente de una «época», dentro, probablemente, de una «edad» nueva, la Poscontemporánea, caracterizada por la crisis definitiva de la *centralizadora* razón instrumental, cuya forma visible, la de esa crisis, es, justamente, la tendencia *descentralizadora*. Para hacerlo ver, hubimos de desarrollar, en esquema, la cosmovisión misma, ya que no habíamos estudiado aún, en el presente libro, este episodio último de nuestra cultura. Ahora bien: caso de que descendiésemos a pormenores verdaderamente «generacionales», obtendríamos resultados diversos, en cierto modo, a los estipulados para las «épocas» (aunque, claro está, complementadores, en el sentido que sabemos, de estas últimas). Y es que, según sentábamos más arriba, una cosa es, en efecto, el foco secundario de las épocas y otra, el foco secundario de las distintas generaciones que dentro de ellas se van sucediendo.

¿En qué sentido se produce la diferencia? Se trata, ante todo, con frecuencia, de una cuestión de grado —luego veremos otra posibilidad—: el foco secundario de la época (o el de la edad) se va dando *en dosis crecientes* (pues el individualismo es también progresivo) a través de todo el largo período que consideramos. Y ocurre entonces que la dosis específica que corresponde a cada uno de los momentos «breves» en que, sucesivamente, aquel largo período se descompone, actuará de foco secundario «generacional». Ahora bien: como el grado con que se produce una realidad espiritual es cosa gaseosa, incoercible y fantasmal, y se nos hace de dificilísima o imposible intuición, como no sea a través de sus inmediatos consiguientes (esto lo hemos visto ya con respecto al grado de individualismo), es preferible, a efectos prácticos, ceder el nombre de «foco secundario» de la generación de que se trate a la *primera* consecuencia cosmovisionaria que, dentro de tal sistema generacional (y no, claro está, por definición, dentro de los otros anteriores), haya sido engendrada por la dosis específica con que se produzca, a la sazón, el foco secundario de la «época» (o el de la «edad»). Esa consecuencia resultará perfectamente caracterizadora, en cuanto que se da *exclusivamente* en tan preciso momento histórico, y, en correspondencia, habrá de aparecer como de fácil manejo por el crítico y de percepción evidente por el lector.

Tomemos como ejemplo de todo ello la «época contemporánea». Hallamos que uno de sus focos secundarios es *el mundo intrasubjetivo*. A lo largo de tan amplio período podemos determinar cuatro generaciones: la parnasiana o modernista (parnasianismo francés, Heredia, etc., con su maestro Leconte de Lisle a la cabeza; modernismo hispano: Rubén Darío, etc., Valle-Inclán); la generación simbolista (equivalente a la de los simbolistas franceses: Machado y el primer Juan Ramón); la de la «poesía pura» (equivalente a lo que en Francia representó Valéry: segundo Juan Ramón, Salinas, primer Jorge Guillén —el de los dos primeros Cánticos—) [32]; y la superrealista

---

[32] Véase el capítulo XII, pág. 269; véase asimismo Carlos Bousoño, «Nueva interpretación de 'Cántico' de Jorge Guillén (el esencialismo juan-

(lo que en Francia fueron Breton, Aragon, Éluard, etc., son en España Aleixandre, Cernuda, Lorca, Alberti, y, en la América de lengua española, Neruda). Pues bien: en el Parnasianismo y Modernismo, uno de los focos secundarios es *la impresión estética*, es decir, el arte, estimado por encima de la vida y de la naturaleza; y hemos comprobado con facilidad, en otro capítulo, que, en la generación simbolista, el foco secundario más importante es *la impresión*, tal como ésta nace en nosotros; y que, en cambio, en la generación de la «poesía pura», tal foco era, no la mera impresión, sino *la impresión ascensionalmente modificada*, llevada a una idealizante *perfección*. La generación superrealista irá más lejos aún en este intrasubjetivismo, y declarará «realidad verdadera» a los procesos mentales asociativos de la memoria involuntaria, de los que se seguirá de inmediato nada menos que la técnica fundamental de la escuela en cuestión: el uso de la llamada «escritura automática» y su especial modo de engendrar los símbolos.

En resumen: si en este caso juntamos el Parnasianismo al Simbolismo (pues en lo que respecta al intrasubjetivismo la diferencia entre esos dos momentos no se ofrece como esencial), tendríamos que los focos secundarios de cada uno de los tres momentos resultantes representa *tres grados distintos de la intrasubjetividad*. La realidad verdadera (la realidad estéticamente interesante) se va interiorizando, en efecto, *cada vez más*. En el capítulo próximo, volveré sobre ello, y entonces será el momento de hacerlo ver (espero que claramente).

Y ya que hemos tomado como ilustración de nuestra tesis los focos secundarios de los períodos más breves en su relación con los focos secundarios de la «época», tomemos ahora otro ejemplo de lo mismo, pero ampliando el panorama hacia los focos secundarios de la «edad».

Sabemos ya que uno de los focos de esta especie propio de la Edad Contemporánea es la atención a la individualidad de los seres y a la realidad concreta, frente a cuyo conocimiento

---

ramoniano y el guilleniano)», en *Homenaje a Jorge Guillén*, 32 estudios crítico-literarios sobre su obra, Madrid, ed. Ínsula, 1978, págs. 73-95.

se estrella la razón instrumental o racionalista. A partir del Romanticismo, dijimos, este tipo de razón entra en una crisis cada vez más profunda, uno de cuyos estadios de ahondamiento sería, precisamente, la generación superrealista. Podemos decir entonces que el grado de interés por el individuo que corresponde al instante en que hace eclosión ese movimiento artístico y literario, *en cuanto que tal interés lleva aparejado el descrédito de la razón instrumental,* se constituye como uno de los focos secundarios del movimiento en cuestión. Y volvemos aquí de nuevo a tropezar en el escollo más arriba avistado. ¿Cómo llegar a colegir tal graduación, que es de suyo impalpable y escurridiza? La respuesta nos es ya conocida, pero la vuelvo a reiterar: sólo se logrará ese cometido a través de la derivación cosmovisionaria en que haya proliferado de inmediato la graduación de marras, derivación primera que se erigirá, de hecho, entonces, en el auténtico foco cuya determinación pretendemos.

Veamos, pues. Como la razón abstracta queda en ese lapso histórico desestimada, surgirá en él un gusto nuevo *por los componentes no racionales del hombre.* Se afirmará así todo lo que en las criaturas de nuestra especie pueda ser considerado como primario, instintivo o pasional, deprimido antes por el utilitarismo de aquel tipo de razón, pero que tiene motivos, «razones» (razón vital) para existir, y por extensión representativa, interesará, asimismo, ahora cuanto en el mundo aparezca en calidad de símbolo de esas cualidades básicas. *La elementalidad* en todos sus aspectos será, pues, una porción fundamental de la «realidad verdadera» que se ha de hallar presente en todos los genuinos miembros de la generación (no del grupo) del 27 [33]. Y así, la exaltación de lo elemental en el Aleixandre de sus siete primeros libros es indudable, y fue señalado por mí hace ya muchos años en mi libro sobre el poeta [34]. En Luis

---

[33] Jorge Guillén y Pedro Salinas son, por edad y por cosmovisión, miembros del instante inmediatamente anterior al superrealismo; esto es, miembros —y muy característicos— de la «poesía pura», aunque pertenezcan al «grupo» del 27.

[34] *La poesía de Vicente Aleixandre,* Madrid, 4.ª edición (3.ª de Gredos), Madrid, 1977, págs. 47-68.

Cernuda, ese mismo ingrediente cosmovisionario radical se convierte en el «deseo», de que tanto se habla en toda su obra, formada por el conjunto titulado, precisamente, *La realidad y el deseo*. En Neruda, de modo parejo, se privilegia el erotismo y se denigra lo artificioso (lo mismo que en Aleixandre, aunque éste muestra al respecto una concepción más compleja y rica). En Lorca, en forma semejante, se mitificará al gitano frente al guardia civil; al negro americano, frente a la civilización deshumanizadora; a la poesía popular; al folklore; al mundo del niño —canciones infantiles—; a la sensualidad libre, etc. No sería difícil probar lo mismo, pues ello es palmario, para el caso de los superrealistas franceses (Breton, Aragon, Éluard, etc.), y para el de sus equivalentes en otras literaturas.

Vayamos ahora al estadio inmediatamente posterior, la época realista de la posguerra, en que se inicia, en nuestro criterio, la Edad Poscontemporánea. Nos interesa de un modo especial la reflexión al propósito de tal momento literario, pues tendremos así la ocasión de observar en él un modo diferente de ofrecerse a nuestro análisis un único foco secundario (el de «época») en sus distintas versiones «generacionales». Sabemos ya que, en el nuevo tiempo, la «verdadera realidad» es la noción situacional, la consideración del yo en la circunstancia o mundo. Dentro de esto, ¿en qué diferirán las dos primeras generaciones con las que tal tiempo echa a andar? Lo que hace cada generación es acentuar, de modo especialmente intenso, uno solo de los dos términos (los subrayados) de la fórmula, en relación, *esta vez directa*, con el distinto grado de individualismo, como se nos hará notorio en el capítulo próximo. La generación inicial (la de los nacidos entre 1909 y 1923) otorga más valor al elemento *sociedad* que al elemento *yo*; la generación segunda (la de los nacidos entre 1924 y 1938) hará exactamente lo contrario: exaltará al *yo* por encima de la *sociedad*, pero sin desdeñar ésta, con las consecuencias que intenté determinar en el prólogo al libro *Poesía* de Francisco Brines [35].

---

[35] Carlos Bousoño, «Situación y características de la poesía de Francisco Brines», en el libro *Poesía* de éste (Barcelona, Plaza y Janés, 1974, páginas 11-94, especialmente págs. 14-16 y 23-33).

(Lo que ocurre en la tercera generación —la de los nacidos entre 1939 y 1953—, la generación «marginada», o de «1968»), lo hemos dicho ya, por lo que ahora podemos ahorrarnos la explicación.)

CapÍtulo **XXIV**

EL CRECIMIENTO DEL INDIVIDUALISMO

EL CRECIMIENTO DEL INDIVIDUALISMO
DESDE EL ROMÁNICO AL SIGLO XVIII

Otra importante cuestión es la que surge al preguntarse en qué sentido los sucesivos focos secundarios y las cosmovisiones que desde la Edad Media hasta hoy mismo se han ido sucediendo en la configuración de la cultura occidental resultan postuladores de un individualismo cada vez más alto. Creo que para verlo basta con repasar algunas de las conclusiones a que llegábamos más arriba.

En efecto: Que el Gótico supone un individualismo mayor que el Románico es, a todas luces, evidente, en cuanto recordamos que en el Gótico se confiere por primera vez *a los individuos* la noción de realidad (la «forma sustancial» de los filósofos), que antes, en el Románico, se reservaba, con exclusividad, *a los géneros*. Pero esta afirmación del individuo humano (y, por tanto, del sentimiento individualista) llega más lejos en el Renacimiento, pues entonces implica la secularización de la cultura, cosa que no ocurría visiblemente aún en el período anterior: *el individuo se afirma tanto que empieza a sentirse autosuficiente*. Un paso más y nos hallamos en el Barroco (dando este nombre, también aquí, al conjunto formado por el Manierismo y el Barroco propiamente tal). El crecimiento del individualismo se percibe ahora por todas partes.

En efecto: se nota ya decisivamente en el fuerte incremento del racionalismo; pero igualmente en el incremento paralelo del subjetivismo: el mundo queda referido al yo, que es lo que radicalmente cuenta en el *cogito* cartesiano. El gusto por lo individual es tan fuerte, además, que la aspiración a aparecer como distinto, como original, como distinguido y superior se hace, paradógicamente, casi colectiva [1]. Juzgado con este último criterio, el siglo XVIII podría ser tachado de menos individualista, ya que, en tal fecha, la pretensión no es de ningún modo la originalidad. Estamos en el momento de las imperaciones de la Preceptiva, de los modelos grecolatinos, de la autoridad de Aristóteles en la literatura. Surgen, por otra parte, en el horizonte del momento, los conceptos de igualdad, de fraternidad...

---

1 Nos trasmite Mariana que, en su época, hasta los sastres y los zapateros querían vestir como los nobles (Ludwig Pfandl, *Historia de la literatura nacional española en la Edad de Oro*, Barcelona, Sucesores de Juan Gili, 1933, pág. 266). Juan de Robles, en *El culto sevillano*, cuenta, por su parte, cómo un aprendiz de zapatero fue reprendido por un clérigo en el más altisonante estilo culterano; y cómo en ese mismo estilo se producía un estudiante y hasta un moribundo (Bibl. Andal., vol. XIV, páginas 145 y 37 respectivamente; véase M. Herrero-García, *Estimaciones literarias en el siglo XVII*, Madrid, ed. Voluntad, 1930, págs. 344-345). Pidal habla de la literalización del habla común en el siglo XVII y del influjo de Góngora hasta en la conversación, *pues todos querían parecer cultos e ingeniosos*. El hecho está documentado en numerosos autores: Vázquez Siruela, Jiménez Patón, Quiñones de Benavente, Lope de Vega, Quevedo, Calderón, Fray Jerónimo de San José, Juan de Robles, Valentín de Céspedes, Moreto, etc. (Ramón Menéndez Pidal, «Literalización del habla común», en *España y su historia*, II, Madrid, ed. Minotauro, 1957, páginas 524-539). Para el influjo del habla culta en las mujeres del siglo XVII véase el libro arriba citado de M. Herrero García, págs. 345-352. El vulgo admiraba la dificultad y el lenguaje oscuro, como nos dice Lope (en «*El arte nuevo de hacer comedias*», versos 22-25, y en su comedia *El marido más firme*) y Castillo Solórzano (en *Tardes entretenidas*, Madrid, 1908, pág. 312). Por su parte, Dámaso Alonso nos ha hecho ver cómo Lope, al comprender que el éxito de Góngora se debía, en parte significativa, a su dificultad, busca un estilo también hermético, aunque por el diferente camino de una supuesta profundidad de pensamiento (Dámaso Alonso, «Lope de Vega, símbolo del barroco», en *Poesía española*, Madrid, ed. Gredos, 1950, págs. 487-497).

¿Cómo podríamos explicar, desde nuestra doctrina, todo esto? Los hechos descritos no deben desorientarnos. La genial pujanza del individualismo en el período dieciochesco se traiciona ampliamente no sólo en la noción de «libertad», tan en boga, sino también en el enorme desarrollo del racionalismo y en el consiguiente criticismo, tan violento ya. Pues ¿qué es adoptar una postura crítica sino confiar en el valor del propio juicio y de la propia capacidad? Precisamente la racionalidad (individualista sin duda) de la época («racionalismo») es la que engendra las nociones igualitarias y fraternas. No olvidemos que la razón racionalista resulta esencialmente universalista, por lo que llevará consigo aquellos conceptos que sitúan al hombre en su dimensión social, colectiva. Ahora bien: al configurarse de este modo, el período buscará lo que une y no lo que separa. El aristocratismo del siglo XVII queda sustituido por su opuesta, la divulgación. Epítomes, compendios, resúmenes y hasta catecismos de las ideas filosóficas querrán llevar a todos las nuevas concepciones [2], y este impulso se expresará, por modo mayor, en la famosa Enciclopedia. Como puede fácilmente colegirse, el ansia de distinción y originalidad que aquejaba al Barroco no puede repetirse ahora, pero de ningún modo a causa de que el individualismo sea menor, sino al revés, por el imperio de su mayor pujanza.

Por otra parte, el subjetivismo (otra clara señal de lo mismo) ha avanzado mucho, lo cual se hace notorio en la filosofía de Kant, si la comparamos a este respecto con la de Descartes. En efecto: la subjetividad se hace en Kant nada menos que «reformista» del mundo desde su razón práctica, por otra parte la única auténtica. El mundo ha de adaptarse a la razón en un «debe ser», en vez de lo contrario. La subjetividad avasalla al objeto y se le impone. Ortega, que ha señalado el fenómeno [3], lo achaca al germanismo del autor. Sin contradecir tal aserto, pero aceptándolo sólo en calidad de «estímulo», me atrevería a

---

[2] Paul Hazard, *El pensamiento europeo en el siglo XVIII*, ed. cit., páginas 196 y sigs.

[3] José Ortega y Gasset, *Obras Completas*, IV, Madrid, ed. Revista de Occidente, 1951, pág. 46.

decir que el descubrimiento de Kant fue posible no sólo (y no tanto) por el hecho de ser este filósofo oriundo de Alemania (ese es el «estímulo», repito), sino por el hecho, a mi entender más decisivo (al ser, no «estímulo», sino «causa cosmovisionaria»), de su nacimiento en una fecha en que la sociedad europea, por motivos que nos son conocidos, se hallaba en posesión de una suficiente graduación individualista. No puede ser mayor la congruencia de Kant con su tiempo. Para hacerla notar con bulto en una de sus sintomáticas facetas, he apodado de «reformista» a la famosa razón práctica. En el fondo, el reformismo social del siglo XVIII y el reformismo de muy otra índole, inherente a la subjetividad kantiana, responden a un mismo modo de estar situado el hombre de entonces.

CRECIMIENTO DEL INDIVIDUALISMO DESDE
EL ROMANTICISMO HASTA EL SUPERREALISMO

¿Y la época romántica? Su individualismo, mayor aún, se percibe en el énfasis con que empiezan a ser entendidas ahora las realidades concretas, los individuos[4], el yo, al cual se concede, en efecto, lo sabemos ya, un valor casi divino («semidiós en acto y pleno dios en potencia»), visto además, aquél, significativamente, en cuanto inserto en la sociedad y en el Estado[5]. Pero el proceso de interiorización del mundo, iniciado en Descartes a causa del individualismo del siglo XVII, puede llegar más lejos todavía: período contemporáneo. Lo que era simplemente, hasta entonces, subjetivismo se hace aquí, significativamente (lo hemos recordado hace muy poco), intrasubjetivismo, lo mismo en la filosofía (Husserl y los fenomenólogos) que en el arte y la literatura. El individualismo ha, pues, crecido.

---

[4] El siglo XVII estimaba muy visiblemente al individuo, según vimos (pág. 571 y nota 1 a esa página); pero, con todo, esa estimación era menor que en el Romanticismo, momento en el que la necesidad de conocer lo individual y lo concreto produjo, según dijimos, una fuerte crisis de la razón racionalista, a la que los tres siglos anteriores, en cambio, veneran cada vez más intensamente.

[5] Véanse las págs. 45-47.

Mas dentro de esto caben diversos grados de individualismo: el que corresponde al momento de la poesía pura es mayor que el que corresponde al Parnasianismo y al Simbolismo,
aunque menor que el correspondiente a los superrealistas. ¿En
qué lo notamos? En algo por sí mismo evidente: Veamos. El
Parnasianismo se basa, como dijimos, en la impresión estética
(«arte por encima de la vida») y el Simbolismo se fundamenta
en la mera impresión: la interioridad humana *es aún pasiva.*
Se limita a reflejar, a su modo, la objetividad. Mas esta pasivi-
dad se trueca en *actividad* durante el tiempo de la poesía pura.
Ya no se trata de recibir, sin más, la impronta del mundo externo, sino de *elaborar esa impronta, llevando a perfección la*
impresión recibida [6]. El individualismo es tan grande que el
poeta *se atreve a declarar más real al ente perfeccionado por*
su psique, al arquetipo soñado, *inventado,* que al objeto o criatura reales o a su mera impresión en nosotros:

> Ante mí estás, sí,
> mas me olvido de ti
> pensando en ti [7].

> Como si ella fuese Ella,
> más Ella todavía
> pues se parece a su recuerdo inmenso [8].

> Cuando ella se ha ido
> es cuando yo la miro.
> Luego, cuando ella viene,
> Ella desaparece [9].

Comentemos sólo, para abreviar, el fragmento que remite a
la nota 8. Ella, la del recuerdo, la que reside, perfeccionada,

---

6 Carlos Bousoño, «Nueva interpretación de Cántico», en *ob. cit.,* página 74.

7 *Eternidades,* 51, en *Libros de poesía,* Madrid, Aguilar, 1967, pág. 601.

8 Juan Ramón Jiménez, «Diario de un poeta recién casado», en *Se-*
gunda Antolojía Poética, poema 390, pág. 264.

9 *Estío,* 24, en *Libros de poesía,* ed. cit., pág. 106.

en la psique del poeta, es la auténticamente real, a la que la mujer cotidiana únicamente puede, en el mejor caso, parecerse, cobrando entonces, y sólo entonces, realidad suficiente [10].

Pero cabía un individualismo más alto: el propio del superrealismo. El arquetipo cantado por los poetas puros suponía una *creación* del poeta, *pero esa creación estaba hecha con recuerdos de la realidad y conservaba dentro de su seno no poco de ésta.* Era, en suma, una mera sublimación del referente objetivo (la rosa perfecta que sueño coincide, con la rosa menos perfecta que veo, en ser rosa). Los superrealistas llevarán más lejos la creatividad de la mente humana, y por lo tanto mostrarán un individualismo más intenso. *Vueltos de espaldas a la objetividad, sólo se ocuparán del contenido de la conciencia,* pero no al modo de los impresionistas, en quienes la impresión pretendía ser un *espejo*, aunque no siempre fiel [11], de la realidad objetiva. Ahora se trata de las asociaciones que en la conciencia se producen, *sin importar otra cosa que el flujo psíquico como tal*, independizado y autónomo respecto de la realidad, cuyo sistema de contigüidades viene a ser alterado por tal flujo de un modo completo. En efecto, las relaciones entre unos elementos y otros del discurso superrealista no coinciden ni

---

[10] Los otros dos fragmentos que he citado (el que remite a la nota 7 y el que remite a la nota 9) tienen exactamente el mismo sentido: la verdadera realidad es el arquetipo mental; su referente objetivo o se queda por debajo, o, todo lo más, «se le parece». Ejemplos de lo primero:

> En ti estás todo, mar, y, sin embargo,
> ¡qué sin ti estás, qué solo,
> qué lejos siempre de ti mismo!
>
> («Diario», *Segunda Antolojía*, poema 373)

> Todos los días yo soy
> yo, pero ¡qué pocos días
> yo soy yo!
>
> (*Eternidades*, 56, *Libro de poesía*, ed. cit., pág. 606.)

Véase mi mencionado trabajo, «Nueva interpretación de Cántico», *op. cit.*, págs. 78-79.

[11] Véase la pág. 560.

siquiera se asemejan a las relaciones entre sus respectivos referentes del mundo objetivo, sino que se rigen por leyes propias, puramente psíquicas. Y así, entre el originador y el originado (usemos nuestra terminología) media una cadena asociativa no consciente, en la que cada miembro queda enlazado al siguiente por normas de proximidad o semejanza, pero entendidas estas últimas con criterios de gran laxitud [12]:

A [= B = C =] emoción de C en la conciencia [= C = D = E =] E.

Dado, como sabemos ya, que el parecido de A con cualquier miembro que no sea B de una cadena preconsciente es nulo, se deduce el carácter monstruoso de la vecindad de los elementos sucesivos del párrafo superrealista (en el esquema, la vecindad de los elementos explicitados por el poeta, A y E), examinados éstos a la luz de la lógica y de la objetividad. De ahí la sorpresa que su relación nos produce. El superrealismo, en resumen, prescinde totalmente, como digo, de aquella objetividad en nombre de un individualismo más alto, y nos traslada, sin más, a la interioridad como tal de la psique humana y a su sistema, muy distinto, de referencias y conexiones.

En suma, y dicho de otro modo. Los tres movimientos poéticos que se suceden entre el Parnasianismo-Simbolismo y el Superrealismo representan, en sentido creciente, tres grados de individualismo, pues representan, como adelantábamos en el capítulo anterior, tres grados de interiorización, más honda a cada paso, del contenido estéticamente interesante. Y esos tres grados *se pueden medir* en el rechazo y separación cada vez mayor respecto del mundo objetivo. El Parnasianismo, y más claramente aún el Simbolismo impresionista, aunque niegan la objetividad, la retienen fantasmáticamente en forma de huella o impresión; la poesía pura se aleja más de la objetividad, pues modifica la impresión y la eleva a la categoría de arquetipo: pero la separación no es aún total, en cuanto que los arquetipos

---

[12] De nuevo he de remitir al «Apéndice II» que va al fin del presente libro, como sustitución abreviada de lo que digo en mi libro *Superrealismo poético y simbolización*.

tienen mucho que ver con los objetos de los que se ha partido para formarlos (la rosa perfecta de la que habla Juan Ramón, vuelvo a decir, coincide con la rosa real, vista sin perfección por éste, al menos en una cosa decisiva: en ser rosa); el Superrealismo no mira ya a la objetividad, sino sólo a los procesos mentales que por asociación se desencadenan en la psique del poeta. El referente ha desaparecido por completo, *en el sentido antes dicho*, y no queda de él, en ese sentido, residuo alguno que pueda recordárnoslo.

CRECIMIENTO DEL INDIVIDUALISMO DESDE EL REALIS-
MO EXISTENCIALISTA DE LA POSGUERRA HASTA HOY

Por el camino de la interiorización no se podía llegar más lejos. Los efectos del alza individualista tenían que encontrar ahora nuevos derroteros, los cuales fueron, en efecto, hallados en el período siguiente, al cobrar nuevo incremento y una mayor perentoriedad el interés por las realidades concretas. La individuación del yo se hace ahora mucho más aguda en cuanto que se relativiza respecto de la situación o circunstancia. Aclaremos lo que quiero decir.

El individualismo, cuando es grande (período contemporáneo), conduce a la concepción de un yo sumamente individualizado, distinto, original. El artista querrá diferenciarse, de modo especialmente marcado, de los otros, sus compañeros, y se hallará dispuesto también a la evolución respecto de sí mismo: tenderá, pues, a renovarse, a cambiar, a ostentar estilos contrapuestos a lo largo de su vida (Yeats, Rilke, Eliot, Aragon, Apollinaire, Valle-Inclán, Picasso, Juan Ramón, Lorca, Alberti, Gerardo Diego, Aleixandre). Mas, pese a estas posibles modificaciones, *la persona* seguía siendo *la misma*. Si el individualismo continúa aumentando (época realista de la segunda posguerra) empezará a considerarse y suponerse una individuación aún más alta; de forma que, no ya los contenidos del yo, el yo *en cuanto tal* se interpretará como abierto a la transfiguración respecto a lo que antes era ese mismo yo. Entran así,

en éste, nuevos factores de individuación: el tiempo, el espacio
y la propia responsabilidad, ya que lo importante en última
instancia, a este respecto, es *aquello que hacemos* en ese espacio y en ese tiempo, el programa en que, frente a tales condi-
cionantes, nos realizamos al vivir. El yo deja de ser un absoluto,
un bloque manso, inmóvil, idéntico siempre a sí mismo aunque
con diferentes contenidos, y se descompone en posibles variaciones *esenciales*, dependientes de la situación o mundo en
que se está, y del proyecto de vida de cada persona. En efecto:
los filósofos de la tendencia que estudiamos (los existencialistas y paraexistencialistas, Ortega, etc.), prevén el caso de
que el proyecto de vida en una circunstancia (el cual y la cual
sustantivamente nos constituyen) se extinga y sea sustituido
por otro, como puede también pasar a ser otra la circunstancia
misma de que hablamos. Sobrevendrá con esto una verdadera
«muerte biográfica», y dará comienzo en nosotros un nuevo ser.
O sea: el individuo, de mostrarse como diferente a sus próji-
mos, pasa a encontrarse en disponibilidad de *diferir de sí*
mismo. No se trata ya de que al pasar el tiempo se transformen
nuestras experiencias y hábitos y la manera que tenemos de
expresarlos, sino de que podemos llegar a ser, verdaderamente,
una persona distinta a la que éramos. La importancia de la
realidad concreta, y la conciencia de diferenciación del yo en
que el individualismo consiste en uno de sus aspectos, ha, indudablemente, en este momento histórico, prosperado. Pues lo
que acabamos de ver en los filósofos se confirma en los autores
de obras cinematográficas (neorrealismo italiano, «nouvelle
vague») y en los novelistas y poetas de esta misma tendencia,
puesto que todos ellos consideran también al yo sumido en y
relativo a una determinada circunstancia o situación en la
que hacemos algo. También en ellos, pues, la individualidad del
hombre depende del tiempo y del espacio, y de nuestro hacer
en esas dos coordenadas (recordemos otra vez el *narrativismo*
que caracteriza a la lírica de ese tiempo). En tan diversas manifestaciones de la cultura se pone de relieve la importancia
decisiva, mayor que nunca hasta la fecha, de la realidad concreta, así como la capacidad de discrepar que el yo actual tiene,

no sólo por lo que toca a las subjetividades ajenas, sino respecto de la propia, contemplada ésta en un período previo.

Pero también aquí podemos entrar en distingos generacionales. Los dos grupos cronológicos que forman el período realista que nos interesa (comienzo de la Edad Poscontemporánea) no reaccionan del mismo modo frente al complejo radical que lo engendra. De la fórmula «yo soy yo y la sociedad en que vivo o circunstancia», la generación primera valorará especialmente el ingrediente «sociedad», mientras que la generación siguiente pondrá el énfasis en el ingrediente «yo». ¿Qué quiere esto decir, por lo que atañe a nuestra tesis? No me parece dudoso que, de las dos actitudes, la segunda, con su énfasis *en el yo*, habrá de ser *la más individualista*, por lo que seguirá cumpliéndose, también aquí, la ley de ascenso que venimos comprobando a todo lo largo de la historia occidental.

Y si pasamos, finalmente, al examen, desde este mismo punto de vista, del período en que ahora nos hallamos instalados, el signado por la generación que denominábamos «del 68», no puede manifestarse con más claridad, a la luz de lo ya expuesto, el auge del sentimiento primordial que nos ocupa.

En efecto: durante el tiempo realista anterior había gran conciencia de la individualidad humana, pero esa conciencia no era, pese a todo, tan intensa como lo es en la actualidad, instante en el que las imposiciones y limitaciones que, procedentes de la totalidad, sufre el individuo se sienten *ya* como intolerables. La protesta se ha generalizado. Y no sólo eso: tal protesta ha empezado a operar en la realidad social e, incluso, en la realidad política de nuestro tiempo. Como dijimos en nota, el erotismo, la valoración del placer y del cuerpo, el ecologismo, el repudio de las convenciones y de las instituciones en que se aposenta el espíritu de totalidad, la descentralización en todas sus formas y hasta las manifestaciones morbosas del terrorismo y la violencia, así como el irrealismo del arte y la metapoesía, y en general los metalenguajes —y añadamos: el énfasis en la «calidad de la vida»—, tienen, si no nos equivocamos, este sentido. El individualismo es tan elevado que se hacen insoportables los excesos de la centralización racionalista y su consiguiente desprecio de zonas importantes de la individualidad humana [13].

LOS CUATRO COMPONENTES DEL INDI-
VIDUALISMO Y SU CRECIMIENTO A LO
LARGO DE LA CULTURA OCCIDENTAL

Lo dicho en algunos parágrafos anteriores nos ofrece un cuadro en el que cabe deducir la relación de causa a efecto que el crecimiento del individualismo tiene con el aumento paralelo del valor atribuido a lo puramente humano (secularidad); a la razón; a lo individual y concreto, y a la interioridad del hombre, en su forma subjetiva o intrasubjetiva. Y aunque estos cuatro factores (o «verdadera realidad» propia del largo período o «era» que media entre el comienzo del Gótico y el instante actual) podemos decir que están presentes en cada instante cultural de ese enorme lapso histórico, resulta posible que alguno de ellos se destaque a expensas de los otros, o, dicho al revés, que alguno de ellos quede relegado a un segundo término por el predominio de uno o varios compañeros suyos, cuya presencia se convierte en decisiva y determinante de la totalidad. Así, por ejemplo, la importancia que la razón, universalista de suyo, adquiere en el siglo XVIII viene en cierto modo a anular el interés creciente que desde el Gótico se experimentaba por lo particular, por las realidades concretas e individuales. Casi exactamente al contrario sucede a partir del Romanticismo, con la excepción, aunque sólo en cierto sentido que luego precisaré, del período de la poesía pura: el gusto por lo individual y concreto arrastra a una posición polémica por lo que toca al puro universalismo de la razón, a la que, desde entonces para acá, se le pide, cada vez con más ahínco y mayor éxito, la comprensión, no sólo de la materia; también de la vida y del individuo; es decir, se le pide que deje de ser

---

[13] En el capítulo V hemos visto que esa misma descentralización se insinúa en el capitalismo de nuestra hora (multinacionales). Probablemente esto significa, vuelvo a decir, el comienzo de una nueva edad.

una razón únicamente racionalista, instrumental o unidimensional y se convierta en otra cosa (razón vital, razón práctico-moral, etc.). Pero, aparte de estos casos extremos, en que actúa un ingrediente de momentánea incompatibilidad, se nos pone de manifiesto que cada período se caracteriza por la intensificación (digámoslo primero en esta forma atenuada) de alguno o algunos de los miembros del complejo. Y aún diré que, cuando en cierto período se hace caso omiso de algún componente del grupo, el grueso relieve que cobra precisamente el término olvidado, en la época que después sobreviene, nos muestra a las claras que su desaparición anterior era, más que otra cosa, un mero «enmascaramiento» debido a la causa ya expuesta. Así, el gusto por la percepción de realidades concretas (marginadas o desatendidas en el Neoclasicismo) que caracterizaba al período «Romanticismo-Positivismo-Simbolismo impresionista» supera con mucho al que podemos comprobar para el Barroco [14]. Algo semejante se nota, por lo que atañe a lo mismo, comparando, por una parte, a este respecto, el momento de la «poesía pura» e, incluso, la técnica del arte superrealista, y por otra, el período que media entre la segunda posguerra hasta hoy. Ni la «poesía pura» ni tal técnica (no hablo ahora de la cosmovisión superrealista, nótese bien) se sienten atraídos por lo concreto: la primera, por su búsqueda de arquetipos fuera del tiempo y del espacio; la segunda, a causa de su exclusiva atención a los procesos irracionalmente asociativos de la mente en libertad, y, por lo tanto, de su abandono, en ese sentido, de la fidelidad en el reflejo del sistema de contigüidades propio de la realidad objetiva [15]. Pero cuando, superado el

---

[14] Véase la nota 4 de este mismo capítulo, pág. 573.

[15] La técnica del arte superrealista se desentiende de las realidades concretas; pero no ocurre eso en el superrealismo, considerado como visión del mundo, según comprobábamos más arrriba, lo cual apoya justamente, la tesis del «enmascaramiento». En cuanto que se escribía poesía superrealista, según el método bretoniano de escritura automática, no cabía mostrar, a causa de la índole misma de tal escritura, interés por las concreciones. Pero ello no quiere decir que la visión del mundo que subyace a tal técnica no estuviese revelando precisamente ese interés. Su exaltación de la elementalidad (véase la pág. 567), así como su rechazo

obstáculo, retorna el interés por las concreciones (existencialismo y paraexistencialismo filosóficos, neorrealismo del cine, el teatro, la novela y la poesía), nos hallamos, por lo antes dicho, en un punto más elevado de la espiral, cosa que, claro está, se acentúa en la generación última, la de 1968.

Si retrocedemos ahora un poco, para situarnos en el momento positivista, hallamos algo parecido: en lo que atañe a la novela, el gusto por la realidad concreta y la individualización, propio del naturalismo en un grado más elevado que en la época romántica, y, en consecuencia, el gusto por el «documento», la consideración del acondicionamiento fisiológico, de la influencia del medio y de las circunstancias, en cuanto determinantes de la personalidad humana [16]; todo ello, en conjunto, hace olvidar, *al menos en apariencia*, a los narradores que

---

del utilitarismo racionalista y del peculiar modo de manifestarse este último en la sociedad (deshumanización del mundo técnico, etc.), lo vienen a probar claramente.

[16] Aprovecho la ocasión para indicar los «estímulos» del positivismo, tanto en su variante poemática (Parnasianismo) como narrativa (Naturalismo). Empecemos por los estímulos «materiales» señalados por Hauser para la literatura francesa (aunque este autor, claro está, no los interpreta como nosotros): «la fuente principal», dice, «de la doctrina naturalista» (y de la parnasiana, añadamos) «es la experiencia política de la generación de 1848: el fracaso de la revolución, la represión de la insurrección de junio y la subida al poder de Luis Napoleón. La desilusión de los demócratas y el desengaño general que estos acontecimientos traen como consecuencia, encuentran su expresión perfecta en la filosofía objetiva, realista y estrictamente empírica de las ciencias naturales. Después del fracaso de todos los ideales, de todas las utopías, la tendencia general es atenerse a los hechos y nada más que a los hechos» (Arnold Hauser, *op. cit.*, t. III, pág. 1.053).

En cuanto a lo que nosotros denominamos «estímulos espirituales», Hauser señala, asimismo (*ibid.*, pág. 1.053) «la renuncia a la fuga de la realidad» propia del Romanticismo. Yo añadiría que, de otro lado, el Naturalismo, aunque, en este sentido, represente, en efecto, una oposición pendular al movimiento romántico, visto desde una perspectiva distinta, supone la acentuación del gusto de esa escuela por el color local. Agregaré, finalmente, que, por lo que respecta a la impersonalización de las emociones, tanto el Naturalismo como el Parnasianismo reaccionan, sin duda, frente al impudoroso egotismo de esa tendencia precedente a la que me vengo refiriendo.

siguen esa manera literaria las proclividades intrasubjetivistas del período, las cuales, no obstante, se van a manifestar poderosamente en el estadio simbolista que viene inmediatamente después. Pero, en este caso, ni siquiera es preciso esperar a tan próxima generación para la demostración de nuestra tesis, ya que el propio positivismo, no en su versión narrativa, pero sí en su versión poemática (escuela parnasiana), demuestra sobradamente que la valoración de la intrasubjetividad de ningún modo se había anulado como tendencia suya: sólo se había ocasionalmente «enmascarado», y ello únicamente en uno de sus «sectores». Y es que los poetas parnasianos, aunque aman tanto como los novelistas del naturalismo el «documento» y la exactitud «científica», no dejan de incurrir por ello en un agudo esteticismo que les lleva a situar al arte, esto es, a la *impresión* estética, por encima de la naturaleza y de la vida. De ahí, también, su culto a la forma poemática exenta, como de escultura, pues en el parnasianismo hay, además, una fuerte tendencia a impersonalizar las emociones. Ahora bien: en cuanto que tal tendencia se extiende, de otro modo, a toda la época contemporánea, y, en ella, ese impersonalismo es, según vimos, resultado de la intrasubjetividad, habríamos aún de achacar a intrasubjetividad, asimismo, la inclinación parnasiana al molde rotundo, consistente y como en plástico relieve, o sea, a eso que ha recibido el nombre, sin duda erróneo, de «impasibilidad», y que no es sino la configuración que adopta, en ese instante, la propensión general de la época entera a la objetivación de los sentimientos personales. Y una vez que hemos llegado a esta conclusión, nada más fácil que extender el concepto de intrasubjetivismo hasta encubrir también con él a los novelistas del naturalismo, pues éstos buscan, como nadie ignora, poner en sus obras la «imparcialidad» y distanciación que caracteriza a los científicos. Véase, pues, hasta qué punto la indiferencia por la intrasubjetividad, que hallamos en un primer pronto como peculiaridad del naturalismo, es sólo un mero disfraz [17]. En Flaubert la cosa es aún más evidente, pues

---

[17] El interés por lo individual y concreto que manifiesta el Parnasianismo conduce, como en la hora romántica, a la historicidad y a la

bien manifiesta se halla en tal autor la idea de que la belleza es el único fin del arte, fuera de toda mira social o moral, esteticismo éste indiscutiblemente afín al de la estricta observancia parnasiana.

Podemos entonces concluir que, pese a los aparentes eclipses experimentados en ciertos períodos por alguno de los cuatro componentes del complejo en que se manifiesta el individualismo, todos ellos mantienen un progresivo desarrollo a lo largo del tiempo, desde la Edad Media hasta hoy [18]. La Historia de la Cultura se nos aparece en último análisis como la Historia del Individualismo en cuanto que éste es, a cada instante, el responsable de aquélla en su minuciosa realidad sistemática. Tal es lo que en este libro hemos pretendido, sobre todo, mostrar.

---

vocación por el pretérito. Pero, como el grado de tal interés es ahora mayor, el realismo será, en idéntica proporción, más elevado que el propio del mero «color local» de aquella manera anterior, de forma que la descripción histórica se basa ahora (*Poèmes Antiques* y *Poèmes Barbares* de Leconte de Lisle) en el documento exacto, cosa que de ningún modo ocurría en el Romanticismo.

[18] El carácter creciente de la secularización desde el Renacimiento hasta nuestros días es tan indudable como el de los otros tres ingredientes, aunque en algún momento (Romanticismo, Generación del 98, posguerra española), por razones fáciles de ver, sufre, en ciertos aspectos, el «enmascaramiento» que hemos señalado, asimismo, para los otros ingredientes del complejo individualista.

Capítulo XXV

SOCIEDAD ACTUAL E INDIVIDUALISMO

CRÍTICOS DE LA SOCIEDAD ACTUAL: LAS TESIS DE MARCUSE

Creo que debemos plantear aquí el problema que el tipo actual de vida ofrece a nuestra consideración. Me refiero al grave malestar en que, en numerosos aspectos, consiste aquélla; malestar testimoniado y reflexionado por relevantes meditadores y sociólogos. Y la relación de tal situación nuestra con el individualismo, pues lo que hemos dicho sobre la visión del mundo de la generación últimamente aparecida (la de quienes nacieron entre 1939 y 1953) puede ayudarnos a resolver, tal vez con claridad, esta cuestión.

En efecto: todos los errores y perturbaciones de nuestra sociedad, que son muchos, aparecen ahora, a la luz de la cosmovisión hoy juvenil, denunciados y a la vista. Se popularizan así, o se ponen en auge de actualidad, algunos de los resultados de los análisis acerca del hombre de hoy realizados por una serie de pensadores e investigadores: Ortega y Gasset, Erich Fromm, Ernst Jünger, Heinrich Weinstock, Ludwig Englert, Ludwig Landgrabe, Theodor Litt, Eduard Spranger, Romano Guardini, Karl Jaspers, Heinemann, Gehlen, Meyer, Marcuse, etc., Herbert Marcuse, que es, de estos autores, el más en boga, como es sabido, entre la juventud, nos habla, por ejemplo, de la unidimensionalidad del ser humano actual, de su alienación[1], del vaciamiento de su ser como efecto de una publicidad sin medida que se encarga de sustituir al verdadero pensamiento; de la creación artificial de una opinión pública presionante y aniquiladora de la verdadera libertad[2], en que viene totalitariamente a coincidir, sin restos, la vida privada y la pública de los ciudadanos; la sujeción del hombre al aparato productivo, fuera incluso de su trabajo, al habérsele inyectado a aquél, a través de los medios de comunicación de masas, un conjunto imponente de falsas necesidades[3] y una forma de vida puesta por completo al servicio del sistema represivo[4]; todo esto queda al descubierto ahora en lo que tiene de hondo mal que necesita de una radical reparación. Es curiosa, pero muy explicable, la equivocación de Marcuse al creer que la sociedad de consumo, por la índole de sus estructuras, tendería a la perpetuación de sí misma y a la inexorable quietud. Su pensamiento al respecto puede resumirse del modo siguiente: tal sociedad, aunque produzca en grandes cantidades los elementos negativos (las «contradicciones» para decirlo en el lenguaje marxista), está prácticamente incapacitada, o parece estarlo, para superar su situación perniciosa (o «tesis») y alcanzar una nueva etapa dialéctica (o «antítesis») en que se eliminen tales males, como sería normal, a causa, precisamente, del ilusorio bienestar que genera[5]. La negatividad, con esto, se absorbe y se encubre, *sin desaparecer en cuanto a sus efectos maléficos*. Las gentes se reconocen sólo en los productos que

---

[1] Herbert Marcuse, *El hombre unidimensional*, Barcelona, ed. Seix Barral, Biblioteca Breve de bolsillo, 1969, págs. 26, 34, 37 y 40.

[2] También Ernst Jünger nos habla del peligro de la pérdida de libertad e individualidad que sufre el hombre a causa de su progreso técnico; y cosas similares leemos, por ejemplo, en Heinrich Weinstock. Ludwig Englert señala concretamente el peligro de aplicar la técnica y la ciencia a las relaciones entre los hombres y a la sociedad. Las coincidencias son grandes entre los varios autores.

[3] *Ibidem*, pág. 35.

[4] *Ibidem*, pág. 34.

[5] Marcuse, *ibidem*, págs. 39-40; también del mismo autor, *El final de la utopía*, Barcelona, Ediciones Ariel, págs. 54-56 y 72.

hacen cómoda la existencia (neveras, automóviles...)[6] y se identifican con ellos y con el sistema que los engendra, sin tener entonces ojos para el siniestro padecimiento, que queda, de este modo, soterrado; *pero no menos existente*. La mecanización del trabajo reduce el esfuerzo y eleva los salarios. El obrero, transfigurado en cuanto a su condición, no busca ya liberarse, y se integra en la malsana sociedad que le cobija: el poder negativo de ésta sobre el hombre se olvida en vista de su eficacia[7]. ¿Cómo salir de una morbosidad tan placentera? Marcuse no ve la salida del agujero equívoco, pues del trabajador (que de hecho no existe ya como proletario en los países adelantados) no puede venir la corrección, el cambio, por las razones apuntadas[8].

La solución del círculo vicioso, sigue diciendo Marcuse, sólo cabría que procediese de agentes que actuasen desde el exterior del sistema: habrían de ser los países miserables y explotados los que interviniesen en el quebrantamiento, uniéndose a los pocos parias o «outsiders» que quedan dentro, y, sobre todo, a los jóvenes, los cuales, por el mero hecho de su edad, se hallan situados, en cierto modo, más allá o más acá del juego de intereses del mecanismo implacable[9]. Hay que decir que, sin embargo, el autor tenía, en el momento histórico en que redactaba su obra, muy pocas esperanzas de que la remoción liberadora llegase, en algún momento, a producirse.

Ahora bien: es un hecho que actualmente, sin acudir al recurso del proletariado exterior (llamémosle así) al que alude Marcuse, se han engendrado, *desde dentro*, hondos sentimientos de hostilidad hacia aquel *statu quo* que parecía inamovible, y asoman los primeros síntomas de un remedio efectivo (descentralización del poder, moral menos represiva, liberación sexual o comienzo de ello, mayor tolerancia hacia las minorías

---

6 J. M. Castellet, *Lectura de Marcuse*, Barcelona, ed. Seix Barral, Biblioteca breve de bolsillo, 1969, págs. 39, 103-105.

7 *Ibidem*, págs. 54, 57, 60, 62 y 114-115.

8 Marcuse, *op. cit.*, págs. 23 y 40; Castellet, *op. cit.*, pág. 107.

9 Marcuse, *op. cit.* (prólogo a la edición francesa), págs. 9-10; Castellet, *op. cit.*, págs. 121 y 140.

y hacia los discrepantes, ética de realización personal y no de éxito económico y social, naturismo y ecologismo crecientes, etc.). ¿Cómo se ha producido esto, que era tan imprevisible desde las tesis marcusianas? Nuestra doctrina nos ha deparado, creo que con facilidad, una explicación del fenómeno. Lo que Marcuse no podía tener en cuenta desde su modo de pensamiento era que el crecimiento del individualismo había de sensibilizar, por sí mismo, a las masas acerca de todo lo que en la sociedad de hoy va en contra de la plenitud y realización precisamente del individuo. Al hacerse éste más individualista (valga la aparente redundancia) y necesitar con más fuerza, consiguientemente, el desenvolvimiento de su ser, empieza a experimentar, sin más, un ácido malestar ante las trabas que la sociedad le impone, trabas a las que entonces no tiene más remedio que identificar como tales. El hielo de inconsciencia y conformismo, en que se había solidificado y con el que se había encubierto el agua social, se rompe, y el líquido inicia su flujo, su desbordamiento.

LAS TESIS DE FROMM

Me interesa ocuparme también, brevemente, de las tesis de Fromm. Según éste, la sociedad actual tiende a convertir al hombre en un autómata, quien, sin embargo, se cree libre [10]. La persona está alienada, de hecho, en todas las direcciones posibles de su vivir: en cuanto a su trabajo, en cuanto a los productos que consume y en cuanto al conjunto de sus relaciones: las que mantiene con el Estado, las que mantiene con sus semejantes y las que mantiene consigo mismo [11].

El trabajador, especializado, no se pone nunca en contacto, o sólo de una manera azarosa, con los productos acabados, que su tarea, no obstante, contribuye a realizar. Tal vez tenga experiencia profesional (acudamos a un caso extremo) de un

---

[10] Erich Fromm, *El miedo a la libertad*, Buenos Aires, Ed. Paidós, 1959, pág. 262.
[11] Erich Fromm, *Psicología de la sociedad contemporánea*, ed. cit., pág. 106.

solo ingrediente de la totalidad producida, y sólo en cuanto a una de las etapas de su fabricación. El director de la empresa, que parecería exceptuarse de tal enajenación, tampoco se exceptúa de ella, pues su atención se dirige, con exclusividad, hacia un aspecto abstracto de la cosa realizada: la ganancia [12]. A los burócratas de las oficinas les ocurre, *mutatis mutandis*, algo similar: el tamaño de las empresas y la proclividad abstractiva de éstas los mantiene, asimismo, alejados de todo contacto vivo con la realidad creada. De otra parte, los propietarios ni dirigen sus fábricas, etc., ni tampoco las gozan en cuanto algo que verdaderamente sea suyo. Poseen papeles, documentos; quienes mandan son siempre los ejecutivos, un cuerpo de técnicos sin alma ni calor, por la razón antes expuesta.

Pero al consumidor le pasa igual. Si dispone de suficiente dinero, no necesita esfuerzo alguno para adquirir, por ejemplo, un cuadro. Pero quien lo compra lo hace frecuentemente para poseer, no para gozar del objeto comprado. No es el placer del uso lo que funciona, sino el placer de la adquisición como tal. Nos encontramos rodeados de cosas que no entendemos ni amamos por ellas mismas. Nos interesa por modo exclusivo su mera posesión en cuanto precio, o, todo lo más, su novedad [13].

No es raro entonces que el hombre de hoy se sienta a sí mismo como una cosa puesta en venta: valemos lo que alguien pagaría por nosotros. El sentido de la propia valía depende, pues, de factores extraños a nuestra verdadera condición. Tenemos, así, que ser aprobados por los demás, y nos convertimos, de este modo, en presa de la opinión pública, a la que no debemos, en consecuencia, contrariar. El resultado de todo esto es, claro está, una situación de feroz conformismo [14]. Marcuse y Fromm vienen, aquí y en bastantes otros puntos, a coincidencia, pese a sus diferentes puntos de vista.

---

[12] *Ibidem*, pág. 100.
[13] *Ibidem*, págs. 106-119.
[14] *Ibidem*, págs. 123-124.

Hay que advertir que Fromm distingue con mucha nitidez una «libertad de» de una «libertad para» [15]. El hombre de hoy se ha liberado, según él, *de* todos los vínculos que le retenían y disminuían en el pasado, a los que el autor denomina «vínculos primarios» (*se halla, pues, en posesión de una «libertad de»*); pero, una vez liberado, no sabe qué hacer con su libertad, se siente inseguro y se ata a nuevas ligaduras (*carece, en consecuencia, de una «libertad para»*). Yo quisiera hacer notar aquí que lo que nosotros llamamos «individualismo» se halla en relación con lo primero, *que es donde yace la universalidad de que el individualismo precisa*, según vimos al comienzo del presente libro. Lo segundo, la ausencia de «libertad para», aunque pueda, en efecto, suprimir *en muchas personas* los efectos beneficiosos que la «libertad de» les habría de aportar, *carece de universalidad*, y, por lo tanto, *no puede intervenir ni mermar el sentimiento individualista* [16]. Lo mismo que la sociedad no pierde su individualismo por el hecho de que muchas personas estén en un momento dado encarceladas, tampoco lo pierde por el hecho de que algunos o muchos de sus miembros se encuentren «alienados» o se nos aparezcan como «unidimensionales», según la tesis de Marcuse. De la propaganda que sale a torrentes de la pantalla del televisor puedo librarme con facilidad si verdaderamente lo deseo, y lo mismo ocurre con los otros efectos del modo actual de vida. No todos somos directores o trabajadores de empresas, ni todos los hombres «consumimos» del modo descrito por Fromm. No creo que el propio Fromm, o Marcuse, digamos, pertenezcan al grupo de los alienados o figuren entre los seres de dimensión única. Y conste que, al decir esto, no pretendo amenguar la importancia

---

[15] Erich Fromm, *El miedo a la libertad*, ed. cit., págs. 227-296, especialmente págs. 278-279, 282, 285 y 290.

[16] El mismo Fromm afirma que puede darse la «libertad de» sin caer en la ausencia de «libertad para», que no es, ni mucho menos, un círculo vicioso de irremediable soldadura (*ibidem*, págs. 278-279). Lo que pasa es que la estructura del mundo actual hace que sea frecuente el cierre del círculo para un sector característico de la sociedad de nuestro momento histórico.

de sus respectivas denuncias: sólo busco ponerlas en el lugar que les corresponde dentro del cuerpo de la doctrina aquí sustentada. Pues la confusión de los dos diferentes tipos de libertad de que habla Fromm puede dar motivo al grave yerro de pensar que la sociedad actual carece de individualismo. El arte y la índole de la cultura toda de nuestro tiempo vienen, precisamente, a demostrar lo opuesto. Espero haberlo probado ya.

LAS TESIS DE HERMANN MEYER

He de referirme todavía a las reflexiones de Hermann J. Meyer sobre la sociedad de la era técnica [17]. Habla este autor del grave riesgo a que se halla abocado el hombre de hoy: el riesgo de perder no sólo su individualidad [18] (en lo que viene a coincidir con Marcuse, Fromm y otros muchos pensadores que han meditado sobre la realidad actual: Ernst Jünger, Heinrich Weinstock, Ludwig Englert, etc.), sino también de perder su esencia de criatura humana y convertirse de hecho en cosa, ser víctima de un Estado invasoramente totalitario (aunque tenga apariencias liberales y democráticas), o de una técnica igualmente deshumanizadora e invasora.

Los progresistas del siglo XIX habían creído con fe viva en la identidad entre progreso industrial y progreso en la consecución de la libertad humana. Meyer distingue aquí, como Fromm, entre dos clases de libertad: la libertad que él llama «libertad de la razón técnico-teórica» (equivalente a lo que Fromm denominó, según dije, «libertad de»), y luego la «libertad de la razón práctico-moral» o «de la personalidad humana» (la libertad «para» de Fromm) [19]. El desarrollo industrial nos ha liberado, en efecto, piensa Meyer, de todo lo referente a la miseria y al terror o la zozobra y la incertidumbre procedentes de la inmersión en la naturaleza hostil. La razón técnico-teórica

---

[17] Hermann Meyer, *op. cit., ed. cit.*
[18] *Ibidem,* pág. 271.
[19] *Ibidem,* pág. 378.

(la razón que nosotros hemos venido llamando racionalista)
nos ha sacado, pues, de la cárcel, o del coso, de las «condiciones
naturales» (Fromm diría «de los vínculos primarios»: «libertad
de»). Pero algo muy diferente a esto es la libertad «personal»
(la «libertad para» de Fromm, insisto), que se liga a la razón
práctico-moral y no a la técnico-teórica. *En lo relativo a este
otro tipo de libertad, el progreso técnico, lejos de influir positivamente, influye de modo negativo* [20]. Meyer cita a Tocqueville,
el cual en su *Democracia en América* había realizado ya un
diagnóstico agudísimo de la sociedad moderna. Para Tocqueville, el rompimiento con el Ancien Régime, al lograr el igualitarismo y destruir la jerarquía de clases, había vuelto todopoderoso al Estado, el cual no tenía ya bajo sí ningún obstáculo
al despliegue de su energía expansiva. El Estado se torna de
este modo, dice, «más centralizado, más activo (...), más absoluto, más ambicioso y abarcador», con lo cual el ámbito de la
independencia individual disminuye [21]. El Estado se hace Providencia de la que todo se espera, y que, por lo mismo, arrebata
al hombre el uso de su libre voluntad. Pero ¿cuál es el motor
de ese igualitarismo que otorga omnipotencia al Estado? La
respuesta de Meyer se asemeja bastante a algo que nosotros
mismos dijimos en las págs. 542 y sigs. del presente libro,
cuando aludíamos a la proclividad centralizadora e igualitaria
de la razón racionalista. Meyer habla a este propósito exclusivamente de la técnica: la técnica necesita y produce igualdad [22]. Allí donde la técnica actúa desaparecen las diferencias.
Pongamos nosotros un ejemplo de ello: si en un determinado
país se estableciese la obligatoriedad de la vacunación general,
todos los ciudadanos se reducirían, para los médicos que los
atendieran, a una cualidad indefinidamente repetida e idéntica:
la de ser objetos de una misma forma de inyección (si la
vacuna consistiese en eso). Ahora bien: un Poder estatal que

---

[20] La idea de la técnica como esclavización está en Ludwig Landgrabe,
Philosophie der Gegenwart, Berlín Oeste, 1957, págs. 128 y sigs. (Véase
Meyer, *op. cit.*, pág. 366.)

[21] *Ibidem*, pág. 383.

[22] *Ibidem*, págs. 386-387.

crece como hemos dicho que lo hace el actual, y que, merced a la técnica, va posesionándose y controlando rigurosamente todos los rincones de la vida de cada individuo, tiende, indefectiblemente, a convertirse, aunque sea formalmente democrático, en totalitario. «El totalitarismo, dice Meyer, es el peligro permanente de la sociedad industrial»[23].

La técnica amenaza aún de otra manera (esta vez no a través de terceros: directamente) a la libertad del hombre. Pues como la tiranía de la técnica es siempre la tiranía de la sociedad, si el desarrollo de la primera traspasa cierto límite, nos convertiremos en esclavos de un poder social que habrá de controlarnos incesantemente en todos los aspectos de nuestro ser[24]. Piénsese, como extremosidad iluminadora, en la situación de un astronauta en medio del espacio exterior. Su vida depende de unos aparatos dirigidos desde tierra por un equipo de hombres que observan y vigilan, con máximo escrúpulo, el sueño, el alimento y el estado de funcionamiento de todas las vísceras del viajero. Este caso límite expresa, creo, con mucha claridad y muy expresivamente la ausencia de libertad que nos espera si no sabemos poner un límite a ciertos aspectos del despliegue de nuestro tipo de civilización.

El peligro mayor tal vez radique, sin embargo, en aplicar la razón técnica o instrumental a aquellos aspectos del ente que, al ser examinados de ese modo, quedan privados, precisamente, de su esencia[25] (*verbi gratia*: convertir a los hombres en cobayas, experimentando con ellos, como hicieron los nazis con los judíos, en ciertos laboratorios). Tal es lo que ocurre, en efecto, cuando tomamos al hombre como medio y no como un fin en sí mismo, o cuando manipulamos científicamente al ser humano privándole de su libertad. Hay desarrollos posibles, y algunos ya reales, de las ciencias sociales, psicológicas y biológicas que pueden incurrir en esta clase de daños[26] (lavados de cerebro, inseminación artificial, ingeniería genética, etc.). Cons-

---

[23] *Ibidem*, pág. 387.
[24] *Ibidem*, págs. 286-287.
[25] *Ibidem*, 297-311.
[26] *Ibidem*, 336-350.

truir acaso hombres en serie para llenar determinados cometidos sociales produce horror, aun cuando a través de ellos pudiera intentarse la consecución de una supuesta utopía.

De todo lo anterior podría deducirse que la racionalización total y universal de la vida humana (final *inevitable*, según Heidegger, de la ciencia: yo, C. B., me permito modestamente pensar que no hay en el mundo nada que sea inevitable) sólo puede consumarse en una cultura que haya renunciado por entero a los valores propios de la personalidad y de la responsabilidad del hombre. No obstante, se mantendrán los frenos que aún se oponen a tal renuncia mientras permanezca viva la conciencia del valor incondicional de la persona humana y de su carácter cualitativamente único e insustituible [27].

Hasta aquí Meyer, cuyo pensamiento he procurado condensar apretadamente, añadiéndole sólo ciertas ilustraciones concretas. Nuestro comentario al conjunto de sus ideas podrá ser, en este caso, brevísimo, pues bastará con que nos remitamos a lo que hemos dicho respecto a las doctrinas de Fromm y de Marcuse. Podemos decir, pues, para terminar, que Meyer, y con él los otros críticos del hombre o de la sociedad actuales que hemos mencionado, nos señalan con mucha precisión e inteligencia los riesgos a los que nos exponemos en la hora presente, de ser aniquilados en nuestra misma esencia de criaturas humanas. En algunos de estos riesgos pudiéramos caer, sin duda, en el futuro; en otros caemos ya, estamos cayendo ya, aunque, por fortuna, no todas las personas lo hacen. Se trata, en efecto, de *peligros* (cosas posibles o cosas reales, pero que no afectan a la totalidad de la sociedad), y, además, de peligros aminorados (o, en el caso mejor, parcialmente neutralizados) en la fecha que corre por la toma de conciencia que de ellos ha hecho la generación juvenil en el mundo entero. Y no se olvide que el individualismo es, en nuestra definición, precisamente eso: conciencia que el hombre tiene de sí mismo. Pero, además, tales riesgos, al hallarse sólo parcialmente en vías de realización, y ello únicamente respecto a ciertos grupos

---

[27] *Ibidem*, 356.

humanos por extensos que éstos resulten, habrán de carecer de aquella universalidad que el sentimiento individualista precisa para darse, según hemos venido afirmando, no sé si demasiadas veces. No influyen, pues, *por ahora*, aunque pudieran influir en el futuro, sobre ese individualismo, el cual, efectivamente, ha seguido intensificándose hasta el mismo instante en que escribo, como muestran con mucha claridad el análisis del arte de hoy y la contemplación de otros aspectos de la cultura de nuestro tiempo. Ello se debe, aparte de lo sostenido aquí, a lo expuesto, entre otros sitios, en las páginas 136-139, y en las págs. 18-20, lugar este último en el que también nos hemos ocupado de otro gran problema de nuestro tiempo, la crisis de los fundamentos de las ciencias en relación con el desarrollo del individualismo. Sobre lo dicho entonces, sólo añadiré ahora que crisis semejantes a la científica que acabo de mencionar se habían experimentado ya, por lo que toca al conocimiento, en otros períodos (nominalismo del siglo XIV, que vino a derrumbar la lógica silogística, basada en la existencia extramental de los universales, que el nominalismo negaba; empirismo inglés, que relativizó el conocimiento) sin que por eso la acentuación del individualismo de la sociedad hubiese cesado. Al revés: lo mismo que sucede ahora, el derrocamiento del sistema anterior, al ser fruto de un análisis más agudo y de una más fina intelección de la realidad, contribuyó, sin duda, a su desenvolvimiento.

EPÍLOGO

CAPÍTULO XXVI

OBRA EN SISTEMA

RELACIÓN ENTRE LAS IDEAS DE ESTE LI-
BRO Y LAS DE OTROS LIBROS DEL AUTOR

Hemos logrado así, al término de nuestra obra, el hallazgo,
inesperado por completo, merced al cual, las tres tesis fundamentales en que ha consistido el trabajo teórico a que me he
dedicado hasta ahora desde mi juventud se complementan entre sí, adquiriendo trabazón y unidad. Estas tres tesis son:
1.º, la doctrina sobre la expresividad artística (contenida esencialmente en mi libro *Teoría de la expresión poética*, pero
ofrecida también en un enfoque más amplio hasta constituir
una verdadera «Estética» en el capítulo «La estética de Ortega» en mi otro libro *El irracionalismo poético*); 2.º, la doctrina
sobre las épocas culturales y su evolución, aportada por el
estudio actual y sintetizada asimismo en otros míos, y expuesta
en cursos universitarios; esta doctrina aparece, sin embargo,
implícitamente, como fundamento teórico de *todos* mis trabajos críticos; y 3.º, la doctrina sobre el símbolo y la simbolización, que he expresado en diversos lugares: en *La poesía de
Vicente Aleixandre*; en la citada *Teoría de la expresión poética*;
en mi artículo titulado «En torno a 'Malestar y noche' de Fede-
rico García Lorca» del libro *El comentario de textos*; en *El
irracionalismo poético*, pero sobre todo, para lo que aquí importa, en *Superrealismo poético y simbolización*.

Estos discursos en sus tres radicales sistematizaciones se remiten entre sí y se esclarecen recíprocamente de tal suerte que me ha sido imposible exponer cualquiera de ellos sin tener que aludir y hasta bosquejar, de un modo u otro, los restantes. La única secuencia de ideas que parecía quedar al margen, en cuanto a lo esencial, respecto a las otras dos corrientes de pensamiento a que me he referido, era, precisamente, la que se ocupaba del simbolismo o irracionalismo poemático. Sólo el hecho, en cierta manera accesorio, de ser un procedimiento artístico enlazaba esta zona de mi producción al resto de mi obra. Pero he aquí que, de pronto, el descubrimiento realizado en mi libro *Superrealismo poético y simbolización* (expresado con suma brevedad en el «Apéndice II» del presente trabajo) sobre las operaciones contextuales en el logro del simbolizado vinculaba estrechamente esta parcela de mis ideaciones al conjunto formado por la totalidad de ellas, como la pieza final de un rompecabezas viene a completar un cuadro.

De este modo, todo se articulaba y cerraba súbitamente. Pues, a la luz de lo averiguado en mi libro *Superrealismo...* acerca de cómo se forma un símbolo en el ánimo del autor («lectura» preconscientemente asociativa por parte de éste de un originador literario *o vital* y búsqueda también preconsciente de una expresión u originado para la emoción así producida), a la luz de tal hallazgo pude llegar a una nueva noticia: que el sentimiento individualista, centralizador en nuestra otra tesis de todas las épocas culturales, no es otra cosa que el «momento emocional» de un «proceso Y» incoado, justamente, en un originador *vital*, que es el estado de la sociedad en la que el poeta vive. La cosmovisión de toda sazón histórica se nos ofrece, en consecuencia, como el conjunto simbólico de los originados que tal «momento emocional», o grado de individualismo, produce en cada uno de los artistas y pensadores a causa de ciertos «estímulos» externos (edad, clase social, tradición artística mediata y, sobre todo, inmediata, estructura socioeconómica del momento histórico en que se vive, nacionalidad o raza, lengua, biografía, arte o tipo de cultura que se practique, fisiología, psicología consciente o inconsciente de cada cual, público al que la obra se dirige, etc.), estímulos que movilizan el «foco cosmovisionario» o «momento emocional del proceso Y» en una u otra dirección. La cultura se nos aparece, por lo tanto, con un carácter simbólico, en el sentido más riguroso del término.

Y, como digo, al alcanzar y poseer estas nociones desde el análisis previo del símbolo, se nos unificaron todas nuestras tesis en una doctrina única, que podríamos formular así. La tendencia simbólica, propia del hombre en todo tiempo (aunque manifestada de una manera más extensa, intensa y especial en el período contemporáneo), unida a la «estructura de la vida humana», es lo que engendra las sucesivas cosmovisiones, las cuales son, a su vez, causa de las diversas manifestaciones de la cultura (literatura, música, artes plásticas, filosofía, ciencia, etc.), tanto como de la unidad a que esa diversidad se reduce en cada período histórico (y así, en la época romántica son románticos los científicos, pintores, escultores, poetas, filósofos, etc.). Por otra parte, la poesía, y, en general, el arte están regidos por dos leyes (la ley de la «modificación del lenguaje» o «norma» y la ley del «asentimiento»), la segunda de las cuales (la necesidad de «asentir», por parte del lector, oyente o espectador, a los productos estéticos) se asienta, en todo caso, sobre nuestras creencias, que no son sino parcelas de la cosmovisión en que nos hallamos instalados. Dicho en forma más concreta y analítica, lo anterior podría expresarse también así. «Leemos» un originador vital, que es el contorno objetivo, social e histórico que nos encontramos al hacernos adultos. De esa «lectura» resulta un grado de individualismo como momento emocional de un proceso «Y», al que, desde nuestro acondicionamiento de todo tipo (los «estímulos» de que antes hablé) arrancamos, en forma no lúcida, una serie de originados o consecuencias sintagmáticas posibles, que formarán en su conjunto la trama de nuestra particular cosmovisión. Ésta explicará el arte o el pensamiento que elaboremos; y, desde ella, «asentiremos» o no a nuestro propio arte y al del prójimo, presente y pretérito. Pero, además, al escribir, necesitamos contar con el «asentimiento» de nuestros lectores, de manera que éstos resultan, de hecho, «coautores» de la obra de arte, en el sentido de que ejercen sobre nosotros, los autores, una evidente «coacción». Y como el asentimiento buscado nos *coacciona* al escribir, actúa, de hecho, en nosotros, en el instante de realizar nuestra obra. Esta se engendra, pues, en la cosmovisión de dos modos: de un modo directo, en cuanto originado cosmovisionario, y de un modo indirecto, en cuanto que se configura teniendo en cuenta el asentimiento que el lector otorga, precisamente, desde su instalación en esa misma visión del mundo a que acabo de referirme.

Tal es la articulación, reducida a bosquejo, en la que finalmente han venido a encajar aquellas tres extensas proclamas o encadenamientos lógicos que, de algún modo, han dado argumento a mi vida de hombre hasta hoy. Enunciémoslos de diversa manera en una síntesis final: la tesis sobre el símbolo en cuanto lectura de un originador vital o literario, por parte del autor; la tesis sobre las cosmovisiones centradas en un grado de individualismo, a las cuales podemos ver ahora, tras el pensamiento anterior, como lectura, repito, de un originador vital (la situación histórica en que nos encontramos), y, por último, la tesis sobre la expresividad artística, con su ley de la «modificación del lenguaje usual» y con su ley del «asentimiento», ley esta última que opera desde el interior de tales cosmovisiones. De todo ello se deduce aún otro importante segmento teórico: la existencia de dos tipos diferentes de crítica, cada uno de los cuales viene postulado por una de esas dos leyes estéticas: la crítica sistemática, que se relaciona con la ley del asentimiento y por lo tanto con la idea de cosmovisión cuyo «foco» es la graduación individualista, y la crítica estructural, que se relaciona con la ley de la «modificación de la norma lingüística». Las dos críticas se nos han ofrecido como indispensables y complementarias, llegada la hora de determinar el estilo de un autor o época.

Aún queda, por supuesto, mucho por hacer, incluso dentro de ese cuerpo doctrinal unitario: la aplicación concreta de éste a la Historia del Arte y del Pensamiento, a la Historia de la Cultura, a los sucesivos períodos estéticos en su pormenor, así como a cada artista o pensador particulares. Sólo muy parcialmente he cubierto yo mismo, en efecto, esas necesarias empresas. Me urgiría hacerlo en el futuro, hasta donde mis fuerzas me lo permitan, y, además, de una manera ahora ya sistemática. Pero acaso la mies sea demasiada para los escasos recursos de un solo hombre [1].

---

[1] Pronto saldrán varios libros míos, redactados ya por completo, que son el resultado de aplicar a ciertos concretos períodos literarios el método expuesto en la presente obra, a la que esos volúmenes vendrán entonces a completar y espero que a refrendar. Es posible que la primera de tales publiccaiones se titule *La Edad Poscontemporánea (cuatro poetas),* donde añadiré, a lo dicho hoy en el Capítulo V, los motivos puramente cosmovisionarios que nos hacen pensar que, en efecto, ha comenzado en la segunda posguerra una «edad» nueva. En este libro que el lector tiene delante de sus ojos se ve muy claro ya que, tras la segunda guerra mundial, la cultura ha superado la interiorización de la *Edad* contemporánea y no sólo el intrasubjetivismo de la *Época* contemporánea, y así, se recupera el mundo y el yo, perdidos antes, pues ni siquiera la cosmovisión de la generación que hemos llamado del 68 objeta (aunque lo pudiese parecer) esto que ahora rápidamente apunto.

APÉNDICES

ESQUEMA HISTÓRICO DEL INDIVIDUALISMO

EL INMOVILISMO FEUDAL

Dado que la noción de individualismo y su sucesivo crecimiento se nos ha aparecido como tan importante para la historia de la cultura, creo que no estará de más desarrollar en este «Apéndice» algunas de las ideas que con mucha mayor concentración he ofrecido en los Capítulos IV y V, y aun añadir otras que en tales capítulos no se mencionan. El lector deberá disculpar, por lo dicho, unas pocas repeticiones inevitables que en algunos casos se hallarán aquí respecto de ese estudio más breve (aunque he procurado reducirlas al mínimo). Naturalmente, las cuestiones que en los capítulos en cuestión han tenido tratamiento adecuado no hallan acogida en el presente «Apéndice»: tal doblaje sería, a todas luces, impertinente [1].

Habría que remontarse, para hacer esta historia, muy lejos, situándonos en el instante, precisamente, en que tal sentimiento había prácticamente cesado. Y es que la disposición histórica de la alta Edad Media trajo consigo la grave disminución, como digo, del individualismo anterior, que era, por su parte,

---

[1] Por tanto, este «Apéndice» no es sólo una ampliación sino también un complemento de los capítulos IV y V; pero, a su vez, tales capítulos resultan complementadores del presente «Apéndice».

tan sólo un resto del que había imperado en la Antigüedad. Tras la toma de Cartago el año 695, se interrumpe poco a poco el comercio cristiano que enlazaba Bizancio con Marsella, pues el Tirreno se hallaba en manos sarracenas [2]. Por supuesto, desde el siglo IX, los bizantinos y sus avances italianos (Nápoles y otros puntos del sur, pero, sobre todo, Venecia) traficaban con los árabes instalados en el Mediterráneo (incluso en Sicilia). Mas el Occidente europeo vino a una situación muy distinta, fuera de estos intercambios, apartado en una existencia quieta y otra. En efecto: los Reyes se quedan sin el dinero que les entraba por las aduanas, pues a lo dicho hay que añadir que los normandos, a fines del siglo IX, representaron en el Báltico el mismo papel que los árabes en el Mediterráneo. La industria, nacida al calor de ese tráfico marítimo, languidece; finalmente, se extingue. Termina, pues, con esto, la posibilidad de enriquecerse al margen del ejercicio de las armas. La sociedad, por otra parte, se hieratiza y fija en un molde inquebrantable. El proceso es bien conocido: los reyes no tienen dinero para pagar un ejército en un momento en que éste se había encarecido con la aparición de la caballería acorazada (y, además, cuando más falta hacía, pues era tiempo de invasiones) [3].

---

[2] Henri Pirenne, *Historia económica y social de la Edad Media*, México-Buenos Aires, Fondo de cultura económica, 1963, págs. 9-10. Luis G. de Valdeavellano palia estas ideas de Pirenne, pero acepta «el predominio de la vida rural y de la economía agraria, la decadencia de las ciudades y de la circulación mercantil» como «notas distintivas de la Europa occidental» hasta la segunda mitad del siglo X, o, sobre todo, en el siglo XI, en que el occidente europeo resurge (*Orígenes de la burguesía en la España medieval*, Madrid, Espasa Calpe, Col. Austral, 1969, pág. 47). La tesis de Pirenne tuvo también contradictores fuera de nuestro país: H. L. Adelson, «Early Medieval Trade Route» (*The American Historical Review*, LXV, 1960, págs. 271-287, o F. L. Ganshof (*Settimare*, V, 1958, páginas 73-101).

[3] Jan Dhondt, *La alta Edad Media*, México-Argentina-España, Siglo XXI de España Editores y Siglo XXI Editores, 1971, págs. 54-55. Las invasiones cesan a lo largo de la primera mitad del siglo X: en el año 912, las invasiones escandinavas, con la cesión de Normandía a Rollón; en el 933 y el 955, las eslavas y las húngaras, gracias a Enrique el Pajarero y a Otón. (Por supuesto, las acometidas musulmanas fueron paralizadas mucho an-

Hubo que improvisar una solución: ceder tierras realengas a cambio del compromiso del servicio militar. Los terratenientes, cada vez más poderosos, se hallan en condiciones de exigir, y van adquiriendo, a lo largo del siglo IX, una serie de privilegios que los constituyen finalmente en señores feudales: carácter vitalicio y luego hereditario de las tierras concedidas; poder legislativo y judicial; por último, jerarquía feudal: capacidad para otorgar a otro señor (y éste a otro, etc.), en calidad de vasallo del primero, parte de lo que el primero había previamente recibido del Rey[4]. Entre mediados del siglo noveno y mediados del onceno, Europa vive la época «clásica» del feudalismo, en que el individualismo alcanza su nivel más bajo. No nos sorprende: las clases se habían cerrado a la sazón en compartimentos estancos; cada persona queda fijada de por vida a un destino ciego, pues se trasmite por herencia; la situación de cada cual se rige entonces por un sistema de imposibilidades que podríamos analizar así:

1.° *Imposibilidad de enriquecimiento.* La industria es puramente casera y familiar: en los gineceos o talleres feudales, donde siervos del señor se afanaban, se produce exclusivamente para las necesidades inmediatas del señorío. Se tejen vestidos, se fabrican los instrumentos del trabajo campesino, pero no hay en ningún sitio interés por crear excedentes para su posible venta fuera del dominio de que se trate. Todo comercio es, además, abominación, y la Iglesia lo condena como pecado, lo mismo que el préstamo con interés, considerado en todo caso como un abuso. Tratar de hacer fortuna es avaricia[5].

2.° *Imposibilidad de modificar y, con frecuencia, hasta de elegir la actividad profesional.* Famoso es, por su extremosidad,

---

tes.) Esto hizo posible poco después, ya en el propio siglo X, pero sobre todo en el siglo XI, el despliegue económico de que hablo en el texto.

[4] Carl Stephenson, *El feudalismo medieval*, Ediciones Europa, 1961, páginas 58-59, 66-81, 111-112, 130-131 y 141.

[5] A. Sapori, «Economia e morale alle fine del trecento. Francesco di Marco Datini e ser Lapo Mazzei», *Studi senesi*, serie III, n. 1, 1952, páginas 44-76; véase también B. N. Nelson, *The idea of Usury; from Tribal Brotherhood to Universal Otherhood*, Princeton, 1949.

el caso de los siervos de la gleba. Pero, sin entrar en matices, puede decirse que no hay más que tres clases de personas: los terratenientes o defensores, los clérigos y los siervos (o semi-siervos), que son los únicos que producen riqueza con su trabajo, la mayoría en el campo, y algunos como artesanos, en los talleres que acabo de mencionar, dejando a un lado los que actúan como criados de los nobles. Sólo se salen de este esquema algunos pequeños propietarios y algunas poblaciones que, por hallarse muy apartadas, se libraron de la organización dominial[6]. En cualquier circunstancia, lo que se era, se era de una vez y para siempre.

3.º *Imposibilidad de transmigrar de una clase a otra.* Las clases son, de hecho, barreras infranqueables. Se conciben, pues, como substancias. Por esto sin duda, pero también y sobre todo por la configuración misma de la mente medieval, que más atrás hemos descrito.

4.º *Imposibilidad, igualmente, salvo excepciones raras, de cambio geográfico.* Generalmente se vivía y moría sin haber salido del terruño en que se había nacido o de sus inmediatos contornos, quitado el caso de los que iban a la guerra.

La sensación irremediable que tuvo que experimentarse al menos en forma negativa, ante este cuadro de paralizaciones y obturaciones es la de impotencia, la de confinamiento y alienación: nadie (ni siquiera el conde) era hijo de sus obras; imperaba el capricho de una cuna azarosa. Propiamente no se merecía; se recibía, todo lo más, una gracia llegada de lo alto: de Dios, o bien, del señor, que era otra forma de lo mismo: un instrumento de la Divinidad. ¿Podía el hombre, en estas condiciones, tener esa conciencia de sí mismo en que el sentimiento individualista consiste? Evidentemente, no. No se sentía la propia individualidad, ni se afirmaba la personalidad humana; sólo se confiaba en Dios, porque imperaba una situación de impotencia: se vivía en un mundo inmodificable, donde la novedad o la fortuna sólo podía, en último término, venir de una

---

6 Henri Pirenne, *Historia económica y social de la Edad Media*, México-Buenos Aires, Fondo de cultura económica, 1963, pág. 49.

Providencia inescrutable. Y es que, además, la situación descrita *llevaba consigo la intensificación de la religión*[7], *pues sólo a través de ésta* cabía que el hombre expresara su espíritu[8], necesidad de la condición humana. Por otra parte el colectivismo del trabajo servil en el campo y la igualdad de los predios que aprovechaba cada uno de los siervos tampoco contribuía a establecer, a mi entender, *diferencias* que pudieren alentar pujos individualistas de especie alguna.

EXTINCIÓN DEL SISTEMA FEUDAL
Y COMIENZO DEL INDIVIDUALISMO

La crisis económica del Islam, en el siglo X, iba a ser causa de un principio de corrupción del anterior esquema, pues esa crisis debilitó la marina de los pueblos que dominaban el mar Tirreno[8 bis]. Los italianos supieron aprovecharse de la mengua de ese poder. Los genoveses y pisanos fueron, poco a poco, en escaramuzas bélicas a lo largo del siglo XI, reconquistando la perdida supremacía[8c]. Se arrebata, en efecto, a los musulmanes

---

[7] Como síntoma de lo afirmado en el texto diremos que se constituye como un hecho que el culto de los santos y de las reliquias durante los siglos X y XI se incrementó muchísimo (véase E. Delaruelle, «La piété populaire au XI siècle», *Relazioni del X Congresso Internazionale di scienze Storiche*, Florencia, 1955, vol. III, págs. 309 y sigs.; véase también Jan Dhondt, *op. cit.*, pág. 346).

[8] En cuanto que el arte y la ciencia son obra de individuos y no de grupos, la inexistencia en suficiente grado de un sentimiento individualista en la sociedad venía a cerrar de hecho la vía de tales posibilidades de expresar la espiritualidad humana. Sólo quedó la vía religiosa, que entonces, claro es, cobró más importancia.

[8 bis] Otros afirman que la causa del debilitamiento fue el traslado, a fines del siglo X, de la sede de los fatimíes de Kairuán a El Cairo (Jan Dhondt, *La alta Edad Media*, Madrid, Siglo XXI México-España, 1971, pág. 278).

[8c] Fue decisivo, en esta resurrección, el papel desempeñado por los enclaves del imperio bizantino en Italia (Bari, Nápoles, Tarento y, sobre todo, Amalfi y Venecia). No hay que olvidar que Constantinopla era una poderosa ciudad *comercial* e *industrial*, que contaba nada menos que con casi *un millón de habitantes*, cifra absolutamente pasmosa en aquella época. De Constantinopla reciben las ciudades italianas mencionadas en

las islas estratégicas que les daban el dominio marítimo antes mencionado: Cerdeña en 1022; Sicilia en 1058 y 1090; Córcega en 1091. Antes, en 1087, las escuadras de Pisa y Génova se apoderan de Mehdia, que decidía el paso por el estrecho de Sicilia, con lo que el Mediterráneo occidental se abrió a la navegación cristiana y al comercio. El año 1095 se predica la primera cruzada, a la que siguieron otras dos (1147 y 1190) a lo largo del siglo XII. El impulso se arrastra ya muerto en el siglo siguiente. Las Cruzadas resultaron, ante todo, un gran éxito económico, pues incorporaron los puertos siríacos al restablecido comercio entre el Oriente próximo y el Occidente, representado por el norte de Italia y, enseguida, por el sur de Francia. La economía se despierta [9], especialmente en esas regiones y, antes, en Flandes, pues ya en el siglo X se reanuda en esta última región el comercio de paños, interrumpido previamente por las invasiones normandas. Aparece, otra vez, la industria. Con esto, surgen ciudades, villas, situadas al margen del sistema feudal y, por lo tanto, libres [9 bis], y, en ellas, una nueva clase social no

---

el paréntesis, a través del comercio, el espíritu de empresa, y el afán de lucro, que comunican pronto a las regiones próximas; por un lado, a Lombardía, incorporada a la vida comercial, a lo largo del siglo X; por otro, a Génova y Pisa, que, a comienzos del siglo XI, «vuelcan sus esfuerzos hacia el mar» (Henri Pirenne, *Las ciudades de la Edad Media*, Madrid, Alianza Editorial, 1972, págs. 57-60). Se explica así la actividad guerrera que indico en el texto. Añadamos que los escandinavos, en cuanto abandonaron el pillaje de sus invasiones (año 912), dedicaron sus barcos al comercio. Este comercio escandinavo del siglo X «provocó el renacer de la costa flamenca» (*ibidem*, pág. 65). En ambos casos, pues, es un agente exterior (Bizancio, Escandinavia) lo que reanima inicialmente la economía de las dos regiones que se ponen en movimiento (Italia y Flandes).

[9] Se trata de lo que podríamos denominar una verdadera «revolución comercial», pues, en efecto, T. K. Derry y Trevor I. Williams han podido comparar este período medieval con el iniciado en 1760, época, como nadie ignora, de la famosa «revolución industrial» inglesa (véase, de los autores mencionados, *Historia de la Tecnología. Desde la Antigüedad hasta 1750*, Madrid, Siglo XXI de España Editores, 1977, pág. 50).

[9 bis] Lo dicho en el texto se refiere a la situación de las ciudades en el siglo XII, pues sólo en este siglo se alcanzan definitivamente las instituciones municipales que les fueron en adelante características (Henri

sometida a los señores, la burguesía, que viene y va al mercado [10] y necesita pagar en numerario, cuyo volumen, forzosamente, en consecuencia, habrá de ser ampliado. La circulación
cada vez mayor de metales preciosos (primero, la plata; luego,
por necesidades del naciente capitalismo, a partir de 1231 y
sobre todo de 1252, también el oro) [11] produjo una imparable
inflación. Los feudales siguen recibiendo de sus gentes las
mismas rentas de antes, fijadas por escrito, en una época que,
como más atrás dijimos, no concibe el cambio [12]. En estas
condiciones, la inflación habrá de empobrecerlos [13], pues el
comercio tentaba con objetos lujosos que la aristocracia *necesitaba* como complemento *indispensable* de su condición superior, ya que, para la mente de la época, la manifestación exterior idónea se mira como esencial, y aparece, consiguientemente, como un deber [14]. Aunque, según acabo de decir, no
habían disminuido los productos del suelo que los terratenientes obtenían con el trabajo de sus siervos (lo que les habría
permitido seguir viviendo al viejo estilo), tales bienes resultaban insuficientes en este tiempo nuevo en el que tantos refina-
mientos (que la inflación tornaba siempre más caros) se ofre-

---

Pirenne, *Las ciudades de la Edad Media*, ed. citada, pág. 113). «Pero
también nos consta que numerosas ciudades de las diferentes partes de
Europa recibieron, entre los siglos X y XII privilegios municipales (libertades) garantizados por documentos escritos» (Jan Dhondt, *La alta Edad
Media*, Madrid, Siglo XXI México-España, 1971, pág. 299): Génova los
recibe en el año 958; Cremona, en el 996; Savona, en el 1059; Lucca y Pisa,
en el 1081; León, en el 1020 (y Berbeja y Zadornin, antes aún, en el 955);
algunas ciudades de la región del Mosa en el siglo XI; etc. (*ibidem*, páginas 299-301).

[10] Régine Pernoud, *Histoire de la bourgeoisie en France*, Paris, éd.
du Seuil, 1960, págs. 96-137, especialmente pág. 104.

[11] Génova precede a Florencia en la acuñación del oro. Véase R. S.
López, «Settecento anni fa: il ritorno all' oro nell' occidente duecentesco»,
Quaderni della Rivista Storica Italiana, 4, Nápoles, 1955.

[12] Véase, en este libro, págs. 422 y sigs. (cap. XVIII).

[13] «En el siglo XIII, el endeudamiento empieza a caracterizar la situación económica de los señores», dice Georges Duby (*Economía rural y
vida campesina en el Occidente medieval*, Barcelona, Ediciones Península,
1968, pág. 305).

[14] Véase, en este libro, págs. 414-421.

cían a los ojos de quienes los deseasen. Vestidos, muebles y
ornamentos, no fabricados ya en los «gineceos» (que a lo largo
del siglo XII van desapareciendo por innecesarios, pues los
objetos que en ellos se fabricaban se pueden adquirir, aunque
a precios cada vez mayores, en el mercado) vuelven escasas las
rentas de los señores. Por otra parte, ya hay mercados también
para los productos del campo. Ante estos hechos, la aristocracia
decide liberar a los siervos, ya que no sólo éstos compraban
con dinero su libertad, sino que, sobre todo, sus tierras, alqui-
ladas a los colonos libres (que a veces eran los propios siervos
liberados) resultan más rentables [15]. Ello alcanzó evidencia mayor a lo largo del siglo XIII, cuando los alquileres dejan de ser
a perpetuidad y se convienen en plazos de dos a seis años, lo
que permite aumentar el censo correspondiente a tenor del
nivel de inflación y del alza consiguiente de la plusvalía del
suelo. Las «reservas» de los señores, que antes eran trabajadas
obligatoriamente por los siervos, se quedan ahora sin los brazos
serviles y han de convertirse, ellas también, en parcelas que
colonos libres toman en alquiler. Otro medio para adquirir
recursos será la venta de los predios a los burgueses enriqueci-
dos o a los propios colonos, pues, como ya hay tráfico comercial, pueden éstos obtener ganancias que ponen a su alcance
tales adquisiciones. Ambas cosas (alquiler o venta) conducen
a lo mismo. El señor pierde, de modo casi imperceptible, la
clase de dominio que ejercía sobre sus tierras, pues que pierde
su ejército. Pero un señor sin ejército no es un señor feudal,
sino un noble cortesano. El feudalismo, de este modo, va, poco
a poco, debilitándose [16] hasta su completa desaparición [17].

---

[15] Arnold Hauser, *Historia social de la literatura y el arte*, Madrid.
Ed. Guadarrama, 1957, t. I, págs. 278-279. Tener tierras daba prestigio
social, pues equiparaba al propietario burgués con el noble.

[16] En la mayor decadencia posterior de los señores intervino también
la invención de las armas de fuego (v. nota pág. 116), las cuales, apare-
cidas en el siglo XIV, alcanzaron mucha más importancia en el siglo XV.
Los castillos perdieron, con la artillería, su inexpugnabilidad, y pasaron a
ser residencias palaciegas más bien que fortalezas (véase Carl Stephenson,
op. cit., pág. 158). Por supuesto, el uso del fusil es más tardío. Aunque
ampliamente conocido en 1525, no fue usado con fines militares hasta la

La sociedad, inmovilizada antes en un bloque rígido, se licúa y fluye. Todo empieza a desperezarse, a bullir. Los siervos, liberados, se van a las ciudades; los burgueses, a través de los matrimonios [18], comienzan a penetrar en la aristocracia; gobiernan, además, las ciudades [19]. La economía dineraria contribuye al desarrollo del criterio personal. Los jornales en dinero, en lugar de las antiguas prestaciones en especie, traen consigo, en efecto, libertades hasta entonces por completo inimaginables. Aparte de que, en la nueva situación, al trabajador le es hacedero emplear su jornal a capricho (con lo que intensifica la conciencia de sí mismo), puede también procurarse más fácilmente que antes tiempo libre, y está en condiciones de dedicar sus ocios a lo que le plazca [20]. De este modo el individualismo habrá forzosamente de crecer.

Del anterior sistema de imposibles se pasa a un sistema de posibles: posibilidad de enriquecimiento, de traslado físico, de cambio profesional, de ascenso social, de decisión propia, de mando. Al aumentar la riqueza, la vida adquiere, ante todo,

---

Guerra de los Treinta Años (T. K. Derry y Trevor I. Williams, *Historia de la Tecnología. Desde la Antigüedad hasta 1750*), págs. 216-217).

[17] Las instituciones feudo-vasalláticas subsistieron hasta el final del *ancien régime*, e incluso quedaban aún ciertas supervivencias en los siglos XIX y XX, en algunos países. Pero lo cierto es que desde fines del siglo XIII dejaron de ser un rasgo verdaderamente esencial de la estructura social y política de los diversos Estados de la Europa occidental (F. L. Ganshof, *El feudalismo*, Barcelona, Ediciones Ariel, 1963, pág. 211). «La sociedad feudal (...) perduraría con pleno vigor hasta el siglo XIII. Desde entonces (...) empezaría a desintegrarse» (José Luis Romero, *La Edad Media*, México, Breviarios del Fondo de cultura económica, 1956, página 50)). «El período del verdadero feudalismo, en que florece la caballería, se cierra ya con el siglo XIII» (J. Huizinga, *El otoño de la Edad Media*, Madrid, ed. Revista de Occidente, 1961, pág. 79).

[18] Arnold Hauser, *op. cit.*, I, pág. 357.

[19] No en España. En España son los caballeros villanos quienes detentan y ejercen ese poder. Véase Claudio Sánchez Albornoz, *España, un enigma histórico*, Buenos Aires, Editorial Sudamericana, 1956, t. I, página 676.

[20] W. Cunningham, *Essay on Western Civilization in its Economy Aspects, Ancien times*, 1911, pág. 74.

complejidad, y hay más opciones, entre las que se hace preciso *elegir* por uno mismo, lo cual requiere el uso del raciocinio. De otro modo: el comerciante [20 bis] viaja [21] y conoce otras culturas y modos de ser hombre, que *compara* con los suyos propios, con lo que éstos quedan así expuestos a la crítica individual [22]. Aún más: no hay duda de que tanto el comerciante

---

[20 bis] El comerciante es, además, un tipo humano cuyo éxito es atribuible únicamente a su *inteligencia* y a sus otras dotes personales, no a su clase social, lo cual habría, forzosamente, de subrayar su individualidad.

[21] Régine Pernoud, *Histoire de la bourgeoisie en France*, Paris, éd. du Seuil, 1960, págs. 100-101.

[22] Algo parecido a esto último vio Ortega en la Historia de Roma (véase «Una interpretación de la Historia Universal», en *Obras Completas*, t. IX, Madrid, ed. Revista de Occidente, 1962, págs. 135-137). Se trataría, pues, de un hecho dotado de cierta universalidad. Me parece indispensable complemento agregar a lo dicho que a este mismo efecto colaboraron también decididamente las consecuencias de las Cruzadas, como ya señaló en el siglo pasado el gran historiador Guizot. Constata éste, en efecto, tras comparar los escritos de los cronistas de las primeras Cruzadas con los de los historiadores de las últimas, la gran revolución que se había producido en los espíritus europeos por razón del contacto, a través de aquellas jornadas épicas, entre cristianos y musulmanes. Tras tal experiencia, se habla de éstos ya de otro modo. Si para los primeros cronistas, los musulmanes eran sólo un objeto de odio, para los historiadores de la última hora (Guillermo de Tyr, Jacobo de Vitry, Bernardo el Tesorero) ya no son, ni mucho menos, monstruos. Tyr elogia a Nuredin; Bernardo el Tesorero, a Saladino. Incluso se valen de los musulmanes para satirizar a los cristianos, en un cotejo en el que éstos salen perdiendo. «El principal efecto de las Cruzadas», concluye Guizot, «es un gran paso hacia la emancipación del espíritu, un progreso hacia ideas más amplias, más libres» (nosotros hablaríamos aquí de «individualismo»). La causa de esto es, siempre según Guizot, «la novedad, la extensión, la variedad del espectáculo que se ofrece a los ojos de los cruzados». «El hábito de observar pueblos diversos, costumbres, opiniones diferentes, amplía las ideas y limpia el juicio de viejos prejuicios». Los guerreros cristianos se han encontrado, de pronto, en relación con dos civilizaciones no sólo diferentes, sino, además, avanzadas: la sociedad griega y la musulmana. No se puede dudar de que los cruzados sintieron a ambas como superiores a la suya propia: admiraron «la riqueza y la elegancia de las costumbres de los musulmanes; percibieron a la sociedad griega «como más adelantada y pulida» (François Guizot, *Historia de la civilización en Europa*, Madrid, Alianza Editorial, 1972, págs. 194-196).

como el industrial han de hacer cuentas [23], ejercitar su inteligencia [24]. La conciencia humana empieza así a independizarse, y el hombre se inicia en el uso de la razón. No es casual que en estas fechas, justo en las regiones donde los mencionados cambios sociales se habían producido con más intensidad, en Provenza sobre todo, se insinúen y prosperen las herejías [25]. Ha brotado el individualismo: su graduación no es aún importante,

---

[23] Véase a este propósito, ed. Forestié, *Le livre de comptes des frères Bonis, marchands montalbanais du XIVème siècle*, París-Auch, 2 tomos, 1890-1893; también, P. Meyer, «Le livre Journal de maître Ugo Teralh, notaire et drapier à Forcalquier» (1330-1332), en *Notices et Extraits des Manuscrits de la Bibliothèque National*, t. XXXVI, 1898.

[24] Sobre el influjo del comercio en la aparición del cálculo, aunque referido a los caldeos, véase F. Enrique-G. de Santillana, *Histoire de la pensée scientifique*, I, Paris, Hermann, 1936, págs. 31-35. El despertar del comercio, ya a lo largo del siglo X (Flandes, Lombardía y los puntos italianos que señalé más arriba) desarrolla, en efecto, la razón, y ello con más evidencia aún después de esa fecha. Mas, sin salirnos de ésta, percibimos con claridad los efectos de tal desarrollo, no sólo *en el inicio de la revolución técnica* cuya plenitud, sin embargo, se produjo en el siglo XI, tal como dije al comienzo de la presente obra (cap. V), sino también *en el descubrimiento de la lógica* por parte de Gerberto de Aurillac (luego Papa, con el nombre de Silvestre II), a través de aquellos escritos de Boecio (principios del siglo VI) que eran traducción de la lógica aristotélica. El mundo, antes confuso y caótico, se ordenaba de pronto y se aclaraba tranquilizadoramente. No juzgo exagerado pensar que en aquellos espíritus toscos de fines del siglo X que acudían a las enseñanzas de Gerberto en la escuela catedralicia de Reims (que éste dirigía desde el año 973) debió representar todo esto una alegría resplandeciente y auroral sólo comparable, en términos relativos, con el momento en que asomó en las conciencias occidentales la fe en la ciencia y, luego, la fe en el progreso.

[25] William Petty fue el primero en ver la relación que media entre comercio y heterodoxia (William Petty, *Several Essays* in Pol. Arithm. 1699, páginas 185 y sigs.). Sombart acepta esa relación, pero duda de cuál sea su sentido (Werner Sombart, *El burgués*, Madrid, Alianza Editorial, 1972, páginas 299-302.) Lo que no se puede poner en duda es el hecho que indico en el texto: la aparición de la herejía justo en las regiones que en el siglo XII estaban desarrolladas comercial e industrialmente. No me parece aventurada la interpretación a la que me arrimo. Naturalmente, hubo herejes antes del período feudal (véase Jan Dhondt, *op. cit.*, págs. 109-110), pero tuvieron un sentido muy distinto.

apenas si se nota; pero lo esencial es haber roto el viejo sortilegio que mantenía como encantada a la sociedad en una dormición inapelable, en un éxtasis. Pues el individualismo, al ponerse en marcha, origina, a la larga, un verdadero círculo vicioso, que conduce, en principio, a su incesante aumento: al haber más individualismo e incrementarse el empleo de la razón, se hará ciencia y técnica; esto lleva al progreso; pero el progreso, *interpretado como un bien*, intensificará la fe en la ciencia y traerá consigo más individualismo, que, a su vez, llevará a acrecentar la técnica, la ciencia, el progreso, y así sucesivamente. Esto es lo que ocurrió en el mundo occidental, y ésta es una de las causas fundamentales, según dijimos, a partir de cierta fecha, de los cambios de sistema cosmovisionario.

OTROS BROTES DE LIBERTAD EN EL CAMPO

Pero no vayamos tan de prisa. Debemos tornar al hecho de que la emancipación económico-social propia de las urbes, al quebrar los lazos jerárquicos e iniciar la independización de la conciencia, colabora en el nacimiento del individualismo. Hemos visto también cómo fue desapareciendo la servidumbre en el campo, tras el florecimiento de las villas y sus nuevos modos de vida. Anotaré ahora otras formas de liberación campesina distintas a las que acabamos de examinar[26]. Por lo pronto, el de las abadías cistercienses[27]. Debo recordar aquí, entre paréntesis, el aumento constante de la población entre la segunda mitad del siglo X y el final del XIII[28]. Muchos sier-

---

[26] Henri Pirenne, *op. cit.*, págs. 56-60.

[27] Sobre el modo de organización de las abadías cistercienses por lo que toca al trabajo en los campos, véase E. de Moreau y J. B. Goetstouers, en *Analectes pour servir à l'histoire ecclésiastique de la Belgique*, tomos XXXII y XXXIII, 1906-1907.

[28] Naturalmente, los datos acerca del crecimiento demográfico son muy imprecisos, pero no se puede dudar de su existencia (véase Léopold Génicot, «Sur les témoignages de la population en Occident, du XIe au XIIIe siècle», en *Cahiers d'histoire Mondiale*, I, 1953, págs. 446-462. Del mismo autor, véase también *El espíritu de la Edad Media*, Barcelona-Ma-

vos hubieron de abandonar la tenencia en que vivían sus padres, incapaz ya de mantener a tanta gente. No sólo las villas, con su artesanía y su comercio, se aprovecharon de este exceso de población. También lo hicieron los cistercienses, que, gracias al sobrante de brazos, pudieron edificar abadías en regiones incultas que ellos empezaron a roturar, empleando como obreros agrícolas a forasteros escapados del sistema de servidumbre. Anotemos la contribución que todo esto supuso al incremento individualista.

Diríamos lo mismo respecto a otros asentamientos provocados también por el alzamiento demográfico. Me refiero a los llamados «huéspedes», gentes que, en plena libertad, se fueron aposentando por su propia cuenta, a partir del siglo XII, en sitios igualmente vírgenes. Pronto los poseedores de regiones sin roturar empiezan a situar en ellas colonos mediante el pago de un censo: he ahí las denominadas «villanuevas». En todos estos casos la servidumbre ha desaparecido, y lo que impera es una situación de libertad.

ESPECIALIZACIÓN DE CADA TERRENO
EN LO QUE LE ES MÁS PROVECHOSO

Encuentro aún otro motivo de individualismo en las nuevas formas de explotación de la tierra. Durante la época propia-

---

drid-México, ed. Noguer, 1963, págs. 169-178 y 258-259). Génicot piensa que las causas de ese crecimiento demográfico son, entre otras cosas, de orden técnico: «una mejora en los procedimientos agrícolas que acrecentaría los rendimientos, variaría las producciones y permitiría nutrir mejor a mayor cantidad de individuos» (*ibidem*, pág. 170). Hay que suponer, además, que el desarrollo comercial e industrial hubo de influir de modo decisivo, no sólo en este caso medieval, sino después. Tras la pausa de los siglos XIV y XV, la población seguirá aumentando desde fines de la segunda de esas dos centurias. En 1600 hay 95 millones de europeos; en 1700, 130 millones. Disminuye la población a mediados del siglo XVIII, y vuelve a aumentar a partir de la Revolución industrial (T. K. Derry y Trevor I. Williams, *Historia de la Tecnología. Desde la Antigüedad hasta 1750*, Madrid, Siglo XXI de España Editores, 1977, pág. 62.

mente feudal se hacía necesaria la autarquía: era preciso que los campos de cada señorío produjesen todos los alimentos considerados como indispensables, pues el intercambio era prácticamente inexistente. Pero en cuanto surgió el comercio, que afectó también, como ya indiqué y es obvio, a los productos agrícolas, la cosa cambió. A partir del siglo XII, comienza a pedirse a cada terreno exclusivamente *lo que le es más adecuado*, o sea, aquello en que rinde más provecho en cantidad o en calidad. Esta superior racionalidad del trabajo había de repercutir positivamente sin duda en el desenvolvimiento, como digo, del sentimiento cuya historia intentamos investigar.

PROGRESOS DE LA RAZÓN, SECULARIDAD INICIAL

El auge cada vez mayor del racionalismo individualista desde fines del siglo XI en adelante se ve de modo muy claro, aparte de en otros muchos efectos que a lo largo del presente libro hemos ido precisando, en la creciente importancia que la razón humana va teniendo en sus relaciones con la teología a partir de San Anselmo (1033-1109), y luego, con mayor evidencia, desde Santo Tomás (1225-1274), como Ortega ha expuesto en un magnífico estudio muy conocido [29]. Resumamos rápidamente su pensamiento, pero completándolo con comentarios propios que lo enderecen hacia la finalidad que ahora nos importa. En San Agustín (siglo V) no existe, de hecho, otro conocimiento que la revelación. No hay, pues, en sentido propio, razón humana [30]. En San Anselmo (fines del siglo XI), en cambio, «fides quaerens intellectum»: la fe necesita ya de la inteligencia. El intelecto tiene que trabajar sobre la fe. *Ésta, pues, es antes.* En Santo Tomás (siglo XIII), la razón da un paso más: se observa un equilibrio entre la fe y la razón, puesto que, «salvo unos cuantos atributos divinos, todo lo demás

---

[29] José Ortega y Gasset, «En torno a Galileo», en *Obras Completas*, t. V, Madrid, ed. Revista de Occidente, 1947, págs. 128-134.

[30] *Ibidem*, pág. 120.

que constituye a Dios es asequible a la razón»[31]. «Y con el hombre reafirmado aparece el mundo en torno del hombre con sus derechos a ser atendido por éste. Ya no se ocupan los cristianos sólo de teología. La filosofía se ocupa también de las cosas y se hace cosmogonía»[32]. Con Duns Scoto, nacido en 1270, dos generaciones después de Santo Tomás, Dios es interpretado como no racional, como irracional, como incomprensible para el hombre, voluntad pura. No es por causa alguna, por razón alguna, sino porque quiere. Y aunque esto parezca a primera vista (añadamos nosotros) un retroceso en el camino de la racionalización individualista, sucede lo contrario, *ya que al afirmarse con más fuerza el individuo humano, se le ve en lo que le diferencia de Dios. La noción de la irracionalidad de Dios no es, pues, a mi juicio, sino la consecuencia de haber individualizado previamente al hombre, como ente, precisamente, racional. Al individualizarse de ese modo, se percibe la diferencia entre el hombre y lo que no es el hombre, y Dios aparece, por oposición a él, como irracional* [32 bis]. El concepto de irracionalidad divina mide, en suma, la racionalidad individualista concedida al hombre, en esa época. Además, con esto, la fe se disocia de la razón, lo cual —y a eso iba—, da a ésta más libertad, arrojado por la borda el lastre que le impedía volar, y de hecho viene a fortalecerla. Aunque el hombre no posea, en tal caso, medios propios para «habérselas con Dios», «su razón», así

---

[31] *Ibidem*, pág. 130.
[32] *Ibidem*, pág. 131.
[32 bis] Parece contradictorio, de primera intención, que, justamente en el período histórico en que empieza a percibirse, por varios sitios, como muy pronto volveré a recordar, una primera valoración de *este mundo* y de los valores estrictamente *terrenales*, surja con fuerza una corriente *mística* tan importante como la que encabezan Eckhart, Seuse, Tauler y Ruysbroeck, todos ellos autores renanos del siglo XIV. Pero la paradoja se deshace en cuanto nos percatamos de que su fuente es el irracionalismo religioso al que me refiero en el texto, y por lo tanto, su fuente se halla en el grado de individualismo, notable ya, de la época. Es, pues, tal individualismo, en nuestra tesis, el que, llevando por un lado a la secularización (enseguida recogeré esto de nuevo), conduce por otro a ese florecimiento místico.

«robustecida», «tiene largo camino de acción en lo mundanal» [33]. Guillermo de Ockam, medio siglo más tarde, demuestra que no existen los universales, con lo que «la vieja lógica del silogismo», basado en tal existencia, se derrumba, pues «no vale para conocer las realidades» [34]. Será precisa otra clase de razón que el progresivo interés por lo individual (digamos nosotros) [35], fruto, claro está, de un individualismo más alto, pronto proporciona [36]. Esta nueva especie de razón es la razón experimental, basada precisamente en la inducción de esa realidad concreta, por la que, añadamos, el individualismo del siglo XIV, justamente porque su grado ya lo permite, viene a interesarse. Se desbroza así el camino que lleva a la ciencia moderna, y con ella al gran incremento posterior del sentimiento que ahora intentamos historiar. Quiero añadir aún otra cosa que se deduce del esquema orteguiano: la progresiva secularización (individualista) del hombre: entre San Agustín o San Anselmo y Guillermo de Ockam, Dios va alejándose poco a poco, al mismo tiempo que la razón humana se fortifica. No pasma observar, en efecto, un primer fruto, ligeramente paradójico a primera vista, de esta inicial secularización de la cultura, propia del siglo XIV —aparte de otros frutos nada paradójicos de lo mismo (erotismo y hasta irreverencias del Arcipreste, etc.). Me refiero a un importante cambio de la sensibilidad, que pasa ahora a preocuparse del tema de la muerte, a la que se siente como personificación de un poder universal. Esto pudiere parecer, contra lo más arriba insinuado, una consecuencia de la religiosidad. Pero debe notarse que es el inexorable destino del *cuerpo* del hombre a lo que se alude en esta nueva temática. No hay duda de que el hombre piensa ya en sí mismo en cuanto hombre. La vida humana *terrena* es lo que ahora duele

---

[33] *Ibidem*, pág. 132.
[34] *Ibidem*, pág. 133.
[35] Véase en este mismo libro, págs. 495-499.
[36] Debo advertir que Ortega no relaciona el proceso teológico de la Edad Media ni con el desarrollo todo de la sociedad, ni, por supuesto, con lo que se constituye, en nuestra opinión, como su principal consecuencia: el auge individualista.

perder. No estamos ya aquí, afirman Ruggiero Romano y Alberto Tenenti (*op. cit.*, pág. 107) ante un sentimiento cristiano, pues para el cristianismo, al menos en su almendra más íntima y original, la muerte propiamente no existe. Sólo cuando ha arraigado ya el amor al mundo y se ha afirmado en grado suficiente el valor del cuerpo y de la vida terrena podía surgir esta preocupación en cuyo nacimiento colaboraron probablemente, además, como es sabido, otros factores que nosotros interpretamos, desde nuestra doctrina, como «estímulos»: uno de ellos sería la reiteración de las epidemias (peste negra de 1348, mortandades de 1360 y 1371); de otro lado, en la aparición de las «danzas de la muerte» ha de verse, también, un impulso de reivindicación social, muy propio de este siglo, tan socialmente conflictivo (movimiento de la *Jacquerie*, etc.).

El auge, relativo, de la razón hace que no pueda pasmarnos que, precisamente en el siglo xiv, se invente la primera máquina verdaderamente tal de la cultura de Occidente. Me refiero al reloj mecánico de ruedas que, mediada la centuria, empieza a verse en las torres de las iglesias. Por primera vez se construía un reloj sin el concurso de las fuerzas y de los fenómenos naturales y, por tanto, sin someterse a su irregularidad caprichosa. Los relojes de la Antigüedad y del período medieval precedente eran los de sol, agua, arena o velas, los cuales, o estaban necesitados de una continua atención humana o se hallaban carentes de verdadera precisión. En los de sol, por ejemplo, que eran los más independientes del concurso humano incesante, el día había de dividirse en doce espacios cronológicos, fuese cual fuese su duración auténtica y, por la noche, el reloj carecía de posibilidad de uso. El tiempo tiene ahora, por el contrario, con el nuevo reloj, un cómputo riguroso [37] y continuo. Se ve (aparte de la incipiente habilidad técnica) el interés mayor, poseído por este hombre inicialmente individualista, en la precisión racional y, en relación con ello, la presencia de una clase social, la burguesía, más necesitada de tal género de exactitudes para sus faenas

---

[37] Hermann J. Meyer, *La tecnificación del mundo*, Madrid, ed. Gredos, páginas 34-35.

utilitarias de comercio e industria. El caso es que el reloj de ruedas, fruto de la nueva actitud humana de que hablamos, viene de hecho a incrementar el individualismo naciente, pues con tal artilugio *se modifica el tipo de relación que hasta entonces el hombre mantenía respecto de la naturaleza* en un sentido que sólo mucho después, con el uso industrial de la máquina de vapor en 1769, iba a convertirse en norma. En vez de someterse al azar de los fenómenos naturales y aprovechar la aparición casual de éstos (caso de la luz en el reloj de sol, que desaparecía si estaba nublado o llovía, y sobre todo cuando llegaba la noche), el artilugio de que hablamos dominaba la situación natural y superaba el acaso, lo cual hubo de constituir, sin duda, un gran triunfo que indudablemente habría de influir en el desarrollo del individualismo. Sirva lo dicho como ejemplo del círculo vicioso de que antes hablé entre el incremento del individualismo por un lado y el de la ciencia y la técnica o las instituciones por otro.

EL ABSOLUTISMO DE LA MODERNIDAD.
TRES POLÍTICAS. EL CASO INGLÉS

En el capítulo IV prometí ocuparme en este «Apéndice» de las relaciones de la política inglesa con el absolutismo. No hay duda del absolutismo de los Enriques VII y VIII. Este último rompió con Roma y se convirtió en jefe de la Iglesia de Inglaterra. Los bienes de los conventos, vendidos, pasaron a sus manos, lo cual le permitió prescindir del Parlamento, y realizar una política absolutista, como los otros monarcas de su tiempo. Pero la propensión absolutista ¿no existió posteriormente en esa gran nación? El racionalismo centralizador era una corriente general de la época, que arrastraba a todas las naciones del mundo occidental que habían ido por el camino del individualismo. Ahora bien: la tendencia adquiriría formas distintas en cada uno de los países a los que afectaba, *según las fuerzas que operaran en él*. Se manifestaba como absolutismo *en cuanto le era posible*, y, dentro de ello, tomaba diferentes coloraciones, a tono con la fórmula capitalista en la que se apoyaba. Me parece sumamente sugestiva y convincente la tesis de Jacques Pirenne al respecto [38]. Expongámosla, pues, aunque con algunas indispensables ampliaciones por lo que toca a nuestro país. España, donde los reyes se apoderaron, primero, de los caudales judíos y los de las órdenes militares (época de los Reyes Católicos), y donde, después, tuvieron a su disposición la inmensa riqueza americana convertida en monopolio de la Corona [39], hicieron un absolutismo que se basaba en el capitalismo de Estado, causa, a la postre, de su ruina, a través de un proceso que ha estudiado minuciosamente, para la época de Carlos V, Carande, desde el punto de vista económico, y luego, en forma sintética, Sánchez Albornoz [40]. Como la riqueza se hallaba en manos del Estado, no se favoreció la iniciativa privada, y faltaba incluso el dinero en las transacciones, por ejemplo, en las ferias [41], pues se confiscaban, cada vez con mayor frecuencia, los metales preciosos que venían a nombre de particulares, a cambio de juros. No asombra la sucesiva quiebra de los bancos desde la época de Carlos V en adelante (Lizarraga, Morga, Espinosa, Iñíguez [42]). Además, los reyes, al disponer de di-

[38] Jacques Pirenne, *op. cit.*, vol. III, págs. sobre todo, 228-244, pero también vol. II, págs. 457, 459, y III, págs. 94-95, 114-116, 120, 126 y 220-222.

[39] Después del monopolio colombino, derogado en 1497, se entra en una nueva fase en que se intenta el monopolio absoluto (1503). Una política más libre se inició en 1510. Y de nuevo vuelve el monopolio cuando, después de 1531, empiezan a recibirse en España grandes cantidades de oro y plata (Vicéns Vives, *Historia económica de España*, Barcelona, ed. Teide, 1959, t. I, pág. 299); la adquisición de su producto íntegro quedó reservada al rey, el cual se incauta, cada vez más frecuentemente, de los metales preciosos que venían consignados a particulares (véase el libro de Carande, *Los banqueros de Carlos V*, y el de Claudio Sánchez Albornoz, *España, un enigma histórico*, II, Buenos Aires, Editorial Sudamericana, 1936, pág. 323).

[40] El caso de Portugal es semejante al de España. Juan II (1431-1495) fue ya un monarca absoluto, gracias al monopolio estatal de la trata de negros en Guinea; y Manuel el Afortunado (1495-1521) generaliza este sistema de capitalismo de Estado en favor de su absolutismo. Sólo Brasil se libró de tan nefasta práctica, continuada luego por Juan III, etc.

[41] Claudio Sánchez Albornoz, *op. cit.*, pág. 323.

[42] *Ibidem*, pág. 324.

nero, sólo hubieron de atender al prestigio de la dinastía y de la hegemonía política y no a los intereses estrictos de la nación como tal. Claro está que, aunque se desatendían las *conveniencias* del país, el rey había de apoyarse en las *pasiones* de la gente, pues nadie puede gobernar contra la «emoción pública», si se me permite decirlo así. España, acostumbrada por la Reconquista, durante nada menos que ocho siglos, a la guerra «divinal»[43], y con una moral de triunfo en ella, se dejaba llevar con facilidad, por velocidad adquirida, diríamos, o a causa de «fijaciones» psicológicas, para expresarlo en frase de Fernández Suárez, a empresas bélicas, siempre que su pretexto fuese religioso[44], aunque tales empresas estuviesen de hecho (consciente o inconscientemente) al servicio, sobre todo, del brillo, en último término, del monarca de turno. De ahí que estas guerras se financiaran, a partes casi iguales, con el oro y la plata americanos y con las ganancias de las industrias castellanas; industrias que, de este modo, se fueron, poco a poco, debilitando hasta desaparecer al final del siglo. Pero ello, pese a todo, no bastó, y, ya a partir de Carlos V, fue necesario acudir a la Banca extranjera, en particular a la genovesa, la cual, en concepto de garantía, se hizo con el arriendo de rentas de la Corona, convirtiéndose, a la larga, en rectora, no solidaria, de la economía castellana[45]. Las varias quiebras del Estado, desde el comienzo mismo del reinado de Felipe II, no hicieron sino acrecentar estos males, pues los banqueros foráneos, ante el gran aumento de los riesgos a que sus créditos se condenaban, hubieron, para cubrirse, de endurecer mucho las reglas del juego[46].

Veamos ahora lo que sucedía en Francia, según Pirenne. Los soberanos reciben allí préstamos de los capitalistas del país (*no representados en los Estados Generales*, sitio en que impe-

---

[43] Claudio Sánchez-Albornoz, *ibidem*, I, págs. 302, 329, 364; II, páginas 577-581.

[44] Álvaro Fernández-Suárez, *España, árbol vivo*, Madrid, Aguilar, 1961, páginas 21-31 y 139-163. Libro éste excelentísimo y de bellísimo estilo, que no he visto nunca mencionado, pese a su valía.

[45] Claudio Sánchez-Albornoz, *op. cit.*, II, pág. 308.

[46] *Ibidem*, II, pág. 341.

raba la burguesía urbana), a cambio de ciertas concesiones (acuñamiento de la moneda, dirección de las finanzas). El trono posee, pues, también en este caso, recursos al margen de aquella asamblea, la cual, entonces, no lo puede mediatizar. Pero, como el capital no se halla estatificado al modo español, el absolutismo *no podrá manifestarse sino como economía dirigida*, y por lo tanto habrá de ponerse al servicio de los intereses de la nación. Francisco I (y antes, intuitivamente Luis XI) y luego los otros reyes, sobre todo desde Enrique IV, practicarán el mercantilismo (riqueza del Estado = cantidad que se posee de oro y plata y por tanto = riqueza de sus súbditos): se buscará una balanza de pagos favorable, y para ello se fomentará la industria y la exportación. La economía aparece considerada así como un todo, a cuyo beneficio habían de coadyuvar las partes, cada una a su manera. La razón penetraba, pues, con decisión en esta importante esfera de la vida francesa, y con ella el individualismo crecía y se institucionalizaba. Y ello cada vez más, pues los reyes que siguieron a Enrique IV continuaron, como digo, el mismo método, salvo en algún raro momento que, para los efectos de síntesis que ahora buscamos, no importa demasiado.

En Inglaterra, el capitalismo, siempre según Pirenne, *estaba representado en el Parlamento* y, por lo tanto, los monarcas hubieron de contar con éste. No pudieron, más que excepcionalmente, en efecto, darlo por inexistente, como, más o menos, hicieron los franceses, pues lo precisaban para recabar de él los subsidios indispensables. Nada, en consecuencia, podía haber allí de una política a espaldas de la nación y desde pautas que pretendían tan sólo el brillo personal del soberano, tal como aconteció en España desde Felipe II en adelante. «Al imponer a la realeza, atenta siempre al reforzamiento de su poderío» (por el motivo de centralización racionalista que sabemos, agreguemos nosotros), «la colaboración del Parlamento, prudente siempre en la administración del caudal del país», dice Jacques Pirenne[47], «se sentó el fundamento de la grandeza in-

---

[47] Jacques Pirenne, *op. cit.*, vol. III, pág. 116.

glesa». Isabel de Inglaterra no «dirige» (a la francesa) la economía: se alía al capital y lo fomenta, pero desde normas liberales. Procura siempre gastar lo menos posible. Se impuso una tarea centralizadora, pero procurando evitar los dispendios: nombra jueces de paz *no retribuidos*, para que en ciudades y parroquias administren y apliquen las leyes; instituye el servicio militar *obligatorio*, y decreta que, en tiempo de guerra, el gobierno pueda requisar los barcos de los mercaderes. Se trataba en todo esto, como en la austeridad de su corte, de ahorrar. Cuando la reina pide préstamos, lo hace, a partir de 1572, a bancos *ingleses*. Por otra parte, no pudo emprender sino aquellas guerras que los parlamentarios previamente le aprobaban. Ahora bien: siguiendo las corrientes del momento y aprovechando una coyuntura favorable, los Estuardo (*y antes la propia Isabel*, en un instante de su gobierno, pero sólo en forma de pretensión) retornaron al absolutismo que Enrique VII y Enrique VIII, según recordábamos antes, habían ya usado. Nadie ignora el alto precio que por ello hubo de pagar Carlos I. Las relaciones cordiales de Carlos II con el opulento Luis XIV, que le otorgaba subsidios, le permitieron, asimismo, gobernar como monarca absoluto desde 1680 a 1685.

Insistamos, pues, en nuestra idea anterior: el absolutismo, como expresión de la razón racionalista, se constituye en propensión, que llamaríamos «natural», de los siglos XVI, XVII y XVIII, con los antecedentes en el siglo XV que sabemos. El sistema sólo queda paliado o desaparece en Inglaterra. Pero ello es por las razones circunstanciales de que arriba hicimos mención. La prueba de tal afirmación yace en el hecho de que incluso esta nación se pone a ejemplificar la tendencia general *en cuanto ello le resulta hacedero* (época de los dos Enriques y período después de los Estuardos). Y como el absolutismo encontraba su fórmula más pura en la monarquía autoritaria «de derecho divino» (fastos de la Corte incluidos), también los monarcas europeos *que podían hacerlo* (por supuesto, no eran muchos) entraban en esta última concepción (prescindamos ahora de las malas consecuencias que ello llevaba consigo). He ahí a los reyes españoles y a los portugueses, gracias a sus respectivas riquezas coloniales; y en Francia, a Luis XIV, en el preciso instante en que se lo toleró la opulencia alcanzada con las destrezas crematísticas de su gran ministro Colbert, continuador aún más feliz de otros sabios dirigentes económicos que en el país le precedieron: Sully, bajo Enrique IV, etc. Luis XIV sólo desiste de su política de prestigio dinástico y de brillante despilfarro cortesano al modo hispánico cuando la realidad (Ryswick, 1697) le proporcionó admonitorios coscorrones en cantidad suficiente para hacerle entrar en vereda. Y, naturalmente, como la política de «derecho divino» había de ir acompañada de intolerancia religiosa, en esos momentos de prosperidad y euforia, Luis XIV revoca (1685) el tolerante Edicto de Nantes que había promulgado en 1599 Enrique IV, y emprende campañas de persecución, a la española, contra quienes contradecían la religión oficial.

No se trata, pues, de que unos reyes o países fuesen más o menos «listos» o «buenos» y otros más o menos «malvados» o «tontos». Se trata de un impulso general que aparece claro cuando las circunstancias lo deciden, y menos claro, o por completo oscuro, cuando ocurre lo opuesto. Pero, incluso en este último caso, lo que se disimula o decrece no es la fuerza que verdadera y últimamente actúa por detrás, o por debajo, de esas capas más superficiales de la Historia de la cultura (fuerza soterrada que en nuestra tesis consiste, sabemos, en cierto grado de individualismo, el cual, a su vez, se traduce, a la sazón, en cierto grado de racionalismo centralizador), sino que lo que se altera o anula es sólo la pureza o la existencia de una de sus *posibles* consecuencias: el absolutismo de derecho divino que se practica en España, y también, como digo, en un tiempo del reinado de Luis XIV; o el absolutismo a secas, con economía dirigida, desde la época de Francisco I a la de aquel último rey. Pues el parlamentarismo y liberalismo económico ingleses no son menos «racionalistas» que las políticas citadas. Y lo mismo diríamos de la propia de los Países Bajos, donde el Estado se puso al servicio del capitalismo (el cual dominaba por completo a la asamblea nacional), invirtiendo exactamente la

fórmula francesa. Practicaron también, claro está, el parlamentarismo y fueron, por supuesto, liberales a ultranza.

TRES POLÍTICAS, TRES ECONOMÍAS Y

TRES   LITERATURAS   DISCREPANTES

El esquema anterior ha pretendido establecer, siguiendo a
Pirenne, la diferente estructura de las relaciones entre la monarquía y el capitalismo, sobre todo en Francia, Inglaterra y
España. Acaso tal estudio, pese a su concisión, nos permita
empezar, por nuestra cuenta, a entender ahora las discrepancias básicas que, como consecuencia de estas disimilitudes
político-económicas, proliferaron a la sazón en las literaturas
de esos tres pueblos, a las cuales podemos aquí sintetizar (y
ahorraremos así palabras) en el tipo de su teatro, género éste
que, por lo especial de su naturaleza, se muestra como más apto
que los otros para reflejar con fidelidad tales motivaciones. A
mi entender al menos, está muy claro que a un país, Francia,
donde el *absolutismo* se acompañó de economía *dirigida,* cuyos
fines eran el bienestar y el orden *generales,* ha de corresponder
una literatura *sometida también a autoridades y reglas,* y cuyos
temas y personajes ostenten en la escena un carácter *ejemplar*
y *universal.* Proclividad, pues, ésta de orden racional, que lleva
a *analizar* las pasiones, y ello (puesto que se trata de ofrecer
ejemplaridades) desde un punto de vista fundamentalmente
ético, sin intentar en principio, si nos referimos al teatro, la
incorporación de un auditorio popular, siempre instintivo, es-
pontáneo y poco amante de regulaciones: Corneille, Racine.

Con no menor nitidez se nos iluminan, me parece, las otras
dos literaturas. En Inglaterra, como lo que florece es una economía liberal, *sin imposiciones que vengan de arriba,* una economía donde lo que priva es la *libre iniciativa de sus súbditos,*
pero tendente asimismo, como la francesa (por supuesto, en su
pretensión ideal) a la prosperidad *de todos,* habrá de aparecer
una literatura que recoja y resalte esas dos notas, las que acabo
de subrayar. Las obras inglesas de entonces, son, en efecto,

ajenas a los preceptos de la Retórica; *libres* también, pues, en este sentido, pero asimismo preocupadas por la *universalidad* de los sentimientos, las situaciones y los caracteres, aunque inteligibles en sus formas teatrales *por el pueblo*, representado en el Parlamento y al que había que tener en cuenta. Ejemplo máximo de ello, la genial creación de Shakespeare. En España, en fin, el poder de la monarquía, y, sobre todo, el poder de la monarquía de derecho divino, encarnada ya implícitamente en la persona de Felipe II, y explícitamente en las de los Austrias del siglo XVII, aparecía, por definición, como *ilimitado*. Empiezo por decir que esta ilimitación o infinitud explica, me parece, de modo suficiente, la *exacerbación* del barroco en nuestro país y en los otros que se le supeditaban, pues sabida es la relación que media entre barroco e infinitismo. Pero, sobre lo dicho, hay que agregar aún dos cosas, si queremos ponernos en claro sobre los aspectos más salientes de la literatura de la época. 1.º Toda monarquía de derecho divino necesita apoyarse en una religión que la justifique, y, por tanto, propende a la intolerancia religiosa, como indiqué hace muy poco. En España, la cosa no ofrece dudas, dada la fama que en todas partes han adquirido los excesos y la existencia misma de nuestra Inquisición. El miedo al contagio de la herejía hizo que Felipe II prohibiera a sus súbditos estudiar fuera de nuestras fronteras. El país se hermetizó y redujo a su propio ser —señorialismo y popularismo, sin la zona intermedia de una burguesía abundante y prestigiosa—, y pronto una propaganda nacionalista vino a exagerar aún más esta propensión a lo idiosincrásico, a la par que halagaba y exacerbaba el instinto de las masas (aunque no tanto como sin duda lo hacía el propio Santo Tribunal). 2.º El poder regio en España no era *organizativo*, sino sólo *pasivo usufructuario de las riquezas*. El monarca recibía el dinero y lo gastaba, *pero no se preocupaba de imponer a la nación desde arriba una organización económica propiamente dicha que generalizase el bienestar*; muy al contrario, aquélla se iba rápidamente empobreciendo. La literatura de la época refleja perfectamente toda la complejidad de este cuadro, y no me refiero, en lo fundamental, al decir esto, a la presencia de todo un género, la novela picaresca, donde se nos habla de pobres, o a la abundancia de la literatura religiosa en nuestra patria. Aludo, sobre todo, a algo todavía más radical y profundo. De un lado, conocido es el carácter fundamentalmente *nacional*, y a veces hasta teñido de *color local*, de nuestra literatura en muchos de sus aspectos (mística, teatro, picaresca), lo que no impide, añadamos entre paréntesis, su posible alzamiento a planos de alta e intensa espiritualidad, porque ése es asunto diferente. (Hablo no sólo de Garcilaso, Fray Luis, Santa Teresa, San Juan de la Cruz y Cervantes, sino también de la poesía de Quevedo, Góngora o Lope, por no citar más que nombres palmarios). De otra parte, sabida es *la nula vigencia de imposiciones autoritarias* en tal literatura, en la que ninguna coerción procedente de las alturas (imperio de dechados en el arte y la conducta, o reglas de la Preceptiva) se refleja. Primará, como dice Ortega (el cual no intenta, sin embargo, una explicación del fenómeno) el popularismo y la acción sobre el análisis de los caracteres, y lo colorista y orgiástico sobre la ejemplaridad y la regularidad [48]. Teatro de Lope y de sus seguidores.

Tal vez alguien pueda preguntarse aquí por qué en Francia la monarquía de derecho divino no produjo algunos de los efectos que acabo de describir para España. Responder a esta cuestión exige tener en cuenta que en nuestro vecino país esta clase de política, si nos referimos al siglo XVII, duró poco tiempo, y se inició, además, cuando estaba fijada ya, robustecida y en marcha la dirección muy distinta de que antes hablé. Pero cabe añadir, como argumento aún más importante, que el hecho de que Luis XIV asumiese durante algunos años esa filosofía del poder no estorbaba para nada el dirigismo económico que seguía caracterizándole *en proporción aún mayor que antes*, con las consecuencias que de tal dirigismo se derivan. Por un sitio iba, pues, la persona de Luis XIV con sus guerras hegemónicas y el resplandor de la Corte, y por el otro, Colbert

---

[48] José Ortega y Gasset, «Ideas sobre la novela», en *Obras Completas*, III, Madrid, ed. Revista de Occidente, 1950, págs. 395-398.

con su vigilante administración. (La paradoja hizo saltar, a la larga, al ministro, pero ello es otro cantar).

Estas diferencias literarias (y en general artísticas) entre Francia, Inglaterra y España son, sin duda, superestructuras que pueden influir (e influyen, claro está, por vía de confirmación) en la estructura básica que en cada caso las produce. No creo que nadie pueda poner en duda el valor propagandístico, voluntario o involuntario, del arte y de las letras. Estos son también (como hemos visto que lo es el derecho, o, en general, todo lo que se institucionaliza) objetivaciones del espíritu con las que el hombre tropieza y frente a las que se hace. Y como, en los tres casos que hemos analizado, la literatura resultó de un mismo grado de individualismo, aunque configurado éste por tres «estímulos» materiales divergentes, ese grado individualista, objetivado así, pudo servir de molde estructurante capaz de influir en las almas de los hombres que se le sometían.

IMPRENTA, CULTURA, RENACIMIENTO

Nos interesa destacar ahora la importancia de ciertos movimientos espirituales en el desarrollo del individualismo. Por lo pronto, la generalización de la cultura con la llegada del Renacimiento. Se conocía desde hacía tiempo el papel de escribir [49], cuando Lorenzo Coster de Harlem inventó los caracteres en madera para la impresión, y Gutenberg los de plomo en 1440. Empiezan a difundirse así en gran escala obras que de otro modo no hubieran sido tan conocidas o tan directamente conocidas [50]. Por ejemplo, la Biblia, de la que se hacen cuatro-

---

[49] Desde el siglo X se conocía el papel en Italia y en Marsella, traído de China y Asia central por los árabes. En el siglo XIV se generalizó su fabricación en Francia.

[50] «La producción de libros durante los primeros cincuenta años después de su descubrimiento fue, casi con seguridad, mayor que en los mil años precedentes» (T. K. Derry y Trevor I. Williams, *Historia de la Tecnología. Desde la Antigüedad hasta 1750*, Madrid, Siglo XXI de España Editores, pág. 339. «En 1500 había ya registradas casi 40.000 ediciones de libros» *ibidem*, pág. 342).

cientas ediciones entre 1457 y 1517. La gente aprendía por do-
quier lectura y escritura. La aristocracia, analfabeta antes, la
burguesía y hasta la gente popular cultivaban a su manera el
espíritu. Hacia 1500 hay libros por todas partes, y en Francfort se constituye una gran feria para ellos. No sólo resultó
afectado así el predominio espiritual del clero (con las consecuencias que de ello se derivan para el individualismo), sino
que se facilitaron los subsiguientes avances técnicos [51]. También se amplía con fuerza el horizonte de la razón y se afianza
la fe del individuo en sus posibilidades.

Pero, además, se contribuye a la propagación del Renacimiento, el cual, por su parte, era un foco no pequeño de individualismo, pues tal movimiento vuelve a la libertad de pensamiento, se orienta hacia la ciencia y la técnica y valora la personalidad humana, su autosuficiencia, y la originalidad de ésta
frente a la de los otros hombres, frente al mundo y frente a
Dios. Al renovar el estudio de Platón, hizo precisa la suficiente
independencia de pensamiento para poder elegir entre él y
Aristóteles [52]. Impera todavía, claro está, el argumento de autoridad (que estuvo vigente hasta fines del siglo XVII) [53], y pocos
se atrevían a sostener algo sin apoyarlo en opiniones ajenas
(acordémonos de Galileo y de su lucha, incluso en fecha tan
tardía, contra los aristotélicos a machamartillo). Mas tal autoridad era ahora la de los Antiguos, los cuales, al diferir unos
de otros, obligaban a pensar por cuenta propia, para poder
decidir dónde estaba la verdad [54]. Pero, a mayor abundancia, el
hecho de que personas tan prestigiosas para ellos viniesen a
controversia y contradicción les obligó a ser más tolerantes, y
puso un principio de relativización en el conocimiento, principio que incitaba a desconfiar de los asertos y a reflexionar

---

[51] *Ibidem*, pág. 339. Hemos establecido más atrás la relación entre la
aparición de la imprenta y la velocidad del progreso.

[52] Bertrand Russell, *Historia de la Filosofía Occidental*, II, Madrid, Espasa Calpe, 1971, pág. 120.

[53] Paul Hazard, *La crisis de la conciencia europea (1680-1715)*, Madrid,
ed. Pegaso, 1952, págs. 109, 120 y sigs., y págs. 162 y 213.

[54] Bertrand Russell, *op. cit.*, pág. 115.

frente a ellos. De ahí que la atención renacentista pasase desde una preocupación puramente literaria a una preocupación también técnica y científica.

Para esto último hay una causa más decisiva aún. Y es que el interés por lo *individual* y *concreto* que el individualismo había traído a la cultura desde los tiempos de Guillermo de Ockam *se acrecienta aún más al llegar el Renacimiento*, y la atención se dirige ahora a la resolución de problemas *prácticos*. Se comprende que comience en este punto el desarrollo (limitado aún, por supuesto) del espíritu técnico. Se dignifican las artes que la Edad Media menospreciaba como «mecánicas», y hacen su aparición inventores a quienes se conceden «exclusivas» de explotación [55]. Proliferan proyectos de molinos, máquinas de elevar agua, aparatos para la elaboración de vidrio [56]. Se trata de hacer las cosas más rápidamente y mejor, y de ahorrar el esfuerzo humano. Muelas «que dan a los brazos de un solo hombre la guerza de un molino», asadores que trabajan por sí mismos, sin necesitar ayuda exterior. Así lo dice Henri Estienne en su libro *Francofordiense Emporium*, 1574. No necesito insistir en el efecto individualista de todo esto, y, claro está, prosperan, con éxito considerable, tratados técnicos, que alcanzan numerosas ediciones [57]. Esta necesidad de solucionar cuestiones concretas de carácter utilitario conduce pronto a la ciencia propiamente dicha, como se ve en la figura de Leonardo [57 bis]. Lo que éste pretende es proyectar, por ejemplo, una máquina movida por pesos que caen, o edificar defensas contra las aguas de un río, *pero de ahí pasa con naturalidad al*

---

[55] Las patentes aparecen por primera vez en Venecia, 1474. De allí pasan a Florencia y a otros estados italianos (T. K. Derry y Trevor I. Williams, *op. cit.*, pág. 58).

[56] Ruggiero Romano y Alberto Tenenti, *Los fundamentos del mundo moderno*, México-Argentina-España, ed. Siglo XXI de España Editores y Siglo XXI Editores, 1972, págs. 164-166.

[57] *Ibidem*, pág. 169.

[57 bis] Igual sucedió en China y en Egipto (v. Max Scheler, *op. cit.*, pág. 120). Lo original de occidente será que, al revés, la técnica se beneficiará de la ciencia desde el siglo XIX o poco antes.

examen de las razones que hacen posibles sus inventos: las leyes que rigen las caídas de los graves o las del movimiento del agua en un canal, (o las del impulso de un proyectil, etc.)[58]. Ha aprendido que «la sabiduría es hija de la experiencia»[59]; que «la experiencia no falla nunca, sólo fallan vuestros juicios, atribuyendo a aquélla efectos que no son causados por vuestros experimentos»[60]; que la experiencia, para tener valor, debe repetirse muchas veces y deben obtenerse resultados concordantes[61].

No puede sorprendernos, pues, que una primera avanzada de la ciencia madrugue ya en los años cuarenta del siglo XVI. En 1543 se publica *De revolutionibus orbium caelestium* de Copérnico, pero también *De humani corporis fabrica libri septem*, de Vesalio, hito en la historia de la anatomía; 1446 es la fecha de *De contagione et contagiosis morbis*, de Fracastori, donde asoma el concepto moderno de infección. Incluso el arte se arrima ahora a la ciencia. La arquitectura medieval (sin exceptuar la gótica) era una arquitectura realizada sin cálculo. Las catedrales que tanto admiramos se construían haciendo primero una armazón de madera, que luego se quitaba, a fin de sostener, al principio de la tarea, la construcción de piedra. Brunelleschi, en cambio, para elevar la cúpula de Santa María dei Fiori, se basa en un previo cálculo teórico[62]. En la pintura de Leonardo, el estudio de la anatomía se torna una verdadera disciplina y resulta de una rigurosa observación de los cuerpos humanos y animales, no sólo en sus aspectos externos sino en sus minuciosas estructuras internas, observación que podemos llamar, sin abuso del término, científica. Y hasta diríamos que

---

[58] Aldo Meli, *Lionardo da Vinci, sabio*, Madrid, Espasa Calpe, 1968, página 79 (en Panorama General de la Historia de la Cultura, IV).

[59] «La sapientia è figliuola della sperientia» (*Cod. Forster...*).

[60] «La sperientia non falla mai, ma sol fallano i vostri giuditii, promettendosi di quella efetti tali che ne' vostri esperimenti causati non sono» (*Cod. Atl.*, 154r).

[61] Leonardo da Vinci, pasaje titulado *De ponderibus (Man. A, 47 E)*.

[62] Ruggiero Romano y Alberto Tenenti, *op. cit.*, pág. 165.

nuestro pintor supera como anatomista a todos sus contemporáneos [63].

Y es que en estos años se pensaba ya que el mundo no era una condena o un destierro; era, por el contrario, un medio de liberación [64]. La naturaleza resultaba, en efecto, «buena, bella y verdadera» [65]. Hay en el período un canto de gloria al Más Acá, ya secularizado, primer momento del proceso de objetivización de la naturaleza, que contribuiría también fuertemente al nacimiento de la ciencia y la técnica modernas.

Y desde la naturaleza propiamente tal se pasaba a considerar «naturales» otras realidades. Se habla así, a la sazón, de derecho natural, moral natural, religión natural, ciencia natural. Se trata de aquello que se refiere al hombre en cuanto sólo hombre, es decir, al hombre en cuanto pensado fuera del tiempo y del espacio. Esta propensión utópica es fruto de la tendencia abstractiva propia de la razón racionalista, pero hay que decir que en el Renacimiento se inicia igualmente lo opuesto: el descubrimiento de la historicidad, precisamente como consecuencia del descubrimiento del individuo. Al descubrir al individuo, habrá de vérsele justamente como tal, o sea, destacando sobre un fondo que se le diferencia. Es así como se percibe por primera vez la doble perspectiva en que las cosas y seres se sitúan: la temporal y la espacial. Perspectiva espacial de unos objetos respecto de otros en su ahora, hallazgo formidable de los pintores. Y perspectiva temporal o histórica de otros seres y objetos del pasado respecto de nuestra actualidad, hallazgo formidable de los humanistas. Esta doble perspectiva objetivaba, pues, el individualismo, y, por consiguiente, como sabemos ya, lo propagaba. Se buscará así *el*

---

[63] Aldo Meli, *La eclosión del Renacimiento*, Espasa-Calpe, 1967, página 199 (en Panorama General de la Historia de la Ciencia, III).

[64] Nicolás Abbagnano, *Historia de la Filosofía*, Barcelona, Montaner y Simón, 1973, pág. 12.

[65] Ramón Menéndez Pidal, «El lenguaje del siglo XVI», en *España y su historia*, II, Madrid, ed. Minotauro, 1957, págs. 144-148 y 158. Aunque no lo diga Menéndez Pidal, hay alguna excepción a la idea: tanto Maquiavelo como Martín Lutero hablan de maldad del hombre.

verdadero Platón, *el verdadero* Aristóteles: brota en los humanistas una necesidad de rigor filológico, por muy imperfecto y torpe que éste sea.

El Renacimiento supuso, pues, una extraordinaria dilatación del horizonte humano, cuyo influjo en el individualismo es fácil de comprender: la autosuficiencia en que el individualismo de la hora consiste se relaciona, sin duda, entre otras cosas, con esta sensación expansiva que ha recordado últimamente José Luis Abellán. Se trata, en efecto, de una «apertura» que actúa en varios sentidos. Apertura en cuanto al espacio, Asia y América, provocada por navegantes y conquistadores, españoles y portugueses. Apertura en cuanto al tiempo: penetración en el pasado cultural de Grecia y de Roma, contribución de los humanistas. Apertura en cuanto al conocimiento astronómico, obra de Copérnico. Apertura en cuanto a la culturalización de mayores ámbitos de población, traída por la imprenta[66]. El hombre hubo de sentirse, con todo esto, estimulado y aumentado en su ser, cobrando mayor conciencia de sí y de sus capacidades y valores.

MAQUIAVELO

La secularización alcanzaba también a la moral del Estado, que Maquiavelo percibe como independiente de consideraciones religiosas o morales al modo tradicional. El juicio del autor resulta exclusivamente pragmático y supedita siempre los medios a los fines. Hasta las virtudes del buen caballero, tal como se concebían anteriormente, quedan en su obra con frecuencia alteradas, o incluso invertidas, a causa de razones prácticas. Por ejemplo, la de la veracidad, el cumplimiento de promesas, virtud primordial del noble durante la Edad Media, que queda ahora puesta en entredicho:

> Cuando un príncipe dotado de prudencia ve que su fidelidad en las promesas se convierte en perjuicio suyo y que las ocasiones

---

[66] José Luis Abellán, *Historia crítica del pensamiento español*, t. II, ed. cit., pág. 16.

que le determinaron a hacerlas no existen ya, no puede y aun no debe guardarlas, a no ser que él consienta en perderse [67].

El príncipe debe guardar su palabra mientras le convenga, y sólo en ese caso. Tal pragmatismo aparece más claro aún cuando Maquiavelo menciona la religión. Pues no se trata de que para él la religión carezca de importancia. Al revés: nuestro autor sostiene taxativamente que la religión es utilísima a la política [68]. «Útil»: ahí está la palabra clave. La religión importa, pero sólo porque puede ser usada a favor del príncipe. Con el mismo criterio se enfrenta Maquiavelo a las virtudes todas. Estas valen mientras aportan beneficios. Por tanto, habrá que fingirlas si no se tienen:

> No es necesario que un príncipe posea todas las virtudes de que hemos hecho mención anteriormente; pero conviene que él aparente poseerlas [69].

Mas a veces las virtudes traen consigo efectos políticamente perniciosos, y entonces lo mejor es prescindir de ellas. Continuación del párrafo recién copiado:

> Aun me atreveré a decir que si él [el príncipe] las posee realmente [se refiere a las virtudes] y las observa siempre, le son perniciosas a veces; en lugar de que, aun cuando no las poseyera efectivamente, si aparenta poseerlas le son provechosas. Puedes parecer manso, fiel, humano, religioso, leal y aun serlo; pero es menester retener tu alma en tanto acuerdo con tu espíritu que, en caso necesario, sepas variar de un modo contrario [70].

Otras citas:

> Es necesario que el Príncipe sea bastante prudente para evitar la infamia de los vicios que le harían perder su principado (...).

---

[67] Maquiavelo, *El Príncipe*, capítulo XVIII, Madrid, Col. Austral, ed. Espasa Calpe, 1970, pág. 86.

[68] Maquiavelo, «Discursos sobre Tito Livio», cc. 9, 10, 11 y 15, *ibidem*, págs. 160-161.

[69] *Ibidem*, pág. 87.

[70] *Ibidem*, pág. 87.

Pero no tema incurrir en la infamia aneja a ciertos vicios si no puede fácilmente sin ellos conservar su Estado; porque si se pesa bien todo, hay una cierta cosa que parecerá ser una virtud, por ejemplo, la bondad, clemencia, y que si la observas formará tu ruina, mientras que otra cierta cosa que parecerá un vicio formará tu seguridad y bienestar si la practicas [71].

Un príncipe que (...) quiere (...) ser bueno cuando en el hecho está rodeado de gentes que no lo son no puede menos de caminar hacia su ruina. Es, pues, necesario que un príncipe que desea mantenerse aprenda a poder no ser bueno y a servirse o no servirse de esta facultad según que las circunstancias lo exijan [72].

Si aquella mayoría de hombres (...) de la que piensas necesitar para mantenerte está corrompida, debes seguir su humor y contentarla. Las buenas acciones que hicieres entonces se volverían contra ti mismo [73].

Por eso la crueldad puede tener un uso bueno o malo, no por sí misma, sino según sean sus consecuencias [74]. De igual modo, a veces se puede engañar [75]. Respecto al bienestar o malestar de la población que vive en los dominios del príncipe, es cosa que a Maquiavelo, claro está, no le preocupa en porción alguna:

Los principados o ciudades que antes de ocuparse por un nuevo príncipe se gobernaban por sus leyes particulares, sólo hay un medio para conservar semejantes Estados: el de arruinarlos [76].

El mérito de Maquiavelo radica, desde nuestro punto de vista, en haber sido el primer gran desmitificador en la historia de Occidente: la política queda en su obra, de hecho, atravesada por un ojo implacablemente clarividente, que percibe desvalores substanciales por debajo de los valores formales

---

[71] *Ibidem*, cap. V, págs. 77-78.
[72] *Ibidem*, págs. 76-77.
[73] *Ibidem*, págs. 95-96.
[74] *Ibidem*, págs. 49-50.
[75] «Discursos...», *ibidem*, pág. 145.
[76] *Ibidem*, pág. 29.

que a primera vista se manifiestan, tal como más adelante harán en sus muy diferentes disciplinas Copérnico, Darwin, Marx, Nietzsche, Freud, Kinsey, etc., *los cuales poseen,* desde nuestra peculiar perspectiva, *un sentido similar al suyo*[77]. Cada gobernante habla, cuando lo hace, en nombre de la moral, y en sus palabras se pone a sí mismo como expresión acabada de ella; pero nuestro autor nos hace ver lo que late más allá de tan nobles apariencias: el interés puro, cuando no el franco egoísmo del personaje, y no otra cosa. Nada importa que Maquiavelo asienta a la actuación de su «príncipe» y quiera convencernos de que éste se comporta como debe. Lo decisivo no es lo que nuestro autor afirma, sino *lo que de hecho nos hace comprender.* Ahí estriba lo corrosivo de su mensaje, el cual no es, por tanto, interesante para nosotros sólo por ser fruto del individualismo de la época (secularización de la noción de Estado y criterio personal en su concepción), sino, más aún, en cuanto fuente de un individualismo futuro, como a la larga ocurre con todas las desmitificaciones. Aquello que en la historia ha contribuido, en efecto, a responsabilizar al hombre, haciéndole descansar sobre sí mismo, aunque, por un lado, pueda tener al comienzo consecuencias de angustia y de momentánea inseguridad, le otorga pronto, por otro, como dijimos ya[78], conciencia de sí mismo y, por tanto, si hay razón para ello, confianza legítima en sus *verdaderas* dotes. Traigamos a cuento, otra vez, la parábola del paso de la niñez a la edad adulta. El infante se siente seguro, arropado en el calor y la protección que le proporcionan sus padres, pero esa seguridad es una seguridad falsa, que no le pertenece verdaderamente a él. Al contrario, la índole

---

[77] Incluyamos en la lista de los desmitificadores a los numerosos espíritus del siglo XVIII que vinieron en masa a echar abajo el *statu quo* tradicional. El criticismo del siglo XVIII (excelentemente estudiado para el caso de España por Luis Sánchez Agesta, *op. cit.,* y por Paul Hazard, para todo el ámbito general de la cultura, *El pensamiento europeo en el siglo XVIII,* Madrid, Revista de Occidente, 1946) contribuyó decisivamente al desarrollo del individualismo. Como no dispongo de espacio para tratar a fondo este tema, apuntémoslo, al menos, en tan rápida nota.

[78] Págs. 77 y 90-91 del presente libro.

del niño consiste en debilidad y en carencia de entidad propia: es una pura referencia a quien le alimenta y sostiene física y metafísicamente. Al hacerse mayor y abandonar el hogar paterno, el muchacho puede experimentarse como lleno de temor y congoja, pero sólo entonces empieza a existir de veras, y en la medida en que lo merezca, se inicia, en ese instante, el proceso de la auténtica confianza en sí mismo.

La doctrina de Maquiavelo nos muestra cínicamente lo que somos los hombres, por debajo de las apariencias, cuando nos convertimos en gobernantes; esto es, nos muestra lo que de verdad hay en toda política y, por tanto, en todo pueblo en cuanto tal que de hecho venga identificativamente a encarnarla. Este conocimiento de la indignidad humana hace más responsable a quien lo posee y, por consiguiente, al popularizarse, contribuye, paradójicamente, a tornar más individualista a la sociedad.

COPÉRNICO

Debo insistir en que algo parecido sería posible formular para todos los autores o hechos que, de un modo u otro, han ayudado a fundir el bloque enterizo y acrítico de la supuesta «nobleza» del hombre. Ejemplo de ello sería, indudablemente, la obra misma de Copérnico. Empecemos diciendo que su hipótesis aportó mucho al individualismo por lo que representaba en cuanto éxito de la razón humana, y en cuanto que suponía la liberación del hombre respecto de ciertos vínculos religiosos: no en vano su tesis fue tan combatida por la Iglesia. Pero hay mucho más que esto en ella. Hasta el gran científico, se pensaba que Dios había creado el universo por el hombre y *para el hombre*, y, por eso, el lugar donde éste vivía se constituía como centro del cosmos. Al pensar Copérnico, contra Aristóteles y Ptolomeo y contra toda la tradición (salvado el caso remoto de Aristarco de Samos), que la tierra giraba alrededor del sol, la «nobleza» del hombre quedaba muy rebajada; mas, al propio tiempo, y precisamente por eso, dejaba éste de configurarse como un niño cuyo padre (en este caso, Dios) tenía a bien concederle, en calidad de regalo de Reyes, esa misma «nobleza» de naturaleza tan equívoca.

La doctrina de Copérnico aún actúa sobre el individualismo de la sociedad europea de otros modos, algunos de ellos todavía más sutiles. Empecemos por lo más evidente. La tesis copernicana, y luego, más aún, el sucesivo pensamiento científico tan crecientemente revolucionario, tuvieron como una de sus más relevantes consecuencias, *el reconocimiento de que lo que se había creído desde los tiempos antiguos podía ser falso* [79]. Ahora bien: me parece evidente suponer que tal reconocimiento había de llevar consigo, a plazo más o menos largo, un poderoso aliento para que se popularizase y extendiese *la tendencia a pensar por cuenta propia*, sin que el sujeto quedase mentalmente paralizado por el peso de la autoridad y la tradición. Dicho de otro modo: había de llevar consigo un reforzamiento del criterio personal (individualismo). No pasaría, en efecto, mucho tiempo sin que empezara a corromperse en la sociedad europea la noción del estaticismo de la sociedad y del pensamiento, noción que tanto había caracterizado la visión medieval, pero que perduraba de un modo casi íntegro durante el período renacentista: los cambios son abusos, y, por lo tanto, en todo instante había de pensarse y sentirse como siempre se había sentido y pensado. Fue más adelante, como pronto habremos de precisar, el momento del cese de la idea inmovilista: Copérnico no influye, se ha dicho, hasta entrado el siglo XVII, en que Galileo y Kepler dieron precisión a sus hallazgos, pese a que *De revolutionibus orbium caelestium* fue publicado en 1543. Se comprende que sea en la cosmovisión barroca donde se noten huellas de su tesis. Aparte del pesimismo al que había de llevar una argumentación que desplazaba al hombre del centro del universo y lo relegaba a la calidad de mera partícula de un cosmos infinito (con lo que su «nobleza» quedaba, evidentemente, deteriorada de una forma más grave que en el propio Maquiavelo), el copernicanismo estimuló también, en la cosmo-

---

[79] Bertrand Russell, *Historia de la Filosofía Occidental*, II, Madrid, Espasa Calpe, 1971, pág. 149.

visión de la época, la desconfianza frente al testimonio de los *sentidos* (*nuevo rebajamiento de la idea de la perfección humana*) y la necesidad de usar la razón para ir más allá de ellos, lo cual es notorio en la filosofía de Descartes y en la literatura e incluso en la ciencia del siglo XVII [80]. No hay duda de que todo esto hubo de aumentar en el hombre la conciencia de sí mismo, con las consecuencias individualistas que de ello, en el sentido que dijimos, habrían de derivarse.

TÉCNICA DEL SIGLO XVII

¿Y qué decir de la ciencia y de la técnica, que tanto se desarrollaron en el siglo XVII, sino que forzosamente hubieron de dar un poderoso impulso al sentimiento que nos ocupa? El siglo XVII es el tiempo en que, de hecho, comienza la ciencia moderna: se ponen, con esto, las bases de la cultura en que aún hoy vivimos. Todo lo anterior (los trabajos de los nominalistas de París, etc.), son sólo, en realidad —si se me permite una leve exageración— atisbos, tanteos, búsquedas más que hallazgos, con la excepción de Copérnico y los otros autores citados. ¿A qué se debe, pues, esa novedad que tanta importancia habría de tener? A dos cosas decisivas: la invención en esa época de un método investigador, y la construcción paralela de instrumentos científicos, que multiplicaron grandemente las facultades naturales del hombre.

Empecemos por esto último. He aquí unos desnudos datos en que debemos reflexionar, pero arrimando el ascua a nuestra particular sardina. El microscopio aparece hacia 1590; Lippershey, en 1608, inventa la lente astronómica; Galileo la perfecciona; Newton la convierte ya en telescopio propiamente dicho (1672). Otros progresos de la centuria son: el reloj de péndulo (Huyghens, 1657); el termómetro (de diverso origen: Van Drebbel, Sanctorius, Boyle, Newton, Amontons, Galileo); el barómetro (Torricelli); la máquina neumática (Otto von Guericke,

---

[80] Véanse págs. 500-506 de este libro.

Boyle). ¿Qué significan tales hechos, examinados a la peculiar luz que a este capítulo inspira? *Que el hombre adquiere de pronto unas capacidades (de visualidad, de percepción táctil, etc.), incomparablemente mayores que las que tenía previamente.* Con esto, no sólo habrá de aumentar la confianza del hombre *en sus dotes,* sino que de hecho esas dotes fidedignas *se agrandan mucho, en cuanto tales efectivamente,* e, incluso, se originan ahora de nueva planta (verbigratia, la de previsión de fenómenos, realizada por el barómetro). Lo que aumenta en ese instante no es únicamente, pues, el crédito en unas facultades *que se tienen* (las que se usan en la invención de tales artilugios, las facultades imaginativas y raciocinantes), sino el crédito en unas facultades que por naturaleza *no se tienen,* o que se tienen *en otro orden de magnitud,* y sí por artificio. El efecto individualista es, en consecuencia, no simple, doble; o aun triple, si pensamos *en la precisión cuantificable* que ahora se alcanza como novedad importantísima (la del termómetro, digamos). Esta argumentación serviría, igualmente, para todos los inventos posteriores de tipo similar: por ejemplo, los referidos a la locomoción (ferrocarril, automóvil, avión, cohetes espaciales...); o al oído (teléfono), o al oído y la vista juntos (televisión), o a la percepción a través de cuerpos opacos (rayos X) o a la memoria (magnetófono, fotografía, cine); o a la fuerza física (ametralladora, bomba atómica), etc. En todos estos casos, y en otros muchos parecidos que el lector puede fácilmente añadir, el hombre se agiganta poderosamente *en cuanto a su mismo ser;* diríamos *que salta* ónticamente desde su propia especie a otra muy distinta y superior. Aparece en escena, en efecto, un auténtico superhombre, que se aleja, a velocidad creciente, de la especie que le dio origen, la cual, en sólo tres siglos, ha quedado allá, remotísima, mínima, casi imperceptible. La medicina moderna, por ejemplo, nos alarga la vida y nos la hace más amable; acaso un día nos proporcione la sorpresa, no excesivamente ingrata, de hacernos prácticamente inmortales. Si ello llega a ocurrir (y la previsión científica lo ha vaticinado para un futuro relativamente próximo), ¿nos hallaríamos de hecho ante un hombre —un ser para la muerte, en la definición de Sartre? En tal circunstancia, la criatura así surgida habría traspasado las fronteras metafísicas de todos los seres vivos naturales. Seríamos, en consecuencia, casi dioses, o, al menos, casi semidioses... El individualismo (conciencia que el hombre tiene de sí mismo) se va matizando y apareciendo ahora (y durante algún tiempo cada vez más) como fe del hombre en sus facultades.

CREACIÓN DEL MÉTODO CIENTÍFICO EN EL SIGLO XVII

El otro asunto es el del método que permitió, en el siglo XVII, el avance científico, método que fue, sin duda, un «invento» más, y el más importante de todos, de que el hombre debió de sentirse orgulloso, y que hubo de aumentar mucho, en las minorías a las que afectaba, la autoconciencia e incluso la confianza de éste en sí mismo. Se trata, claro está, del método experimental, que resultó, podemos decir, de una acción conjunta, que cifraríamos, para ser breves, (dejando de momento a un lado a Bacon y a Descartes) en tres grandes nombres: los de Copérnico, Kepler y Galileo. Antes de exponer concisamente en qué consistió la revolucionaria actitud de cada uno de tales autores respecto a toda la tradición, creo que sería conveniente referirnos a esta última.

Para los griegos, el movimiento era signo de vida. Los astros aparecerán en Grecia, pues, como dioses, o como realidades que, al menos, se relacionan con los dioses. Y naturalmente, si se trataba de criaturas divinas en uno u otro sentido, su dinamismo no podría ser sino circular, que era el movimiento perfecto y, por tanto, el que correspondía a seres tan altamente supramundanos. Detengámonos un instante a analizar los supuestos de todo esto. No hay duda de que aquí el tipo de movimiento, la circularidad del giro de los astros, surge como una *propiedad* de estos últimos, propiedad que está determinada de antemano por la peculiaridad misma del ser que la posee (astro que es un dios o que se halla conexo a un dios). No puede decirse que falte en tal concepción la idea de explicación para la clase de movimiento que se produce; pero no hay duda tampoco de que la suya es una explicación *que no se diferencia, en realidad, de la entidad misma del astro*; no radica en algo externo, por ejemplo en una ley (la de la gravitación universal), que haya de ser obedecida. No estamos, pues, ante una «causa» en sentido moderno o científico: es la índole misma divina de la realidad que se nos aparece en movimiento la que se manifiesta como circularidad de éste.

Lo que acabamos de hallar aquí puede generalizarse para todos los casos en otra forma, expresando que la Antigüedad partía de una idea teleológica, no causal en el sentido dicho, de la naturaleza[81]. Cada cosa poseía un «fin» como cualidad suya, y, por lo tanto, como cualidad no separable, no analizable; un fin cuya explicación no habría de buscarse fuera de la esencia del objeto en cuestión, sino precisamente en el meollo mismo de tal esencia, como pura emanación o «modo» suyo. Si los cuerpos caían a tierra, ello era porque tenían esa propiedad, fruto de un «appetitus» o ínsita inclinación a buscar el lugar que a tales cuerpos les era «natural» (Aristóteles)[82]. Citemos, asimismo, el caso cómico tan conocido: la adormidera produce sueño porque posee una virtud dormitiva, virtud que está enseñando a quien pueda verlo la esencia como tal de la famosa planta.

Digamos lo mismo aún en giro ligeramente distintivo, y discúlpese la insistencia en nombre de la claridad que merece un asunto tan importante. Aristóteles hablaba de la «causa final» como «forma» o logro perfecto («entelequia») de la cosa. El objeto que cae se cumple y perfecciona en su identificación con el «lugar natural» que le corresponde (el centro de la tierra). Ir hacia el «lugar natural» (caer) es realizarse, ser en plenitud, y no cabe, pues, repito, buscar una ley (la de la gra-

---

[81] Hermann J. Meyer, *La tecnificación del mundo*, Madrid, ed. Gredos, 1961, pág. 57.

[82] Esta última idea del «lugar natural» del «appetitus» fue sustituida, en la Edad Media, por la noción de «impetus». Pero para nuestro análisis la cosa es irrelevante, pues el teleologismo es el mismo en los dos casos.

vitación) para explicar un fenómeno que consiste en naturaleza. En la piedra se halla ya, en potencia, la caída, como propiedad o «acto» (o momento de intelección) suyo, que no admite, como dije, una consideración científica aparte. Ser es, sin más, tener la propiedad en cuestión. La interrogación no podrá dirigirse entonces *a la propiedad*, sino, en todo caso, al objeto que la porta, al propietario. Se podrá preguntar uno, filosóficamente, por qué existe la piedra (y se buscaría su causa final), pero no, científicamente, por qué la piedra cae.

Se comprende que, dentro de esa contemplación del mundo tan distinta de la nuestra, *reflexionar* fuese *deducir*. Conocer un objeto o criatura sería tanto como conocer su finalidad. La finalidad, en cuanto propiedad, se deduciría de la manera misma del ente. Dicho en diversa frase: el ente «contendría» su finalidad. Todo pensamiento digno de recibir tal nombre habría de ser, en consecuencia, deductivo, y el silogismo, el pensamiento apriorístico, se ofrecería, en tal caso, como su manifestación más precisa. He aquí una de las explicaciones cosmovisionarias de la Lógica antigua.

Es evidente que, en tanto se mantuviera firme este encadenamiento o macizo de ideas (*el cual excluye toda noción de ley*), la ciencia moderna no podría darse. Veamos, pues, cuáles hubieron de ser las grietas que se fueron practicando en el bloque imponente de tan pétrea construcción para que se produjera, finalmente, su completa ruina.

Por lo pronto, recordemos que hay una línea inductivista y empirista que corre desde los nominalistas del siglo XIV hasta Bacon y Descartes, en cuyo «Discurso del método» se da forma científica, en efecto, a la tendencia inductiva. Pero lo que ahora nos importa más es comprender que Copérnico *compromete, con su doctrina, el concepto mismo de finalidad,* ya que sus implicaciones van en dirección contraria a la tesis tradicional teleológica, que quiere que la tierra sea el centro del universo *para que* el hombre pueda mostrar la nobleza de su condición. El hombre era también, en este sentido, una causa final del mundo.

Por un clavo se pierde un reino. Si en un sólo caso se mostraba el error de la tesis finalista, bien podría ocurrir que la tesis fuese falsa en toda su extensión. Copérnico, aunque revolucionario en el punto que digo, conservaba aún el viejo prejuicio teleológico de la circularidad del movimiento astral. Kepler sería el llamado a demostrar que en tal movimiento no hay círculo sino elipse, uno de cuyos focos lo ocupa el sol. Desaparece con esto no sólo el carácter teleológico del mundo, sino el animismo: los astros no son ya seres divinos, sino máquinas celestes, y lo que les impulsa no es un alma, es una fuerza. Kepler, desde la observación, «induce», sin duda, y formula leyes: las de las órbitas planetarias. Ahora bien: es Galileo quien otorgará al método científico su última perfección [83]. Inventa nada menos que el «análisis de la naturaleza». Hay que decir que tal «análisis» es un paso más allá, pero, al mismo tiempo, lo contrario de la mera observación kepleriana, pues consiste en formular una tesis abstracta, nada experiencial, por tanto, y hasta contradictoria de la experiencia, que luego el experimento (artificial siempre y, por consiguiente, consistente en otra forma de abstracción) viene, si lo hace, a confirmar. Galileo sabe, en efecto, de antemano lo que va a ocurrir en aquél. Los escolásticos que se le oponían hacían constar precisamente la experiencia, como dice Ortega, contra la ley del plano inclinado formulada por el gran físico, pues los fenómenos contradecían la fórmula del autor [84]. Éste no adapta, pues, las teorías a aquello que sensorialmente ve, sino que adapta, al revés, lo que ve a teorías sólo imaginarias. Nadie, por ejemplo, ha visto nunca, en parte alguna, movimientos de velocidad

---

[83] Al método, sí, aunque en Newton hay aún más precisión; pero, si nos preguntásemos a quién corresponde el último derrumbamiento del pensamiento antiguo, habríamos de contestar que sin duda a Newton, cuya teoría demostró que todos los fenómenos de la naturaleza, tanto los celestes como los sublunares, responden a las mismas leyes. Ya no hay en su doctrina dos físicas, celeste y terrestre, sino sólo una (Meyer, *op. cit.*, página 82).

[84] José Ortega y Gasset, «Vicisitudes en las ciencias», en *Obras Completas*, IV, Madrid, Revista de Occidente, 1951, pág. 66.

constante. Tal cosa es sólo una abstracción, la cual habita únicamente, por tanto, en la mente del hombre. Ese es el gran subjetivismo *individualista* en que su enorme originalidad consistió. Y como el «análisis de la naturaleza», expresión del individualismo del siglo XVII, se objetivó posteriormente como «el método» de la Física, y aun de la ciencia natural toda, contribuyó también a propagar ese mismo individualismo del que había nacido.

Pero hay más. El apartamiento que Galileo se impone frente a lo que, en efecto, hay en el orbe de la experiencia es sólo el primer momento de un proceso en el que aún estamos, a través del cual el hombre se va apartando del mundo natural, para crear en torno a sí un mundo no natural, un mundo artificial y sólo técnico, mucho más apetecible, exacto, seguro y cómodo. Ese mundo no es otra cosa que irrealidad, pensamiento materializado. Subjetividad, al modo de Galileo; mas, ahora, subjetividad reducida a objeto. La técnica moderna no es, pues, sino eso: subjetivismo puro cristalizado, individualismo por tanto, que, al convertirse en marco continuo, y cada vez más intensamente presente, de nuestra existencia cotidiana, nos obliga, por su parte, a un individualismo cada vez mayor. Al haber sido negado el «finalismo» de las realidades naturales, pudieron surgir en las cosas fines diferentes, no suyos, sino nuestros en exclusiva, los fines técnicos, y luego ser creados, con la madera misma, como digo, de los sueños y de la psique, los objetos de referencia en cuanto enderezados a las precisas, humanas necesidades. No es necesario decir, pues es obvio, que la técnica, además, da al hombre un sentimiento de poder, o mejor dicho, lo hace efectivamente poderoso, en el sentido que más arriba dijimos, y contribuye, pues, muy intensamente al sentimiento en cuestión.

DESARROLLO DE LA CIENCIA EN EL SIGLO XVII

Comprendemos por qué la ciencia, casi inmóvil antes del siglo XVII (salvados los casos que antes dije) se puso en marcha a la sazón, sucediéndose, a continuación, unos a otros importantes descubrimientos que hicieron avanzar mucho el sentimiento de referencia. Aquí sólo nos compete elaborar una rápida lista que nos recuerde los hechos más relevantes, por otra parte bien conocidos.

Abre la marcha Gilbert, que nos ofrece sus ideas sobre el imán en 1600; Harvey hace público su descubrimiento de la circulación mayor de la sangre en 1628. La matemática se desarrolla poderosamente. Napier da a conocer los logaritmos en 1614. Francisco Vieta inventa el álgebra, que permitirá a Descartes elaborar la geometría analítica, una de las bases matemáticas para el avance de la Física, junto al cálculo infinitesimal de Newton y Leibniz. Descartes es, asimismo, autor de la ley de refracción; Galileo aporta la ley de caída de los cuerpos; Gassendi reanima el atomismo; el abate Picard calcula el radio terrestre; Halley determina el curso del cometa de su nombre (y predice, con cincuenta años de antelación, su reaparición en 1759); Robert Boyle hizo de la Química una ciencia autónoma, y junto a Otto von Guericke, anduvo algunos trechos del camino que llevaría a la máquina de vapor, al ocuparse de los gases; Fermat imagina la teoría de los números; Newton y Christian Huygens crean la ciencia de la óptica (de la que se ocupa también Snell). El mismo Huygens desarrolla las leyes del péndulo, que Galileo había iniciado. Otros nombres importantes: el químico y biólogo Van Hermont, o Leuwenhoek, quien ve, gracias al microscopio, casi al mismo tiempo que Stephen Hamm, los espermatozoos, y además los glóbulos sanguíneos, las bacterias y los protozoos. El siglo se cierra gloriosamente con la formulación de la ley de la gravitación universal por Isaac Newton.

Todo esto transformó la actitud mental de los hombres educados, que abandonan su medievalismo, visible aún hacia 1600, para hacerse modernos. Es indudable que hacia 1700 ya lo son. Dicho en otros términos: todos estos descubrimientos y avances dan al hombre europeo una considerable conciencia de sí mismo (individualismo), en la forma concreta de confianza en la razón y en su ser, confirmada, por si lo anterior fuera poco, con éxitos evidentes en diverso campo: sobre todo, los constituidos por el dominio de América, tanto del Norte como del Sur, el confinamiento de los tártaros en Asia y la desaparición de la amenaza turca [85].

SECULARIZACIÓN, TOLERANCIA

La cultura se había ido haciendo laica, y, al llegar el Renacimiento, la Santa Sede se encontraba, de hecho, en una situación muy distinta a la que poseía no mucho tiempo atrás. Pero, aunque su fuerza era, sobre todo a causa de la Reforma, menor, tuvo bastante poder todavía en tiempos de Galileo para obligar a éste a retractarse. Ahora bien: después de tal retractación, no se producirán ya más intromisiones clericales en asuntos científicos, lo cual dio a las mentes de los hombres una tranquilizadora independencia. Otros dos hechos nos confirman la creciente secularización que por esas fechas afecta a la cultura: en primer lugar, el nulo interés que despierta por entonces la teología, y también la separación, que a la sazón se observa como innovación notable, entre religión y moral. Es muy significativo, en efecto, que los mayores moralistas franceses del siglo XVII se ocupen de los problemas éticos fuera del contorno religioso. Tal es lo que nos es dado percibir en los teatros de Racine y Molière, así como en las sátiras de Boileau, en los tratados de Malebranche, en las máximas de La Rochefoucauld, en la *Historia de los Oráculos* de Fontenelle o en los *Caracteres* de La Bruyère. La cosa no es casual, pues lo propio acontece en Inglaterra, donde la moral busca justificarse en el instinto social (obispo Cumberland, 1622-1718), o en la razón del hombre (Gudworth, 1617-1688; Samuel Clarke, 1675-1729, o Shaftesbury, 1671-1713). En cualquier caso, ahora no es en Dios, sino en la naturaleza, donde empieza a residir el origen de los valores éticos. En *Pensées sur le Comète*, de Pierre Bayle, la tendencia a separar religión y moral queda consagrada [86]. Añadamos que, a partir del 1681, en que apare-

---

[85] Bertrand Russell, *Historia de la Filosofía Occidental*, t. II (*La Filosofía Moderna*), Madrid, Espasa Calpe, 1971, págs. 156-157.

[86] Paul Hazard, *op. cit.*, pág. 261.

cieron los *Discours sur l'histoire universelle* de Jacques-Bénigne Bossuet, nadie intentará ya, tal como lo hace por última vez éste, interpretar la historia del hombre según el plan divino de salvación.

Naturalmente, la emancipación de la conciencia humana que todos estos hechos y otros parecidos en su conjunto acarrean (por ejemplo, el auge y la propagación de la cultura, *mayor ahora que en el Renacimiento*) hubo de contribuir al individualismo, puesto que fortaleció el criterio personal y la fuerza de la razón.

Junto a la secularización de la cultura, la tolerancia. La cultura, al secularizarse, forzosamente habrá de hacerse más tolerante; pero, al propio tiempo, ocurrirá lo opuesto, y el nacimiento de la tolerancia añadirá secularización. El caso es que este sentimiento, nuevo en cierto modo en el último tercio del siglo XVII (el de procurar no inmiscuirse en el juicio del prójimo), estuvo destinado a acrecentar por su parte el individualismo, pues, gracias a él, vino a aliviarse, en la medida que le correspondiese, la coacción que la sociedad ejercía en este sentido sobre las almas. Además, si la intolerancia, dijimos (p. 61), es «casuismo» y, por tanto, visión genérica, la tolerancia será individualista.

Las fuentes de la tolerancia son, claro está, varias, aparte de la mencionada: por un lado, el cansancio de las disputas y contiendas religiosas tras la Guerra de los Treinta Años; por otro, el progreso científico arrastra siempre, por definición, la noción de *perfectibilidad* de la verdad, y, en consecuencia, la noción de precariedad de ésta. Pero, además, algunos aspectos del empirismo inglés (el de Berkeley y Locke; y luego, ya en pleno siglo XVIII, el de Hume), aquellos precisamente que establecieron el concepto de la relatividad del conocimiento humano, hubieron de conducir a lo mismo. Por todas partes surgió una sana reserva frente a la idea de plenitud de cualquier saber, que necesariamente se tradujo en un mayor respeto para las peculiaridades de la conciencia de cada cual, lo que, por ejemplo, puede documentarse con facilidad en el *Diccionario histórico y crítico* de Bayle.

DESARROLLO DEL CAPITALISMO, DESDE
EL SIGLO XVI HASTA FINES DEL SIGLO
XIX, COMO CAUSA DE INDIVIDUALISMO

En el capítulo IV hemos estudiado muy someramente y en esquema apretado lo que del capitalismo medieval nos interesaba para nuestro estricto propósito. Hagamos lo mismo ahora, ampliando el esquema a los siglos posteriores, aunque tengamos que referirnos a cosas muy conocidas. La apertura hacia la India, realizada por los portugueses, y la conquista de América, realizada por los españoles, unidas a la abundancia de oro y plata que venían de las minas de las regiones conquistadas, fueron el medio idóneo para que el capitalismo medieval, relativamente modesto, pudiese dar un estirón prodigioso, convirtiéndose en la fase inicial del gran capitalismo.

Al librarse, en el siglo xv, gracias a los reyes [87], del proteccionismo de las ciudades, el capitalismo entra en una nueva fase no urbana, sino nacional. De este modo, Amberes, Holanda y Zelanda se rigen por un sistema de libertad. La banca de Amsterdam, con grandes beneficios, organiza el crédito y fomenta la iniciativa privada: la industria holandesa se hace así la más próspera de Europa. También Inglaterra crea su capitalismo, por medio de una industria incipiente, pero sin hacerle ascos al corso, al trabajo de las minas (estaño, plomo) y al de la construcción y el comercio. Síntoma de este progreso es la aparición de la Bolsa en Londres (1571), al modo de la que había en Amberes. El flujo cada vez más abundante de metales preciosos que España traía de América, y que, por la mediación de los banqueros genoveses del rey hispano, se esparcían por todas partes, generaliza la banca en la Europa Occidental, no sólo en Amsterdam y en Bélgica; también en Francia y, como

---

[87] Reyes y capitalistas eran aliados, pues se necesitaban mutuamente. Los capitalistas prestaban dinero a los reyes, y los libraban así de la esclavitud de los parlamentos, Estados Generales o Cortes. Los reyes ayudaban, a su vez, a los capitalistas a escapar del proteccionismo de las ciudades.

digo, en Inglaterra. (Excepción paradójica: España, a causa de la estatización del capitalismo, y también a causa de la expulsión de los hebreos en 1492, que eran quienes en la Edad Media habían tenido experiencia en el comercio de dinero, el cual, precisamente por oler a judío, *era evitado cuidadosamente por los cristianos viejos*) [88]. Las finanzas dominan, en efecto, los negocios europeos a lo largo del siglo XVI, y sus poderosos magnates se imponen a las autoridades municipales y a la administración. En Inglaterra, los negociantes, instalados en el Parlamento, conceden enormes poderes a las compañías coloniales. Los beneficios del comercio se invierten en fincas: de este modo, en el siglo XVII, la pequeña propiedad rural va pasando a manos de los capitalistas, que también prestan a los reyes. En Francia, hacen asimismo esto último, pero además arriendan los impuestos, acuñan moneda y se introducen en la alta política. La economía dirigida crea industrias, construye carreteras, canales, puertos. En 1609, España firma la «Tregua de los doce años», que reconoce de hecho la independencia de las Provincias Unidas, constituidas en República federal, cuyos Estados Generales, puestos al servicio del capitalismo del país (los formaban algunos de los máximos dirigentes de éste), otorgan el monopolio del comercio hindú, que la Tregua hacía posible para Holanda, a la Compañía General de las Indias Orientales, la cual llega a ser tan poderosa que se ramifica y llega hasta fundar Nueva Amsterdam en lo que hoy es Nueva York.

El resultado de todo ello es la concentración de capitales, que en España aparece como realizada por el Estado; en Amsterdam, por medio de la bolsa; en Bélgica, Inglaterra y Francia, merced a sociedades financieras. Concentrar dinero y centralizarlo equivalen. *El capitalismo es, pues, en última instancia*, como sabemos, *una máquina de centralización de campos cada vez más extensos, lo mismo que el absolutismo*, y, como éste, viene a ofrecernos, en consecuencia, la objetivación

---

[88] Américo Castro, *La realidad histórica de España*, México, ed. Porrúa, 1962, pág. 322, nota 51; del mismo autor, *Hacia Cervantes*, 1960, página 339.

de una razón racionalista más poderosa a cada instante. Está claro, pues, que, al intensificarse el carácter capitalista de la sociedad, habrá de intensificarse también (y no sólo por este motivo) el racionalismo y, por consiguiente, el individualismo. Naturalmente, la nueva situación traía consigo asimismo una honda infelicidad en extensas zonas sociales: provocaba inflación constante (por el flujo de los metales preciosos), ruina y hambre, en consecuencia, para muchos, y ocasionaba, en unos sitios (Inglaterra y España) la proletarización del campo; en otros (Francia, etc.), la proletarización de los obreros de las industrias. Pero este es otro asunto.

En el capítulo V hemos dicho ya lo que ocurre al llegar el siglo XVIII: el desarrollo del capitalismo ha llegado a tal punto que la nación se queda estrecha, y se hace preciso ampliar las operaciones económicas a un escenario más extenso: el ámbito internacional. Se empieza así a invertir, como dije entonces, en valores extranjeros, y surge, como consecuencia [89], la doctrina liberal; primero, la de los fisiócratas, que tuvieron en Quesnay (1694-1774) su máximo representante, y luego, con mayor madurez, la de Adam Smith (1723-1790), cuya obra *Investigación sobre la naturaleza y las causas de la riqueza de las naciones*, publicada en 1776 [90], se convierte pronto en el catecismo de la economía del *laissez-faire*. Para Smith, la riqueza es el trabajo, y el comercio la distribuye [91]. La competencia sin trabas entre unos productores y otros logra, finalmente, el justo precio, el cual viene a armonizar los encontrados intereses de

---

[89] Las reservas de metales preciosos no podían ser ya la medida de la riqueza, y, por consiguiente, se hunde por su base la concepción mercantilista que había predominado hasta entonces. Era necesaria una nueva doctrina, la liberal.

[90] Zabala y Auñón defendió entre nosotros la doctrina liberal en la temprana fecha de 1732, que fue cuando se publicó por primera vez su *Miscelánea económico-política* (3.ª ed., Madrid, 1787, págs. 70 y sigs.). Luego incurrirán en idéntica tendencia Jovellanos y Campomanes (sobre esto, véase Luis Sánchez Agesta, *op. cit.*, págs. 1.127-1.131).

[91] Para los mercantilistas, la riqueza era la industria, y para los fisiócratas, la agricultura. Smith viene a ser algo así como la síntesis de las dos concepciones previas.

productores y consumidores. ¡Fuera las obstrucciones! He ahí
la tesis para poder sortear el proteccionismo de la nación, que
estaba impidiendo el nuevo estirón del capitalismo. Veíamos
también, en ese mismo capítulo V, recién mencionado, lo que
todo esto supuso en la promoción del gran cambio cultural,
según el cual se abandona la Edad Moderna para entrar en la
Edad Contemporánea. Pasemos, pues, a otro suceso, de gran
importancia, ocurrido en ese mismo siglo: el auge enorme en
que entra el capitalismo inglés, auge que culmina en la Revolución industrial de hacia 1760. La plenitud en cuestión se
debe a varias causas. Por una parte, el Banco de Inglaterra
empieza a hacer en el siglo XVIII lo que hasta entonces no
había hecho: abrir créditos a la industria, al modo de la banca holandesa. La prosperidad se vincula también, claro está,
al Tratado de Utrecht, que permitió a Inglaterra adueñarse
de todo el tráfico del Canal de la Mancha y del Báltico; le proporcionó en el Mediterráneo enclaves estratégicos de gran utilidad, y en América, el comercio con las colonias españolas,
aunque lo estipulado fuese el envío de un sólo barco anual a
cada una de ellas. Añadamos a esto que, desde 1703, el Tratado
de Methuen con Portugal había abierto, asimismo, el Brasil a
su economía. Tan activo comercio, unido, insisto, al maquinismo (al maquinismo sobre todo) y a los créditos a la industria
por parte del Banco de Inglaterra, hicieron de este país, desde
entonces y para mucho tiempo, lo que no había sido hasta la
fecha: la mayor potencia del mundo.

Como en el capítulo V, varias veces citado, he hablado de
la universalización del capitalismo en el siglo XIX, no es preciso
que vuelva ahora sobre el tema. Sólo diré, pues, que el salto
del capitalismo desde el campo nacional al campo internacional, en la segunda mitad del siglo XVIII, recibe ahora, un siglo
después, con las sociedades anónimas y sus variadas consecuencias universalistas (mundialización de la economía y de la
vida)[92], *una intensa confirmación y un impulso mucho más*

---

[92] Aparte de lo dicho en el capítulo V, la mundialización consiste en
una visión panorámica de máxima abertura, que lleva a considerar a cada
país como una porción de la totalidad, y, por consiguiente, sobreviene la

enérgico, cuyos reflejos en el campo de la cultura no se hacen esperar. Surgen, en la poesía y en las otras artes, el simbolismo y el impresionismo, o sus equivalentes; es decir, aparece precisamente el movimiento (las dos escuelas mencionadas son, en el fondo, un movimiento único) que abre a la cultura una «época» distinta. Si los sucesos económicos del siglo XVIII contribuyeron a la conformación de una nueva «edad» interiorizadora (la que, interesándose también por el pensamiento concreto, acabaría descubriendo la razón histórica), de cuya interiorización la manifestación primera fue el subjetivismo de la época romántica, estos otros acontecimientos de que hablo, propios de la segunda mitad del siglo XIX, *confirmadores y amplificadores* de los del siglo XVIII, contribuyen a una manifestación segunda y *más avanzada y clara* de la *misma* Edad, que queda así también *confirmada* y *amplificada:* se consolida, pues, la *misma* Edad, pero en otra amplia «época» suya, en que lo esencial de la anterior *se acentúa.* Su proclividad interiorizadora va a ser, en efecto, no el subjetivismo, como en el período romántico, sino, *con mayor adentramiento,* el intrasubjetivismo, el cual en la poesía y, *mutatis mutandis,* en las otras artes, se extenderá en tres tiempos, conectados uno a otro, que podríamos concretar en tres compases artísticos sucesivos: el del «simbolismo-impresionismo», que es, como digo, el que se relaciona con el tipo de capitalismo del siglo XIX, y luego,

---

especialización de algunas de las naciones productoras de alimentos y materias primas. Australia se encarga del trigo; India, del algodón; China, de la seda; Brasil, del café; lo que es hoy la Guayana holandesa, del caucho y del cacao; España, de ciertos minerales; Inglaterra y Estados Unidos, del carbón; Argentina, de la carne y de los cereales; Holanda, Suiza, Suecia y Dinamarca, del ganado y de los productos lácteos. Y ocurre que también aquí retornamos a un paisaje ya visto por nosotros, pero que ahora se nos entrega desde un tramo más alto de la escalera de caracol. Recordemos, en efecto, que un fenómeno similar al que acabo de describir ocurrió en las tierras feudales (véase pág. 619), una vez comenzado el comercio mediterráneo: al existir ya una posible venta para los productos, también ellas se especializaron, en un afán de racionalizar la producción. La repercusión de esta racionalización mayor en el individualismo no necesita de comentario. El motivo es el mismo ahora, aunque, como digo, en el orden de magnitud inmediatamente más elevado.

el de la «poesía pura-cubismo», y el del «superrealismo-vanguardia», que pertenecen ya al siglo XX. En resumen: al aspecto del capitalismo del siglo XIX que es *ratificación e intensificación* de otro aspecto paralelo del capitalismo del siglo XVIII corresponde, pues, un movimiento, literario y artístico (el simbolismo-impresionismo *intrasubjetivista*) que es, asimismo, *ratificación e intensificación* de otro movimiento similar (el romanticismo *subjetivista*), que, a su vez, se correspondía con aquel aspecto que digo del capitalismo dieciochesco de menor despliegue. Son así, en mi criterio, dos géneros de correspondencias las que hay: la correspondencia de un capitalismo con otro, y después, en relación con tal ajuste, la de las literaturas, pertenecientes a ambos períodos capitalistas, entre sí: *subjetivismo*, intrasubjetivismo.

PROGRESO EN LA TÉCNICA A LO LARGO DEL SIGLO XIX

Si la liberación sociopolítica del hombre traída por la Revolución francesa se constituye como un poderoso agente de individualismo, tal vez resulten aún más efectivos a este respecto los grandes e incesantes progresos que se produjeron en la ciencia y en la técnica a lo largo del siglo XIX. Especialmente, los constituidos por los espectaculares inventos realizados en la esfera de las comunicaciones, los cuales vinieron a transformar, cualitativamente, la industria, la economía y la vida toda de la época: sin ellos, ni se hubiesen encontrado alimentos para las crecientes poblaciones industriales, ni tampoco se hubieran podido concentrar para la industria las materias primas indispensables (carbón, hierro, y luego petróleo, acero, caucho, etc.) [93]. Me limitaré a una exposición rápida de las más importantes novedades de la centuria, pues todo ello es de sobra conocido.

Gracias al perfeccionamiento de la alta presión, el transporte basado en el vapor inició su brillante carrera. No es casual que

---

[93] T. K. Derry y Trevor I. Williams, *Historia de la Tecnología. Desde 1750 hasta 1900*, Madrid, Siglo XXI de España Editores, 1960, pág. 529.

al principio el vapor sólo se aplicase a embarcaciones: la causa de ello estribaba en el tamaño y peso de las primeras máquinas de esta clase. Sus iniciadores fueron los franceses, en 1783 [94]. Robert Fulton, 1807, creó un barco de paletas superior a lo logrado anteriormente. Pero el gran impulso se produjo a partir de 1819, cuando el «Sabanna» atravesó el Atlántico en 19 días [95]. Con la navegación de vapor, el hombre se libraba también de la azarosidad inherente a la naturaleza. Nada importarían en adelante, por tanto, las fastidiosas alternativas eólicas, las inoportunas calmas chichas, *con lo que se hacía posible predecir, con todo rigor, la duración de los viajes.* Ello contribuyó, sin duda, a que la vida *se fuese encauzando según vías de mayor regularidad y precisión* (racionalidad), cosa, como sabemos, importante para el desarrollo del sentimiento individualista. Posteriormente a la fecha arriba apuntada nuevas invenciones (la hélice, 1838, de Francis Petit Smith y de John Ericsson, etc.), mejoraron aún más el sistema. Desde muy pronto, líneas regulares enlazaban los puertos más alejados: la sensación de crecimiento del poder humano (individualismo) debió de ser grande. En 1830, se viaja así desde Inglaterra a América, y desde allí a la India y a Australia. En 1858, se inicia el trayecto Bristol-Nueva York. Se va desde Inglaterra a El Cabo, desde Marsella a África del Norte. La red, claro está, se hace cada vez más extensa y más tupida, especialmente después de 1848. Baste decir que, en 1877, sesenta servicios periódicos relacionaban entre sí los distintos continentes. Otra vez, la previsión, la regulación y exactitud de la vida, en conexión con el sentimiento que estamos intentando historiar.

La revolución máxima tal vez corresponda, sin embargo, al tren, en ése y en otros sentidos. La primera locomotora que hacía 9 kms. por hora, fue la de Trevithick (1804), mejorada por Stephenson; luego, ya en 1829, el propio Stephenson construyó la primera locomotora moderna, que inauguró una línea férrea

---

[94] *Ibidem*, pág. 474.
[95] Luis Bonilla, *Breve Historia de la Técnica y del Trabajo*, Madrid, Ediciones Istmo, 1975, pág. 212.

que iba desde Liverpool a Manchester [96]. Gracias al ferrocarril, *pudieron intensificarse la centralización y racionalización administrativas,* con la repercusión consiguiente en el sentimiento individualista, y, por otras causas, también en el sentimiento, *asimismo individualista,* de pertenencia a una nación [97], sentimiento este último muy desarrollado ya previamente como reacción, entre otras cosas, frente a las guerras napoleónicas. Pero lo decisivo consistió en que el comercio fue capaz de penetrar profundamente en el corazón mismo de los continentes, modificando toda la estructura económica y cultural de éstos, al convertirse en totalmente hacedera la industrialización de las regiones más distantes del mar [98]. La Alemania situada al oeste del Elba, que había permanecido casi estática hasta entonces, por su lejanía de las grandes rutas de comunicación, despierta y se desarrolla, y entra así, también ella, en el campo del individualismo: a mediados de siglo, había ya en Alemania 6.000 kms. de vías férreas. Algo semejante le ocurre, *mutatis mutandis,* a Rusia. El mundo comienza a utilizar el tren a partir de 1830, en que se ponen en movimiento los ferrocarriles norteamericano e inglés. He aquí algunas de las fechas de inauguración de los trenes europeos: 1831, el belga; 1832, el francés; 1836, el alemán; 1839, el holandés; 1848, el español (línea Barcelona-Mataró); 1850, el ruso. Fuera del mundo occidental, el tren es, naturalmente, más tardío. En 1853 empieza a utilizarse en África y Asia; en 1856, en Australia. Aunque hacia 1848 el medio de transporte normal en Europa seguía siendo la diligencia, pronto la cosa iba a cambiar; de 1850 a 1860 se pasa, desde los 38.000 kilómetros de vía férrea, a la cifra, ya considerable, de 108.000. Al último tercio de siglo corresponden los tendidos magnos: el que, en los Estados Unidos, enlazaba el Atlántico con el Pacífico; el transandino (comenzado en 1880), el transiberiano (comenzado en 1891). La velocidad de los trenes

[96] Luis Bonilla, *ibidem*, pág. 212.
[97] T. K. Derry y Trevor I. Williams, *op. cit.*, pág. 399.
[98] Jacques Pirenne, *op. cit.*, VI, pág. 78. Añadamos nosotros aquí el influjo que han tenido y tienen las comunicaciones rápidas en el individualismo en cuanto que tales comunicaciones tienden a unificar el mundo.

era, para la época, pasmosa: 55 kilómetros por hora. Añadamos que el primer ferrocarril subterráneo, o «metro», fue inaugurado en Londres en 1890 [99].

Otro gran descubrimiento que revolucionó hondamente las comunicaciones fue, claro está, el telégrafo. El primer cable submarino se tendió entre Irlanda y Terranova en 1858; al año siguiente, se instalan otros dos: uno, entre Francia y Argelia; otro, entre Aden y la India. Esto implicaba ya la comunicación inmediata entre puntos muy distantes. Puede concebirse fácilmente la racionalización de la vida que ello comportaba (individualismo), amén de la utilidad, también racional, no sólo para la expansión colonial, sino, asimismo, para el mundo de las finanzas (cese de la especulación), y, en general, para la economía toda.

Las ciudades se hacen más cómodas y habitables, pues empiezan a instalarse en ellas cañerías de agua en 1860; se alegran, además, con el alumbrado: primero de gas (Londres, 1814; Berlín, 1828; París, 1829); luego de electricidad. La primera aparición de ésta en tal cometido ocurrió en Saboya, 1861; Brush, en 1876, empleó, para lograr la iluminación, un arco voltaico—mejorado, al año siguiente, por Weston. En 1878, Edison inventa una lámpara incandescente de gran éxito, pues se fabricó en serie; dos años más tarde, se alumbran eléctricamente algunas calles de París y de Nueva York; la Exposición de 1888 representó el triunfo definitivo.

A partir de 1877, la electricidad, gracias a la dinamo de Gramme, se convierte nada menos que en una fuerza motriz, que pronto puede ser trasladada a distancia. En 1879 hay ya tranvías eléctricos, que vienen a sustituir a las jardineras tiradas por mulas. El cambio que todo esto implicó para la vida humana en punto a racionalidad (y, por lo tanto, en punto a individualismo) no precisa de encarecimiento. Pero la cosa no queda, innecesario es decirlo, aquí: los inventos se suceden ininterrumpidamente, y su misma frecuencia es un motivo más en el desarrollo del sentimiento que nos interesa. Si la fotogra-

---

99 T. K. Derry y Trevor I. Williams, *op. cit.*, t. II, pág. 557.

fía había sido inventada por Niepce en la temprana fecha de 1823, ahora aparecerá el teléfono de Graham Bell (1876), perfeccionado de inmediato por Edison[100], quien también nos trae el fonógrafo (1877); surgen la telegrafía sin hilos de Marconi (1895); los rayos X (1896), y el cine (1898). El motor de explosión es de 1875, pero su consecuencia, el automóvil, se retrasa hasta 1900, y su verdadero auge no comienza hasta 1913, fecha en la que Ford fabrica en serie su famoso modelo. Antes, se habían diseñado los primeros dirigibles del conde Zeppelin; el avión es de 1903. Nada parece ya imposible para el hombre. La vida se ha hecho más racional y precisa. Estamos en los umbrales mismos de nuestra época.

La medicina avanza también rápidamente, y se aplaza, en consecuencia, la muerte, sobre todo con el desarrollo de la bacteriología por Pasteur, Koch y otros, lo cual permitió purificar el agua de las ciudades, que ahora ya se analiza científicamente[101]. El efecto de todo ello es el aumento y envejecimiento de la población a partir, sobre todo, de 1860. Sobra subrayar el valor individualista de estas transformaciones. Entre 1884 y 1894, se reconocen los bacilos que provocan el tifus, el tétanos, el cólera, la difteria y la peste. Se puede ya luchar con éxito contra las grandes epidemias: fiebre amarilla, paludismo. Aparece la anestesia; se descubre el significado de la asepsia. Pisamos un orbe diferente, mucho más seguro y lúcido, y, en este sentido, mucho más individualista y mejor.

PROGRESO DE LA TÉCNICA Y LA
JUSTICIA SOCIAL EN EL SIGLO XX

El siglo XX desarrolló, sin duda, el individualismo mucho más, pues pese a los factores negativos de que ya hemos ha-

---

[100] La primera central telefónica de Londres se inauguró en 1879. En 1880 había ya miles de teléfonos en las oficinas de Nueva York. Rápidamente se instalan líneas que relacionan entre sí diversas ciudades americanas (Nueva York, Boston, Filadelfia y Chicago). (Luis Bonilla, *op. cit.*, páginas 238-239).

[101] T. K. Derry y Trevor I. Williams, *op. cit.*, t. II, pág. 617.

blado, los progresos habidos en los campos sociales, científicos y técnicos, así como en el terreno específico de la medicina, o en lo relativo al desenvolvimiento del capitalismo y a la secularización de la vida, han sido enormes. Por tratarse de un período que tan de cerca nos ha tocado vivir, acaso baste, a guisa de recordatorio, con la mera enumeración de algunos hechos, por otra parte muy conocidos.

En primer término, las mejores condiciones laborales promovidas por la Oficina Internacional de Trabajo de la Sociedad de Naciones. En 1919 se adoptó el concierto de la reducción de la jornada de trabajo en las industrias a 8 horas y 48 semanales, aparte de otros convenios sobre desempleo, protección de la maternidad, edad mínima para trabajos nocturnos de mujeres y niños, etc. En la carta de las Naciones Unidas de 1945 se acordó, asimismo, el respeto universal a los derechos humanos y a las libertades fundamentales [102]. Lo más espectacular en nuestra centuria ha sido, sin embargo, claro está, el estirón mayúsculo que le ha sido posible dar al sistema de comunicaciones, su rapidez creciente, su seguridad, comodidad y generalización: barcos (convencionales y submarinos), aviones, helicópteros, además de trenes, autobuses y automóviles, al alcance, en un sentido u otro, de todos o de casi todos los miembros de las naciones adelantadas; el ensanchamiento consiguiente de la red de carreteras, aeropuertos y vías férreas, más tupidas y ricas a cada instante; la difusión del teléfono y del telégrafo, por citar sólo los medios de transmisión instantánea más comunes (dejo a un lado, pues, el teletipo y otros artilugios de mayor especialización); los numerosos periódicos de todas las tendencias, que nos ponen en contacto cotidiano con los sucesos del mundo entero; la radio y la televisión (en color, y acaso por vía satélite); los viajes espaciales. Y, de otra parte, las espectaculares teorías científicas (relatividad, psicoanálisis, estructuralismo) y otras no tan llamativas, pero de ningún modo insignificantes, continuadoras, todas ellas, de las no menos decisivas que habían nacido en el siglo xix (darwi-

---

[102] Luis Bonilla, *op. cit.*, pág. 249.

nismo, marxismo), o incluso antes (la teoría de la gravitación universal de Newton), a las que aquí sólo hemos podido hacer una ligera alusión, pese a su importancia para el despliegue del sentimiento que deseamos inventariar. Y toda clase de hallazgos: desde el magnetófono al cine sonoro y cromático; desde la energía atómica a la maravilla que es la electrónica —especialmente los computadores, cuya importancia, ascendente y con vistas al porvenir, supone un cambio profundísimo en las posibilidades de la vida humana (ahora sí que nada parece inalcanzable para el hombre); el comienzo de la automatización de la industria, cosa de una importancia incalculable de cara al futuro; el uso, como cosa corriente, de los procedimientos de climatización, que hacen la vida más muelle y atopadiza. Y, de otro lado, el descubrimiento de los sistemas de contracepción, la identificación de numerosas vacunas, y sobre todo el hallazgo de los antibióticos, así como, en general, el desarrollo de la biología, de la medicina y de las técnicas y aparatos al servicio de la salud o, simplemente, de la felicidad (trasplantes de órganos, cirugía estética, etc.); el definitivo vencimiento de enfermedades terribles (entre otras, la tuberculosis, y luego, la sífilis) y la erradicación de las plagas, no sólo de las humanas: también de las que afectan a animales y vegetales; la popularización de los electrodomésticos; la generalización de los seguros sociales; la mundialización definitiva de la existencia («uniones» de esto y de lo otro; estandardización, a escala universal, de vestidos, hábitos, solaces y modos de vida). Todo ello, y luego el inmenso desarrollo del capitalismo, pero sometido ahora éste a una justicia social notablemente más refinada y exigente; la tendencia a las grandes agrupaciones políticas y económicas: «Mercado Común», «Comecón», empresas multinacionales; el poder de los sindicatos; un mayor respeto a los derechos de las minorías, discriminadas antes con mucha más profundidad y violencia (mujeres, homosexuales, razas de color); el aumento del sentimiento anticolonialista, y la puesta en situación de independencia de todas o casi todas las colonias que quedaban en el mundo. Y aún, el mejor y más minucioso reparto de la riqueza, y el acceso al bienestar, y hasta al ocio y a las diversiones fruitivas, y sobre todo a la enseñanza media y superior (y no sólo a la alfabetización) de núcleos de población muy numerosos. Todo ello, y mucho más, son logros de nuestra época, que sin duda han tenido que repercutir, más o menos según los casos, en el poderoso individualismo de nuestros días. Y lo que hemos dicho no es sino el comienzo de una larga ruta. El camino conduce lejos, o, mejor dicho, no hay final, porque acaso, como ya dijimos, el hombre pueda llegar a ser, con el tiempo, superador precisamente del tiempo y rey verdadero de este mundo.

APÉNDICE II

CONTEXTO Y SÍMBOLO

RAZÓN DE ESTE APÉNDICE

Para la comprensión plena de los capítulos finales del presente libro se hace necesario que el lector haya tenido previa noticia de mi obra *Superrealismo poético y simbolización.* Como tal preparación indispensable no siempre se producirá de hecho en quienes me lean en el momento actual, he creído oportuno sintetizar bajo forma de *Apéndice,* en las páginas que siguen, las ideas fundamentales de aquella obra a las que aludo en ésta.

PROCESO X Y PROCESO Y

Sabemos ya, por el capítulo XI, en qué consisten los símbolos, y cuáles son algunas de sus extrañas propiedades; pero nos queda por descifrar cómo se forjan tales procedimientos en cuanto escritura desde el ánimo del autor, a partir de un estímulo, bien literario, o bien real; y luego, cómo ese producto verbal, así nacido, opera expresivamente sobre los lectores. Se trata, pues, de dos sucesos paralelos y finalmente coincidentes, mas no idénticos, en cuanto que funcionan en sentido contrario. Uno es el proceso mental del autor, al que podemos denominar desde ahora, convencionalmente, *proceso Y;* otro es el proceso mental del lector, al que, con el mismo convencionalismo, podemos denominar, también desde ahora, *proceso X*. Pues bien: ocurre que los símbolos no han nacido en el *proceso Y*, o del autor, de una sola manera, sino de varias formas entre sí distintas. Y, en consecuencia, tampoco los diversos *procesos X*, o del lector, se originan de modo igual. La manera superrealista de producirse la simbolización difiere bastante de la manera en que la simbolización se produce antes del superrealismo, aunque existan coincidencias en un importante trasfondo básico; pero, a su vez, la simbolización no superrealista ostenta diversificaciones dignas de ser consideradas. Tales divergencias son las que van a constituir, de momento, el tema de nuestras reflexiones, pero sólo en la medida en que sean indispensables para la comprensión del presente libro [1].

DEFICIENCIA DE LA DEFINICIÓN DE LA TÉCNICA SUPERREALISTA COMO «ESCRITURA AUTOMÁTICA»

Empecemos por el superrealismo. Descubrir cuál es en el superrealismo la manera de engendrarse la simbolización coincide exactamente con el hallazgo de cuál sea la técnica fundamental de expresividad propia de esta tendencia artística.

Lo primero que nos extraña es que un tema tan acuciante e indispensable siga aún como un tema intocado y más teniendo en cuenta que la bibliografía sobre el superrealismo es copiosa, casi abrumadora. Son libros interesantes y hasta muy interesantes algunos de ellos [2]. Y sin embargo, entre esa masa de trabajos, se echa, en efecto, de menos, también aquí, la presencia de algo esencial, de que nadie parece haberse ocupa-

---

[1] No se trata, pues, de un análisis completo de la contextualidad de los símbolos, realizado ya por mí en la obra *Superrealismo poético y simbolización*, Madrid, ed. Gredos, 1979, sino de recoger con la máxima brevedad posible las ideas de aquel estudio mío que nos permitan desarrollar el tema del presente libro, que no es directamente la naturaleza del símbolo, sino la naturaleza de las épocas.

[2] Véase una amplia bibliografía en mi libro *Superrealismo y simbolización*, tantas veces mencionado en la presente obra.

do: el estudio de la técnica como tal del superrealismo, los métodos de expresividad de esa escuela. En efecto: referirse a la
famosa «escritura automática», como se ha venido haciendo
desde que Breton mencionó el asunto, no es decir nada específico: la «escritura automática» es propia también, por definición, de todo el irracionalismo o simbolismo que antecede al
superrealismo, desde Baudelaire hasta los simbolistas (los simbolistas franceses o los españoles, Antonio Machado y Juan
Ramón Jiménez), pasando por Verlaine, Rimbaud y Mallarmé.
Símbolo es, en efecto, irracionalidad; e irracionalidad es, en
todo caso, proceso preconsciente, esto es, escritura automática.
Los superrealistas, en este sentido, no inventan nada que no sea
cuantitativo respecto a lo que ya habían hecho los autores citados. Pero ¿es que no hay nada radicalmente nuevo en el movimiento literario que acabo de mencionar?

SUPERREALISMO Y SIMBOLIZACIÓN

Afirmemos ante todo, para que mis palabras anteriores queden del todo claras, que el superrealismo no es otra cosa que
simbolización. Una página superrealista es una página llena de
símbolos. Mas ¿es esto, en sí mismo, revolucionario y nuevo?
No. La poesía de Machado y la de Juan Ramón, como ya he
dicho, pero también la poesía de los llamados simbolistas franceses, y, antes, la de Verlaine, etc., no hacían otra cosa que
simbolizar. Se podría tal vez establecer un distingo y decir que
el simbolismo anterior era fundamentalmente un simbolismo
de realidad: el de expresiones, pues, que *aludían* a cosas o
hechos *posibles* en el mundo efectivo. Y que, por el contrario,
los símbolos del superrealismo eran, sobre todo, símbolos *de
irrealidad*, en cuanto que los términos simbolizadores eran
irreales, entes o dichos imposibles. Al hacer esta separación
nos hemos acercado a la verdad, pero sólo un poquito, ya que
los símbolos irreales se han dado igualmente antes del superrealismo; ya en Baudelaire («La mort des amants») y Rimbaud,
pero también, a veces, en Machado y Juan Ramón, y luego,

muchísimo más en el Lorca de las *Canciones*, esto es, en el Lorca que aún no es superrealista. Cabría entonces acudir a lo cuantitativo y decir que el superrealismo es, no el uso, sino el uso *cuantioso* de expresiones irreales de tipo simbólico, mientras que antes de esa escuela era infrecuente la utilización de tales irrealidades simbólicas en la misma alta proporción. Llegaríamos así a una fórmula utilizable en la práctica, pero de gran imprecisión. Y es que el camino para saber lo que es el superrealismo por lo que atañe a su técnica está mal elegido. De ningún modo se trata sólo de una cuestión de cantidad; se trata también, y sobre todo, de algo cualitativamente diferencial. El superrealismo aparece, en efecto, como una revolución, no por usar símbolos, ni siquiera por usar *muchos* símbolos de irrealidad, sino por la especial naturaleza contextual y emocional de éstos.

LA TÉCNICA SIMBÓLICA DEL SUPERREALISMO

Creo que lo mejor será hacerlo ver con un ejemplo, que tomo de *Pasión de la tierra* de Aleixandre. Elijamos un párrafo de «El amor no es relieve»:

> En tu cintura no hay nada más que mi tacto quieto. Se te saldrá el corazón por la boca mientras la tormenta se hace morada.

Estamos aquí frente a un trozo poemático que debemos tomar como canónicamente superrealista, de modo que lo que su análisis nos revele podrá ser generalizado sin temor, y afirmado o dicho para todos los poemas que realmente pertenezcan a la escuela citada. Lo primero que observamos en el fragmento en cuestión es la inconexión entre unos términos y otros del párrafo copiado. El primer enunciado («En tu cintura no hay nada más que mi tacto quieto») posee sentido exclusivamente amoroso: «tacto quieto» es, sin duda, la caricia que el amante otorga a la amada. Ahora bien: el enunciado segundo («se te saldrá el corazón por la boca») no tiene, desde el punto de vista del lector, nada que ver con el primero, *ni lógica ni emotivamente*, ni

vemos tampoco la identidad no consciente con que ambas frases comparecen, como hemos de ver después, en el ánimo del
poeta. Subrayemos esto último, pues es aquí donde reside la
verdadera diferencia entre el irracionalismo superrealista y el
irracionalismo anterior. Tal discrepancia, efectivamente, no
consiste en la inconexión *lógica*, ni siquiera en la inconexión
emocional, consideradas ambas en sí mismas y de modo aisla-
do, entre una y otra secuencia; eso existía antes del superrealismo: está en Machado, en Juan Ramón Jiménez, en el Lorca
de las *Canciones*. No. Lo que específicamente distingue al
superrealismo es la inconexión *emocional doblada* de la inconexión *lógica* entre dos términos A y E, pero siempre que,
al mismo tiempo, no se conciencie la relación identificativa
que, como comprobaremos, insisto, hay siempre entre ellos en
forma preconsciente. Quiero decir que en el simbolismo no
superrealista existe, por un lado, con mucha frecuencia, inconexión emocional; y existe también, con frecuencia mayor
aún, inconexión lógica; e incluso se da el caso de que exista la
combinación de ambas cosas. Lo que jamás existe es esta doble
inconexión, lógica y emocional, *afectando a las mismas dos
secuencias consecutivas que en el preconsciente del poeta han
quedado, como digo y examinaremos luego, identificadas*, identificación que, por supuesto, el lector tampoco entiende de manera lúcida. Hemos dado así con una fórmula relativamente
sencilla, que puede describir, creo que con todo rigor, la técnica que pretendemos determinar en todas sus variantes, por
muy numerosas que éstas resulten. Diremos entonces: dada la
formulación por el poeta de dos enunciados A y E que *en su
preconsciente* aparecen en forma de ecuación A = E, nos hallaremos frente a un texto superrealista cuando se cumplan estas
tres condiciones: 1.º, que el nexo identificativo (el signo =)
entre A y E *no se conciencie*; 2.º, que ambos términos, A y E,
se encuentren, para el lector, en situación de términos *lógicamente inconexos*, y 3.º, que, además de inconexión lógica, haya
entre ellos, también para el lector, *inconexión emotiva*. Repito
que cada una de estas cosas *por separado* se han podido dar
antes del superrealismo, *pero no* las tres juntas. Superrealismo

es, pues, un *paquete* solidario de cualidades, y no las cualidades como tales, en cuanto independientes, y en sí mismas.

Veamos todo esto en el texto que acabo de ofrecer. Entre la frase A («en tu cintura no hay nada más que mi tacto quieto») y la frase E («se te saldrá el corazón por la boca») está claro que no hay establecida por el poeta a nivel lúcido una identidad, sino que se trata, a ese nivel lúcido, de una mera yuxtaposición; y, por otra parte, no es menos cierto que media entre ambas expresiones una inconexión lógica: una cosa es el erotismo logrado y pleno de la primera frase (A) y otra muy distinta la mortal agonía que se expresa en la frase segunda (E). Se trata de cosas discrepantes y hasta opuestas; opuestas, por lo pronto, desde la perspectiva, en efecto, lógica; pero opuestas también desde la perspectiva de la emoción: la sentencia inicial (la que hemos llamado A: «en tu cintura no hay nada más que mi tacto quieto») tiene una emoción positiva y vital, la emoción que es inherente al erotismo; la sentencia final, en cambio, posee una emoción negativa de muerte o de agonía. Pues bien: esto que acabo de describir, *esto y no otra cosa*, es, precisamente, el superrealismo en cuanto técnica, y, por supuesto, el superrealismo de Aleixandre. El esquema, en efecto, con variaciones que aunque importantes no son esenciales, se repite incesantemente. Reiterémoslo: doble inconexión y carácter preconsciente del nexo igualatorio entre A y E. Para que podamos percibir bien esto último conviene que consideremos ahora desde una diferente doble perspectiva el problema que la frase citada nos plantea: la perspectiva correspondiente al autor y la correspondiente al lector. Llegaremos así, creo, a resultados que tal vez sean para nosotros de interés.

Preguntémonos esto: ¿qué ha ocurrido en el supramentado párrafo para que Aleixandre haya podido pasar desde la primera frase, A, a la segunda, E? Al contestar a esta pregunta, caemos en la cuenta de que para ir desde A («en tu cintura no hay nada más que mi tacto quieto») hasta E («se te saldrá el corazón por la boca») *no hay más que un camino*. Éste: que la expresión «tacto quieto», tras haberla escrito el poeta en el sentido de «caricia amorosa», la haya entendido su propio creador, en ese segundo instante, como «apretón mortal». Dicho de manera más precisa y con generalización del aserto: superrealismo es, por lo pronto, en todo caso (aunque esto no baste, por supuesto) «mala lectura», por parte del autor, de un elemento A, al que de ahora en adelante llamaremos «el originador». El poeta, que en un momento inicial ha escrito la expresión u originador «tacto quieto» en el sentido de «caricia amorosa», la ha leído, a continuación (considerado el asunto desde una perspectiva poemática), «erróneamente», y ha sentido por tanto al leer el originador de ese modo que diríamos extravagante, una emoción *inadecuada* respecto del significado objetivo de éste. Debo añadir que tal lectura consiste siempre en una identidad, no consciente en el autor, entre el originador (en nuestro caso «tacto quieto») y otro término (en nuestro caso «apretón mortal»). Ahora bien: esa ecuación entre ambos términos no ha sido realizada en la conciencia, sino en esa región que Freud y los psicoanalistas han denominado preconsciente. Por eso he hablado hace poco de irracionalidad o simbolismo. La lectura del originador realizada por el poeta consiste entonces en una ecuación o una suma de ecuaciones que finalizan en una emoción consciente. El esquema algebraico con el que podríamos representar estos hechos psicológicos sería, pues, éste:

A (el originador) [= B = C =] emoción (simbólica) de C en la conciencia.

Sustituyendo ahora la notación algebraica por las efectivas ecuaciones que en la frase citada han tenido que producirse en la mente del poeta, diríamos esto:

tacto quieto en el sentido de caricia amorosa [= tacto quieto en el sentido de apretón mortal =] emoción (simbólica) en la conciencia de tacto quieto en el sentido de apretón mortal.

Instalado, pues el autor en esa emoción consciente (consciente la emoción, por supuesto, y sólo la emoción, que, como se ve, es simbólica en el sentido antes establecido), término éste, el emotivo, que podemos denominar «momento emocional del proceso del autor o proceso Y, se dirigirá ahora el poeta al encuentro de una secuencia verbal (consciente también, claro está, por definición) que pueda expresar, en cuanto escritura, el sentimiento en que el autor, como digo, está: he ahí lo que vamos a denominar «el originado». Quiero decir que ese sentimiento le lleva a escribir una segunda frase, a la que llamo así, «el originado», puesto que, en efecto, se trata de aquello que el originador «origina». En nuestro caso, el originado es la frase «se te saldrá el corazón por la boca». ¿Cómo ha podido el autor forjar esa expresión? Muy sencillo: a través de otra serie preconsciente, que, junto a la primera, constituye lo que hemos designado como proceso Y o proceso del autor, *proceso que se halla, por tanto, constituido por dos series, enchufadas una en otra.* Si la serie primera, la que va desde el originador hacia el momento emocional del proceso Y, la llamásemos «serie emotiva» (puesto que termina en una emoción), esta segunda serie, la que se incoa a partir de la emoción y desemboca en el originado, habría de ser denominada «serie sintagmática» (ya que da fin en una verbalización que, en cuanto relacionada, aunque preconscientemente, con el originador, es un sintagma). En nuestro caso, la serie sintagmática diría así:

> emoción de «apretón mortal» en la conciencia [= apretón mortal =] se te saldrá el corazón por la boca (originado).

Nótese que aquí el término preconsciente coincide en todo con el momento emocional del proceso Y, exceptuado el hecho de la no concienciación. Se trata de un ejemplo en el que la serie sintagmática es sumamente breve: hay ejemplos, naturalmente, en que el número de miembros es mucho mayor. Termina con esto el proceso Y, el proceso del autor, que, vuelvo a decirlo, consta, en todo caso, de un par de series: la serie «emotiva» y la serie «sintagmática», con un instante de lucidez en el medio, a modo de bocadillo o *sandwich:* ese instante lúcido es el «momento emocional» del proceso Y. Gracias a esta compleja articulación mental de las dos series se pasa, en este caso y en todos, desde un originador a un originado. Tal es lo que sin duda ha acontecido en la mente del poeta. Si dispusiéramos

ahora el proceso Y completo en un esquema algebraico, hallaríamos esto:

> A (originador) [= B = C =] emoción de C en la conciencia (mo-
> mento emocional del proceso Y) [= C = D =] E (originado).

Donde queda muy claro que A y E aparecen, como adelanté más
arriba, identificados (A [=] E), aunque sólo preconscientemente, por el poeta, con lo que se cumplen las tres condiciones que
hemos establecido para que el superrealismo en cuanto técnica
se dé: la doble inconexión, la lógica y la emocional, que antes
dije, entre A y E, y la no lucidez de la ecuación entre esos dos
sintagmas escritos por el poeta: el que hemos llamado A (el
originador) y el que hemos llamado E (el originado).

Veamos ahora lo que pasa en la mente de los lectores (proceso que llamaremos X) cuando éstos se encaran con una frase
superrealista: por ejemplo, con la que acabamos de comentar.

Analicemos, pues, nuestras reacciones. Hemos leído, estrictamente, la frase A («en tu cintura no hay nada más que mi
tacto quieto»), esto es, la hemos leído sin sobrepasarla, y en
ese primer instante en que aún no hemos llegado al término
segundo E, la entendemos, claro está, exclusivamente en su sentido amoroso, tal como sugerí, en correspondencia, añadamos
ahora, con el autor, que, no en su momento de lectura (que ca-
lifiqué antes de simbolizante), pero sí en su momento de creación, al escribirla, la sintió también eróticamente y sólo eróticamente. No existe aquí, pues, simbolismo de especie alguna. La
frase se manifiesta como lógica en toda su extensión: «tacto
quieto» significa sólo «tacto quieto» o sea, «caricia amorosa».
Pero, de pronto, ese logicismo se quiebra en la segunda secuencia: «se te saldrá el corazón por la boca». ¿Qué ha pasado aquí?
No lo sabemos; no entendemos, en primer lugar, la relación
lógica entre «en tu cintura no hay nada más que mi tacto quieto» y «se te saldrá el corazón por la boca»; pero tampoco tenemos a mano una explicación emotiva: la emoción amorosa que
hemos experimentado ante la primera frase (la de «tacto quieto» como «caricia») no concuerda con la negatividad sentimental de la segunda («se te saldrá el corazón por la boca»). Y como

no concuerda, como no entendemos de ninguna manera el dicho poemático y estamos, sin embargo, en la creencia de que el poeta es poeta, y no un alienado que desvaría, nos esforzamos por lograr una comprensión que de ningún modo nos llega *ni por vía lógica ni por vía emocional*. Agotadas nuestras fuerzas en esa doble dirección, ensayamos como recurso sustitutivo, como «mal menor», diríamos, un nuevo expediente. Ir por una tercera vía, más dura y más inhóspita: buscar, como «última ratio», otra explicación, emotiva también; pero emoción ya no propia, ajena: la del autor. O sea: intentar reconstruir la sucesión emotiva, de tipo preconsciente, *distinta a la del lector*, que haya podido conducir al autor desde el originador hasta el originado. En suma: perdidas nuestras esperanzas de explicación, tanto racional como sentimental, de tipo *personal*, desesperando, pues, de nuestra *persona* lógica y emotiva, nos contentaremos con esa explicación *extrapersonal* que tenemos en reserva, como un cuarteto de relevos atlético suplente (si se me pasa tan peregrino símil), que no le llega al titular, pero que puede salir a la pista y ponerse a competir en caso de apuro. Y de este modo intentamos tender un puente emocional, por el que nosotros previamente de ninguna manera íbamos, entre la frase «en tu cintura no hay nada más que mi tacto quieto» y la frase «se te saldrá el corazón por la boca»; o lo que es igual, intentamos tender un puente preconsciente de índole *ajena*, que suponemos ser *el proceso mental del autor*, que venga a salvar nuestra apretada y conflictiva situación. Y entonces ambos términos («en tu cintura no hay nada más que mi tacto quieto», originador, y «se te saldrá el corazón por la boca», originado) se ponen a buscar lo que tengan emocionalmente en común, o sea, se ponen a emanar flujos confundentes que les sean hacederos hasta dar con aquellos que se hagan entre sí compatibles. Cierto que ese momento de tanteo, de «ensayo y error», digamos, no se nos hace sensible, pero las actividades preconscientes son velocísimas. El caso es que, tras el instante de vacilación y tiento al que me refiero, el originador («en tu cintura no hay nada más que mi tacto quieto») y el originado («se te saldrá el corazón por la boca») hallan su emocional embocadura de encaje, tras emanar, cada uno de ellos, de por sí y separadamente, en nuestra mente de lectores, la única corriente igualatoria (así: la única [3]) que pueda ser acoplada en la de su respectiva pareja. O, dicho de otro modo: las dos frases se lanzan a chorrear un mismo y coincidente simbolizado: en nuestro caso, la idea de «apretón mortal». Por un lado, el originado nos da esta serie, que, en este caso y en todos los casos de inconexión superrealista, es la misma del autor, *pero invertida en cuanto a su orden de prelaciones*:

se te saldrá el corazón por la boca [= apretón mortal =] emoción de «apretón mortal» en la conciencia,

y por otro, el originador nos entrega esta otra corriente igualatoria, que, también en este caso y en todos los casos de inconexión de la especie de que hablo, *sigue el orden del autor, sin invertirlo*:

tacto quieto en cuanto caricia amorosa [= tacto quieto en cuanto apretón mortal =] emoción de «apretón mortal» en la conciencia.

Y como los dos términos simbolizan, esto es, como los dos producen en la conciencia una misma emoción, una emoción de «apretón mortal», y se hallan, sin embargo, también en la conciencia, desconectados lógicamente entre sí, ambos términos, el originador y el originado, se convierten para nosotros, los lectores, en símbolos, pero símbolos igualmente desconectados, sueltos, independientes uno de otro.

Percatémonos bien de lo que ha sucedido aquí: el momento inmediatamente previo a esta simbolización de que hablo es aquel en que nuestra mente acaba de leer la expresión «se te saldrá el corazón por la boca» y ha dejado atrás (por tanto, en un tiempo precedente, en un «pretérito perfecto», si se me con-

---

[3] Cuando hay más de una posibilidad asociativa, el poeta debe taponar esas posibilidades supernumerarias con contextos «ocasionales», tal como hago ver en mi libro *Superrealismo poético y simbolización*, Madrid, ed. Gredos, 1978, págs. 256-258.

cede la expresión) la frase «en tu cintura no hay nada más que mi tacto quieto». Pues bien: leída y recibida en la mente lectora la expresión «se te saldrá el corazón por la boca», es cuando ha sonado la hora de que ambas frases (la frase sobrepasada por nuestra lectura, «en tu cintura no hay nada más que mi tacto quieto», y la otra en la que estamos, «se te saldrá el corazón por la boca») segreguen su respectivo simbolizado; en que ambas, pues, se entreguen al simbolismo. Al mismo tiempo, aparece entonces un simbolizado, la idea de «apretón mortal», en nuestro «pasado» verbal («en tu cintura no hay nada más que mi tacto quieto») y otro simbolizado, asimismo la idea de «apretón mortal», en nuestro verbal «presente» («se te saldrá el corazón por la boca»). Podemos decir, pues, que el originado («se te saldrá el corazón por la boca») ha presionado sobre el originador («en tu cintura no hay nada más que mi tacto quieto») obligándole a dar de sí con notorio «retraso» un flujo confundente que termina en un simbolizado —el que dijimos— con su correspondiente emoción negativa. El simbolismo del originador es, pues, aquí y siempre, «retroactivo», mientras el simbolismo del originado es, también aquí y siempre, «actual», ya que simboliza en el ahora preciso en que el lector se halla. Distingamos, pues, la simbolización «retroactiva» de la «actual» y digamos: en el proceso X que las inconexiones superrealistas incoan en el lector, el originador simboliza «retroactivamente» *lo mismo* que el originado simboliza «actualmente». Nos rinden ambos, en cuanto simbolizadores (pero cada uno por su cuenta, vuelvo a decir), un mismo simbolizado. Ese simbolizado es aquí, repito, la idea de «apretón mortal».

Y en efecto: si leemos otra vez con sensibilidad alerta la frase:

> En tu cintura no hay nada más que mi tacto quieto. Se te saldrá el corazón por la boca mientras la tormenta se hace morada,

nuestra intuición lectora confirma lo que acabamos de sentar: desde la noción «se te saldrá el corazón por la boca» a la que como lectores llegamos, sentimos la idea de «apretón mortal» simbolizada doblemente: de manera «tardía» por el originador («en tu cintura no hay nada más que mi tacto quieto»), y de manera no tardía, «puntual» o «actual», por el originado («se te saldrá el corazón por la boca») en que nos hallamos.

El superrealismo es, pues, en lo fundamental, esto que acabamos de ver. Podríamos comprobarlo en la última parte no comentada del trozo sometido a análisis. En efecto: desde la noción «se te saldrá el corazón por la boca», originado que se trueca ahora en originador de lo que sigue, se traslada el poeta a la noción «mientras la tormenta se hace morada», a través de un proceso Y que tiene las mismas características del otro que hemos largamente comentado. Hay en él, por supuesto, la doble inconexión y la ocultación del nexo igualatorio. O, de otro modo: existen las dos series arriba estipuladas, la serie emotiva y la serie sintagmática, unidas, como esperábamos, por un momento emocional consciente. Las ecuaciones serían éstas:

> Se te saldrá el corazón por la boca [= ahogo =] emoción de ahogo en la conciencia [= ahogo = rostro morado = realidad morada =] tormenta morada.

La técnica superrealista es, una y otra vez y en todo caso, así, aunque, por supuesto, he elegido para su análisis el modelo más simple. Pero este esquema básico («originador», «serie emotiva», «momento emocional», «serie sintagmática» y «originado») puede complicarse, y el superrealismo, claro es, lo ha hecho con frecuencia. ¿En qué sentido irá tal complicación? Irá, por ejemplo, a través de la *multiplicidad de las «malas lecturas»*, con lo cual se darían, desde un único y mismo originador, una diversidad de «series emotivas», «momentos emocionales», «series sintagmáticas» y «originados». Esto es: el autor, en vez de leer «mal» el originador de un solo modo, lo lee «mal», digamos, de dos o tres maneras simultáneas distintas, y cada una de estas «malas lecturas» (que, además, cabe que se combinen con lecturas «buenas») puede tener, por ejemplo, no sólo un originado, sino toda una «familia» de ellos. La consecuencia es una simbolización múltiple y dispar en el originador, que se carga de sentidos irracionales muy variados, aparte de que cada originado de cada «familia» posea su propio simbolismo.

Sin tanta complejidad, traigamos sólo aquí un ejemplo simple —digámoslo así— de triple «mala lectura» del originador. En el poema «Del color de la nada» de *Pasión de la tierra* de Aleixandre se habla de unas «luces crepusculares», que vienen a simbolizar, dentro de su contexto, cuanto en el mundo se halla en trance de desvanecimiento y extinción. Poco después llama «soñolientas caricias» a esas luces. Transcribo el párrafo:

> Y hay quien llora lágrimas del color de la ira. Pero sólo por equivocación, porque lo que hay que llorar son todas esas soño-lientas caricias que al borde de los lagrimales esperan sólo que la tarde caiga para rodar al estanque.

Esas «soñolientas caricias» o 'luces crepusculares' simbolizan, en el poema, en «buena lectura», 'muerte'. De ahí que produzcan «lágrimas». Veamos ahora las tres «malas lecturas» que se producen:

Primera «mala lectura»:

«soñolientas caricias» (luces crepusculares) en cuanto lágrimas (puesto que se lloran) [= agua =] emoción de «agua» en la conciencia [= agua = agua que por un arroyo es conducida a un estanque =] «para rodar a un estanque».

Segunda «mala lectura»:

«soñolientas caricias» (luces crepusculares) en cuanto lágrimas [= lágrimas de verdad =] emoción en la conciencia de «lágrimas de verdad» [= lágrimas de verdad =] [están] «al borde de los lagrimales».

Tercera «mala lectura»:

«soñolientas caricias» (luces crepusculares) en cuanto lágrimas [= luces crepusculares de verdad =] emoción de luces crepusculares de verdad en la conciencia [= luces crepusculares de verdad = caen cuando caen las luces crepusculares de verdad, esto es, a la tarde =] «esperan sólo que la tarde caiga para rodar...».

El complejo simbolismo que corresponde, en el proceso X, a estas tres «malas lecturas» realizadas desde el proceso Y coincidirá siempre con lo que ha sido en éste el «momento emocional». Y así, soñolientas caricias simbolizará «agua», en cuanto a la primera «mala lectura» (o sea, apoyándose en el originado «para rodar al estanque», que será, a su vez, un segundo simbolizador de idéntico simbolizado); y simbolizará asimismo, «lágrimas de verdad» (en cuanto a la segunda mala lectura) y «luces crepusculares de verdad» (en cuanto a la lectura tercera), con el apoyo respectivo de los originados «al borde de los lagrimales» y «espera sólo que la tarde caiga» [para rodar]. Como se ve, la multiplicidad de «malas lecturas» trae consigo una mayor riqueza semántica. A más lecturas «erróneas» más significados. Aquí «soñolientas caricias» llegará a significar simultáneamente de manera simbólica, esto es, sólo emotiva, «agua de verdad», «lágrimas de verdad» y «luces crepusculares de verdad» (amén de significar «muerte» como resultado simbólico de la «buena» lectura): un simbolizado, pues, *distinto* en el proceso X por cada «mala lectura» en el proceso Y.

Ahora bien: la complicación superrealista del «esquema básico» no consiste sólo en lo arriba apuntado. Cabe que se dé también otra cosa: una «falsa concienciación» de la relación entre el originador A y el originado E, con lo cual la relación verdadera entre ambos términos, que es siempre de tipo identificativo (A = E), se esconde aún más a la conciencia y el irracionalismo se hace, de este modo, mayor. Así, a lo largo del proceso Y que en la mente del autor se ha producido entre la expresión «se te saldrá el corazón por la boca» (término A) y la expresión «mientras la tormenta se hace morada» (término E), en vez de aflorar la conexión *de identidad* (que es la genuina: A = E), se ha hecho lúcida una falsa relación *de simultaneidad* (A *mientras* E). La causa de esta falsificación de los nexos entre A y E, tan frecuente en el superrealismo, se debe, precisamente, a la oscuridad en que los procesos mentales se producen. Al no haber lucidez en ellos, las ecuaciones entre dos términos (A = E) no exigen, para poder darse, como ya dijimos, un gran parecido, un parecido *esencial*: una semejanza muy pequeña o *inesencial* es suficiente para engendrar su completa confusión, su confusión «seria» y «totalitaria». Y así, como la «identidad» se parece a la «simultaneidad» en el hecho de ser esas dos palabras continente de relaciones, cabe que ambos elementos queden asimilados con «seriedad» en un proceso Y «servil» o «auxiliar», que el otro proceso analizado antes (el «principal») lleva anejo:

> relación de identidad [= relación =] emoción de relación en la conciencia [= relación =] relación de simultaneidad (u otra relación cualquiera: consecuencia, finalidad, etc.).

Sólo me resta añadir que estos trueques de la relación de identidad por «otra relación cualquiera» (como acabo de sugerir en la fórmula) son en el superrealismo muy frecuentes. Ejemplo, también de Aleixandre:

> No me ciñas el cuello que creeré que se va a hacer de noche. Los truenos están bajo tierra. El plomo no puede verse.
>
> («El amor no es relieve», de *Pasión de la tierra*.)

Proceso Y que explica la primera oración de este párrafo:

> ceñir el cuello en sentido amoroso [= ceñir el cuello en sentido destructivo = muerte =] emoción de muerte en la conciencia [= muerte = no veo = oscuridad = noche =] «que creeré que se va a hacer de noche».

El nexo identificativo entre el primer miembro A («no me ciñas el cuello»: sentido amoroso) y el segundo E («noche») se conciencia aquí del *modo* «falso» que he indicado. En vez de igualdad, hay una relación *consecutiva*: «no me ciñas el cuello amorosamente, pues ello traería *la consecuencia* de que yo creería que se va a hacer de noche».

Otra posible complicación del esquema básico: la multiplicidad de originados por cada «mala lectura». En este caso, todos esos originados llevarán *a la misma* simbolización, con lo cual ésta se habrá de intensificar tantas veces como originados existan.

LA CONTEXTUALIDAD SIMBÓLICA EN CASOS
NO SUPERREALISTAS. ORIGINADOR Y ORIGI-
NADO: INCONGRUENCIA DE SU RELACIÓN

Los símbolos son, en todo caso, contextuales. Y no sólo eso:
con una única excepción de que luego me ocuparé, *siempre lo
son, mutatis mutandis, a través del sistema expresivo que acabamos de descubrir.* Quiero decir que todo símbolo (salvado
el caso que digo) se engendra, en el ánimo del autor, al tener
éste que establecer, efectivamente, una relación entre dos términos, originador y originado, que, al primer pronto, se le
aparecen como entre sí incompatibles y, justo, porque se le
aparecen de ese modo.

Incompatibilidad, sin embargo, no siempre doble (lógica y
emotiva: tal en los ejemplos superrealistas antes examinados),
pues puede muy bien surgir (de manera entonces *no* superrealista) con simplicidad: en ocasiones, la incongruencia a que
nos referimos muestra únicamente carácter lógico. Enseguida
me ocuparé de este caso; antes, conviene que expongamos otro,
que, aunque sustentador de la doble inconsecuencia que hemos
examinado en el ejemplo aleixandrino del «tacto quieto», tampoco se nos aparece como superrealista, ya que, según dijimos,
el esquema básico de esa tendencia poemática es un paquete
de tres notas. Si falta alguna de ellas, la técnica superrealista
desaparece en cuanto tal. Y tal es lo que ocurre en el caso
que vamos ahora a examinar.

EL SIMBOLISMO AUTÓNOMO

Y así, aunque se dé la «mala lectura» del originador por
parte del autor, y, por lo tanto, la doble inconsecuencia, a ojos
lectores, que hemos dicho entre originador y originado (la
inconsecuencia lógica y la inconsecuencia emotiva de los dos
elementos), no nos hallaremos en el superrealismo cuando la
relación identificativa entre el originador y el originado se con-

ciencie (A = E), en vez de permanecer oculta en el preconsciente (A [=] E). Tal concienciación es la que muestran las
imágenes que he llamado, en otros libros míos, «imágenes visio-
narias «autónomas» así como las «visiones» y los «símbolos homogéneos» de ese mismo carácter. Acudamos a un ejemplo de
lo primero, ya viejo en mis escritos sobre la materia. El poeta
se refiere a un pájaro, *gris*, pequeño y en reposo, tal vez un
gorrioncillo posado en una rama. Dice de él:

> un pajarillo es como un arco iris.

Si este verso iniciase un poema titulado, por ejemplo, «Go-
rrión», sería, indudablemente, poético. No hay duda, entonces,
de que la emoción suscitada sólo depende («autonomía») de
la relación que el poeta ha establecido entre «pajarillo» (A) y
«arco iris» (E), que, como vamos a ver ahora, son los términos
que llevan en la frase la función respectiva que hemos atribuido al originador (A) y al originado (E) de una secuencia
simbólica.

Empecemos por señalar que, en efecto, no nos hallamos frente a una metáfora tradicional, ya que aquí no media semejanza
alguna perceptible entre el plano imaginario E, «arco iris», y
el plano real A, «pajarillo». Lo que, por el contrario, hay es
la completa inconexión lógica que caracteriza a la irracionalidad. Añadamos enseguida que tampoco media entre los términos relacionados, A y E, conexión emocional alguna, pues la
palabra «pajarillo» puede, en sí misma y desligada del contexto en que se halla, llevarme a muchas lecturas entre sí diferentes, sin especial obligatoriedad poemática ninguna. Pero
se nos hace evidente, habida cuenta de tal contexto, que el autor
hubo de realizar frente a «pajarillo» una lectura determinada
(una «mala lectura», por consiguiente) que no pudo ser sino
ésta:

> pajarillo [= pequeñez, gracia, indefensión = niño inocente = ino-
> cencia =] emoción de inocencia en la conciencia.

Terminada así por el poeta (proceso Y) la serie emotiva, se le habría iniciado, en nuestro supuesto, la serie sintagmática en la forma siguiente:

emoción de inocencia en la conciencia [= inocencia = colores inocentes = colores puros, como lavados = colores del arco iris] = arco iris.

Nótese que los actos mentales que acabamos de describir son los mismos que ejecuta el poeta superrealista «inconexo», con sólo una diferencia aparentemente pequeña, pero en realidad muy relevante. Y es que los términos «pajarillo» y «arco iris» quedan, en el texto poemático, identificados lúcida y hasta expresamente entre sí («un pajarillo *es como* un arco iris»), y, en consecuencia, la irracionalidad resulta un grado más baja que la propia del superrealismo. La simbolización (proceso X) se suscitaría del mismo modo que los casos superrealistas arriba analizados, con lo que el simbolizado sería la reproducción en el proceso X de lo que fue «momento emocional» en el proceso Y: aquí la noción de «inocencia» [4]. La única diferencia radicaría en que, ahora, en vez de nacer dos símbolos (el constituido por el originador y el constituido por el originado), se produciría exclusivamente uno, adscrito a la metáfora como tal (A = E) al hacerse ésta (y en cuanto que se hace) *consciente*.

EL SIMBOLISMO CONEXO

Anunciábamos antes otro caso, como propio del período anterior a la vanguardia, que no puedo describir en el presente libro (pues ello sería demasiado largo) más que en forma espe-

---

[4] El proceso X sería, pues, éste. Serie «real»:

pajarillo [= pequeñez, gracia, indefensión = niño inocente = inocencia =] emoción de inocencia en la conciencia.

Serie «irreal»:

arco iris [= colores del arco iris = colores puros, como lavados = colores inocentes = inocencia =] emoción de inocencia en la conciencia.

cialmente esquemática[5]. Se trata de momentos también simbólicos, *pero en los que el poeta lee «bien» el originador*, esto es, lo lee *en el mismo sentido que el lector*, como el *símbolo que poemáticamente es*, aunque sin concienciar esta vez la identificación entre originador y originado:

A [= B = C =] emoción de C en la conciencia [= C = D =] E.

Aquí no existe, en efecto, concienciación del nexo identificativo (A = E), pero tampoco conexión lógica entre originador y originado. El superrealismo se halla, sin embargo, igualmente ausente del texto, en cuanto que, en vez de una «mala lectura» del originador, lo que hay en el proceso Y es una lectura «buena» y, *por lo tanto, no se da, en el proceso X, la inconexión emotiva que caracteriza, como tercera nota básica, a aquella técnica.* El lector ha acompañado esta vez al autor en su lectura simbólica de A, y se halla, tras esa lectura, situado en la misma emoción que éste (en la emoción de C), emoción que, al expresarse luego en el originado E, habrá de convertir a ese originado, por definición, en *emocionalmente* «conexo»[6]. El lector *conectará*, en efecto, con tal originado *desde la emoción de C*, en que se halla, aunque siga habiendo, claro es, inconexión lógica entre la emoción de C, por un lado, y el término E, por otro (y también, claro es, entre A y E), como ya dije.

El simbolismo que se produce en este caso (llamémoslo «simbolismo conexo») es distinto del que resultaba de la «mala lectura», ya que lo buscado ahora por el lector no es la relación entre A y E, sino la relación entre E y la emoción de C que le embarga. Como el término de contacto entre ambos elementos es, sin duda, *el segundo miembro sintagmático*, es decir, el término D, tal habrá de ser, por consiguiente, *en todos los casos de simbolismo «conexo»* o «de buena lectura», el simbolizado[7].

---

[5] Véase mi libro *Superrealismo poético...*, ed. cit., págs. 156-162 (capítulo VI).

[6] Habrá, pues, *conexión* emotiva (aunque exista inconexión lógica). De ahí, el nombre que le doy a este tipo de proceso X.

[7] Recuérdese que en las inconexiones y en las autonomías el simbo-

SIMBOLISMO DE IRREALIDAD
Y SIMBOLISMO DE REALIDAD

Nos queda todavía por examinar una última manera de producirse el simbolismo. Aludo a la forma en que se engendra ese tipo de símbolos que en otros trabajos míos he apellidado «de realidad» o «heterogéneos».

Recapitulemos: hasta ahora hemos estudiado el simbolismo «conexo» (fruto de una «buena lectura» del originador), y el «inconexo» y el «autónomo» (procedentes ambos de una «mala lectura»). En cualquier caso, este simbolismo, de una manera y otra, era, en lo decisivo, *irreal*, aunque cupiese que alguno de sus miembros tuviera, en consideración aislada, carácter opuesto. Lo irreal sería aquí *la relación* que el lector debe adivinar entre el originador y el originado. Por lo demás, ambos términos, en cuanto tales, podrían perfectamente constituirse como reales. Así, el ejemplo «no me ciñas el cuello que creeré que se va a hacer de noche». Pedir a alguien que «no me ciña el cuello» (originador) o creer «que se va a hacer de noche» (originado) supone unas significaciones, cada una de las cuales se nos aparece como perfectamente pensable, y unos respectivos referentes, que igualmente se nos presentan como por completo hacederos, en el mundo de la realidad. Lo que resulta doblemente irreal es *la relación* de ambas expresiones: la relación de «ceñir» o «no ceñir» el cuello amorosamente y de «hacerse de noche» asoma como cosa, *en un primer momento*, desconcertante, imposible de establecer: irreal. Similar en todo a ésta se ofrece la posibilidad del simbolismo «conexo», aunque aquí la irrealidad «de relación» sea sólo lógica. Hablaríamos, pues, de irrealidades «per se» (las autonomías de irrealidad del tipo «un pajarillo es como un arco iris») y de irrealidades «de relación» (las propias de las conexiones y las inconexiones). Advirtamos entonces que, en este último caso (en el de las

---

lizado (propio del proceso X) venía a coincidir con lo que en el proceso Y había sido el «momento emocional».

irrealidades de relación, esto es, en el constituido por las «in-conexiones» y las «conexiones»), el originador y el originado pueden ser términos tanto *en sí mismos* irreales como *en sí mismos* reales. Hablar de una irrealidad de relación no prejuzga, pues, la naturaleza real o irreal de los términos de ese modo relacionados.

Ahora bien: es evidente que el lector, al sentir la irrealidad con que el originador se junta contextualmente con el originado, no puede experimentar esos dos términos, aunque aisladamente lo sean, como del todo reales, pues si lo fueran del todo habrían de conectar entre sí, habrían de ser compatibles uno con el otro, *como lo son todos los elementos de que una realidad se compone.* La irrealidad de la coexistencia entre A y E implica, pues, en cierta forma pero sin vacilación, la irrealidad de los términos coexistentes A y E, de modo que no puede asombrar, en cuanto al esencial punto de las operaciones contextuales, que tanto el originador A como el originado E de una conexión o de una inconexión funcionen en cualquier caso como términos de naturaleza irreal. Tenemos, creo, derecho, en consecuencia, no sólo a hablar de «autonomías» «de irrealidad», sino a designar con ese apellido («de irrealidad») a las inconexiones y conexiones que hemos estudiado hasta aquí, pese a los eslabones en ese sentido discrepantes (aunque sólo aparentemente discrepantes) que estas últimas maneras de simbolismo puedan poseer.

Frente al simbolismo que acabamos de definir por su irrealidad, alinearíamos un simbolismo diferente, definido por lo opuesto, por su realismo, ya que, en este caso, tal realismo no va a ser sólo aparente, digámoslo así, como lo era el otro cuando existía, sino que tendrá, asimismo, una peculiaridad de actuación en cuanto al modo contextual de engendrarse en él el proceso simbólico. En adelante, pues, cuando hablemos de simbolismo «de realidad» estaremos aludiendo, exclusivamente, a este simbolismo que ahora se nos ofrece como nuevo, y que es contextualmente distinto, efectivamente (como pronto se nos hará palmario), del irreal que hemos venido escudriñando hasta el presente instante.

EL SIMBOLISMO DE REALIDAD Y SU ORI-
GINADOR «VITAL» E «INDETERMINADO»

Y ahora percatémonos bien de un hecho que, por otra parte, nos es perfectamente conocido: ese simbolismo irreal de cuya contextura venimos hablando (el de las inconexiones, conexiones y autonomías) surge, sin excepciones, del encuentro o choque contextual entre un originador y un originado. Pues bien: no es tal el modo en que nace el simbolismo que en el epígrafe anterior hemos llamado «de realidad», y ello viene a establecer una tajante separación entre este tipo de simbolismo y el otro irreal, en sus tres variantes. Por supuesto, en el proceso Y, o del autor, las cosas suceden aún de una manera que no parece apartarse de lo consabido. Hay también, en ese proceso Y, un originador simbólico; hay, pues, una serie «emotiva» seguida de una serie sintagmática, que se cierra con la llegada de un originado. Pero la diferencia con respecto a lo que denominábamos «irrealidades» (inconexas, conexas o autónomas) es fundamental, pues en el simbolismo «de realidad» el poeta, en su proceso Y, aunque, como digo, parta de un originador, *no llega a escribirlo*, con lo que éste carece entonces de existencia poemática. Es un originador no literario, o sea, un originador «vital», en cuanto que se ofrece como un «secreto biográfico» del poeta. Aclaremos inmediatamente que lo nuevo y diferenciador del simbolismo de realidad no es, sin más, el hecho de que sea detectable *en alguna de sus operaciones* la presencia de un originador vital (pues eso lo podríamos comprobar en el simbolismo de autonomía y también en otros casos)[8]. No. Lo extraño y sorprendente es que se nos manifieste como «vital», como no poemático, el originador precisamente, *cuya consecuencia semántica u originado se dispone ahora a simbolizarnos del modo dicho*[9]. En distinta y más relevante expresión:

---

[8] Como hago constar en mi libro *Superrealismo poético y simbolización*, ed. cit., págs. 183 y sigs. y 212 y sigs.

[9] Ibidem, págs. 212 y sigs.

lo que tiene de único el simbolismo de realidad es que la significación irracional que le es propia no puede producírsele al lector (según acontece en todos los otros casos) como efecto de la relación entre un originador y un originado *poemático*, ya que falta el primero de esos dos elementos, que no se ha objetivado en la composición poética, sino que quedó guardado bajo siete llaves en el almario *del autor*. Hay entonces, por supuesto, como empecé por decir, un originador, o, en frase más exacta, *ha habido* un originador *en el ánimo del poeta*; pero, como ese originador no llegó a adquirir naturaleza poemática, como su naturaleza ha sido sólo «vital», es como si desde la perspectiva del lector (la única importante a este respecto) no hubiera existido nunca. Pues ocurre, además, que ese originador «vital», ese originador que, habiendo operado en el autor, no puede operar de manera ninguna en el lector (ayudándole por algún sitio, o de algún modo, en la tarea simbolizadora) resulta imprecisable, en un posible trabajo posterior extraestético, incluso por el crítico, caso de que éste, por un azar, lo deseara [10]. En suma: la existencia del originador permanece, por un lado, esencialmente «indeterminada» a los ojos del crítico, y por otro, ajena a los propósitos semánticos del lector. Imaginemos a Lorca en el momento de comenzar a escribir su «Romance de la Guardia Civil española»:

> Los caballos negros son.
> Las herraduras son negras.

¿Cuál fue el acicate de estos dos versos, en los que evidentemente se da un doble símbolo heterogéneo, un doble símbolo, pues, «de realidad»? Hagamos la pregunta de manera más apretada. ¿Cuál fue el originador de ese originado dúplice, el constituido por tales versos? No lo sabemos ni podremos saberlo nunca, pues el originador, en ese y en todos los casos de simbolismo de realidad, permanece, según digo, «indeterminado», al no haber sido «escrito» por el poeta, ni dejado señales que nos permitan la reconstrucción posterior. Como críticos, y movidos

---

[10] *Ibidem*, pág. 213.

sólo de una estéril e impropia curiosidad, podríamos lanzarnos a la inútil tarea de fijar el originador que se nos evade. El resultado habría de ser forzosamente vano: el originador será acaso éste, pero acaso este otro o el de más allá. Cualquiera valdría, de entre los muchos que el poeta hubiere podido «leer» fúnebremente. Incluso sería pensable y válido un originador que nada tuviese que ver, de hecho, con el desarrollo posterior del poema, a que hubiese dado, sin embargo, pie, en tal hipótesis: su heterogeneidad a la composición, de él nacida, no sería óbice para su posibilidad. (De hecho, muchos poemas han nacido de tan disparatados originadores «vitales»). Fantaseemos. Lorca ha contemplado, digamos, en un instante psicológicamente propicio para ello, cierta llanura estepiaria, y ha sentido una emoción de «muerte». ¿Cuál sería la serie emotiva del proceso Y que desde ese originador («llanura estepiaria») le ha conducido hasta su fúnebre emoción? La serie sería, por ejemplo, ésta:

llanura estepiaria [= ausencia de vegetación = ausencia de vida = muerte =] emoción de muerte en la conciencia.

Colocado el poeta en trance poético, al intentar expresar esa emoción, escribe, al fin, los dos primeros versos de un romance, cuyo sentido y desarrollo posteriores quizá el poeta ignore aún:

Los caballos negros son.
Las herraduras son negras.

El poeta ha llegado a tales versos a través, claro está, de la serie sintagmática que reproduzco:

emoción de muerte en la conciencia [= muerte = no veo = oscuridad = realidad de color negro =] los caballos negros son.

Pero las cosas, por supuesto, pudieron muy bien no haber sido así, e incluso diríamos que es muy poco probable que, en efecto, se hayan ajustado al esquema descrito (no imposible, sin embargo, y eso nos basta para nuestra argumentación). Más normal sería que ese encabezamiento poemático hubiese nacido de otro modo, que tampoco (y eso es lo decisivo) vemos como obligado: el poeta ha pensado en sus protagonistas como antihéroes, y, al hacerlo, le ha venido a la pluma el octosílabo inicial:

Los caballos negros son

ya que en él se está refiriendo justamente a los caballos en que tales antihéroes van montados. Si los gitanos, según se evidencia en la composición, son sentidos por el poeta como «héroes», y los «guardias civiles» poemáticos de referencia como lo opuesto, las ecuaciones preconscientes que en la mente del autor han tenido que ponerse en marcha para, desde el originador «antihéroes», llegar al originado «caballos negros» habrían de ser las que constituyen estas dos series, enchufadas una en otra, emotiva la primera y sintagmática la segunda:

antihéroes [= personas que hacen daño = personas que disminuyen mi vida = tengo menos vida = estoy en peligro de muerte = muerte =] emoción de muerte en la conciencia [= muerte = no veo = oscuridad = negrura = color negro =] caballos negros («los caballos negros son»).

La «indeterminación» del originador es, pues, evidente: ningún originador en que podamos pensar se nos impondría con carácter de necesario. Hemos imaginado dos, muy distintos entre sí («llanura esteparia» y «antihéroes»): podríamos haber imaginado muchos más. Pero lo esencial es que tales fantasías son irrelevantes. ¿Para qué dejarse llevar por ellas? Carecen por completo de sentido, puesto que el originador en estos casos «indeterminados» es, como dijimos, «vital» y no interviene para nada en el nacimiento de la simbolización *dentro del proceso X o del lector*. Me explicaré.

Acabamos de repetir que en el simbolismo «de realidad» el originador que engendra como originado el término que se dispone a simbolizar se ofrece con «indeterminación» al crítico: antes dijimos que no poseía índole poemática. ¿Es importante esta doble diferencia (que en el fondo constituye una diferencia única, vista en dos perspectivas diferentes), es importante

con respecto al simbolismo de irrealidad, conexiones, inconexiones y autonomías), donde el originador (que al relacionarse con el originado produce el simbolismo) aparece escrito, es «poemático» y, por tanto, está presente, con toda la fuerza de su bulto, ante los ojos del lector? La diferencia es tan grande que modifica por completo el procedimiento de la asociación irracional. El originador, al ser ahora «vital» e «indeterminado» y carecer de realidad sintagmática, queda fuera de caja *y no cuenta para nada*, llegado el instante de la necesidad de simbolismo por parte del lector. Y como el originador no cuenta, como no puede cooperar al simbolismo (al revés de lo que sucedía en el caso de las irrealidades «inconexas», «conexas» y «autónomas»), el autor necesita sustituir su presencia en el sintagma, tan eficaz y decisiva siempre, por la de algún otro medio contextual, que logre lo mismo de diversa manera. ¿Cuál será ese medio?

ORIGEN DEL IMPULSO SIMBOLIZANTE POR PARTE
DEL LECTOR EN EL SIMBOLISMO DE REALIDAD

La tesis general que he sostenido en otro libro es que, para hacer posible el simbolismo, el lector debe ser inquietado y sacado de sus tranquilas casillas pragmáticas por medio de un absurdo [11]. Hay absurdo, indudablemente, en el simbolismo «de irrealidad»; mas no parece haberlo en el «de realidad». ¿Cómo se da, en este caso, la simbolización?

Pues bien: ocurre que también en el simbolismo de realidad *hay absurdo*, aunque, como digo, no lo parezca a primera vista. Examinemos de nuevo el primer verso del «Romance de la Guardia Civil española» de Lorca:

Los caballos negros son.

Desde el instante inicial en que el lector tropieza con ese verso, lo siente como simbólico de algo negativo, grave, como

---

[11] *Superrealismo poético y simbolización*, Madrid, ed. Gredos, 1979, páginas 197 y sigs.

amenazador. Sin duda se le despierta ya en el preconsciente
la serie igualatoria que sabemos:

> Los caballos negros son [= negrura = oscuridad, noche = no
> veo = tengo menos vida = estoy en peligro de muerte = muer-
> te =] emoción de muerte en la conciencia.

Ahora bien: reparemos en que el simbolismo desaparece en
cuanto cambiamos el orden sintáctico, y, en vez de decir «los
caballos negros son», decimos «los caballos son negros». Esta
última frase («los caballos son negros») queda despojada de
cualquier asociación de esa especie: es una mera observación
realista. Lo cual sin duda nos está indicando que en la inversión del orden rutinario («negros son» en vez de «son negros»)
es donde hay que buscar la causa contextual desencadenante
del proceso identificativo que conduce al simbolizado «muerte».
Esa inversión (la colocación del atributo objetivo, y en otro
tipo de oraciones el complemento directo, delante del verbo, y
no detrás, como es de uso más frecuente y natural) produce,
en efecto, por su relativa rareza, una sensación de énfasis (com-
pruébese lo mismo en la frase similar «sed tengo» en lugar de
«tengo sed» que leemos en la traducción castellana del Evan-
gelio). Énfasis que sirve para dotar al atributo «negros» de
una inusitada importancia o relieve, en el interior de la frase
en que está. Esa importancia que desusadamente cobra el adjetivo en cuestión, sentida por nosotros como «excesiva» con respecto a la que tiene ese mismo adjetivo en la frase normal
(«los caballos son negros») se nos antoja, al pronto, *incomprensible* (y en ese sentido y medida, y sólo, claro es, en ese
sentido y medida, *absurda*). Y es la incomprensibilidad, inaceptable por nuestra razón, lo que, también aquí, nos obliga a
hacernos con una explicación que deshaga el momentáneo des-
concierto y tranquilice la desapacibilidad de nuestro ánimo. En
el intento, pues, por nuestra parte, de entender el enigmático
énfasis de que la palabra «negros» se reviste, el lector busca en
ella un posible sentido trascendente que lo venga a justificar,
y lo halla haciendo que el vocablo en cuestión vierta en nos-

otros la trascendente significación simbólica de que es capaz [12]. Significación que de esta suerte se moviliza y asoma de un modo que no difiere esencialmente del que hemos comprobado en las irrealidades (inconexas, conexas y autónomas), puesto que también aquí es cierto género de incoherencia, dentro de un contexto, el factor que desencadena el proceso simbolizante.

Por supuesto, no es éste el único modo que tiene el simbolismo de realidad para surgir. Hay otra forma mucho más frecuente y usual: el encadenamiento; tal el que vemos en el poema de Machado que dice:

> Las ascuas de un crepúsculo morado
> detrás del negro cipresal humean.
> En la glorieta en sombra está la fuente
> con su alado y desnudo Amor de piedra,
> que sueña mudo. En la marmórea taza
> reposa el agua muerta.

poema en el que todas sus palabras principales («ascuas», «crepúsculo», «morado», «negro», «cipresal», «humean», «sombra», «sueña», «mudo», «marmórea», «reposa» y «muerta») se asocian de manera irracional con la misma noción: la de «muerte». Pues bien: he intentado demostrar en el libro mío antes citado que también en estos casos el simbolismo se engendra en el absurdo. Pero no es cuestión de repetir aquí lo que allí digo. Baste, pues, tan breve comentario.

---

[12] Por qué es capaz de ese simbolizado, véase en mi libro *Superrealismo poético y simbolización*, ed. cit., págs. 234-242.

APÉNDICE III

CAPITALISMO DEL SIGLO XIX Y RACIONALIDAD INDIVIDUALISTA

SALTO CUALITATIVO EN LA RACIONALIDAD DEL
CAPITALISMO POSTERIOR A LA REVOLUCIÓN ECONÓ-
MICA DE LA SEGUNDA MITAD DEL SIGLO XVIII

Hemos dicho en el capítulo V que, en el último tramo del siglo XVIII, se produce un cambio de «edad», al pasar a otro orden de magnitud el individualismo aportado por la nueva forma de Estado, la nueva estructura capitalista y el nuevo desarrollo técnico propios de ese momento histórico. Por no trastornar el «tempo» de la exposición de la tesis que en tal capítulo se encierra (la tesis de los cambios de edad), preferí entonces dejar para el presente «Apéndice» el examen de las trascendentales consecuencias que la revolución económica implicada en dos de los tres términos anteriormente mencionados (revolución que consiste efectivamente en la internacionalización del capitalismo y en la aplicación de la máquina de vapor a la industria) hubo de producir en la estructura de ese tipo de economía. Es fácil ver, en efecto, que todos los extremos en que éste y el espíritu burgués se manifiestan surgen estructuralmente transformados, lo cual demuestra que, de hecho, ha aparecido una nueva «edad» en el despliegue capitalista, la cual habrá de contribuir a que se instaure un espíritu similar en todas las esferas de la cultura. Podríamos hablar con Sombart a este propósito [1] de un capitalismo «temprano» y de otro «maduro» (o «moderno», como él dice), cuyo gozne o eje de giro se halla instalado a comienzos del siglo XIX, fecha en la que se van haciendo crecientemente visibles, añadamos nosotros, las consecuencias de la gran mudanza acaecida en la segunda mitad del siglo anterior. La primera de estas consecuencias, la fundamental, pues es el fundamento de todas las demás, consiste a mi juicio, en un incremento tan poderoso de uno de los componentes más importantes del capitalismo de todos los tiempos, la racionalidad, que debemos también hablar sin vacilación a tal respecto (como era, después de todo, de esperar) de «cambio de orden de magnitud». Procuraré mostrarlo en lo que sigue.

EL CAPITALISMO «TEMPRANO»: RACIONALIDAD SOFRENADA POR EL RESPETO AL HOMBRE

Según hemos indicado ya, el capitalismo puede ser definido (y ha sido, claro está, definido [2]) por el método racional con que tal sistema intenta satisfacer el afán de lucro. El cálculo y la planificación, inherentes al capitalismo, racionalistas, en efecto, son sin duda alguna. Ahora bien: hasta la fecha que he dicho, esta racionalidad tenía un tope o rémora que la estaba incesantemente sofrenando: un respeto de cierta clase, que me gustaría determinar con precisión, por la criatura humana. De entrada, es palmario y conocido el respeto, claro está, que a la sazón los empresarios se autoimponen, orientado a conservar la integridad de sus propias personas: ganancia, sí, trabajo, sí, pero no hasta el punto de que padezca el bienestar general del sujeto humano que, junto a otras muchas cosas, realiza negocios. La actividad económica se halla aún al servicio del hombre, y no al revés, como después ocurrirá. Se quiere ser rico para poder gozar de una serie de valores vitales, inasequibles

---

[1] Werner Sombart, *El burgués*, Madrid, Alianza Editorial, 1972, páginas 163-164.

[2] Max Weber, *op. cit.*, págs. 41-80, y especialmente, págs. 57, 68 y 78-79.

o menos plenamente asequibles, en caso de no llegar a serlo. Por tanto, se hace esencial disponer de tiempo suficiente para el quehacer puramente fruitivo. Durante el transcurso del día, se dedicarán unas horas al tranquilo paladeo de un ocio gratificador. El afortunado se retirará de sus actividades en buena edad, y pasará el resto de su vida en un merecido descanso [3].

Y respeto también por los otros. Por el consumidor, en primer lugar: hay que servirle productos bien acabados y de la mejor calidad posible. Respeto, asimismo, por los trabajadores o artesanos: está mal dejarles sin empleo por el uso de una técnica o una maquinaria más avanzadas, que tiendan a ahorrar esfuerzo humano, y, por lo tanto, salarios. Los progresos de la técnica son deseables, pero sólo en la medida en que no produzcan infelicidad. El respeto ha de extenderse incluso a los competidores, cuya clientela nadie debe intentar «robar», *rebajando* los precios de los productos propios, o *anunciando* su superioridad en cualquier sentido.

EL CAPITALISMO «MADURO»: RACIONALIDAD SIN FRENOS

Esta ética humanística de la burguesía temprana (compatible, por supuesto, con la tendencia, no siempre inhibida, a su pecaminosa transgresión) ha sido bien estudiada como opuesta, casi término a término, a la ética que vino después (en la fecha arriba señalada), característica del capitalismo «maduro» [4]. Lo que pretendo hacer ver es que el cambio que en este punto se produce *tiene como causa*, tal como adelanté, *el aumento de la racionalidad* aportado por la gran transformación dieciochesca, que conocemos ya, del sistema capitalista, aumento relacionado siempre, no lo olvidemos, con un crecimiento paralelo ocurrido en el grado del individualismo. La racionalidad, al agrandarse de este modo y aplicarse ya, consecuentemente, en efecto, *de modo incondicional* y, por tanto, de

---

[3] Werner Sombart, *op. cit.*, págs. 166-169.
[4] *Ibidem*, págs. 163-194.

modo *inexorable*, al desarrollo de la producción y de la economía, trajo consigo, por definición, la superación de todos los frenos «humanísticos» que anteriormente ponían aún un límite a la satisfacción del afán de lucro. Pues cuando la peculiar lógica del desenvolvimiento económico se intensifica enérgicamente, anteponiéndose a toda otra consideración, se colocará indefectiblemente en primer término, en vez del hombre, el negocio como tal, la *ganancia*. Este trueque inhumanizador era la culminación de un viejo proceso que había tenido tres grandes períodos, el primero de los cuales fue, naturalmente, la edad feudal, en donde la economía se hallaba al servicio del hombre en un sentido mucho más radical y pleno que en el momento posterior que acabamos de examinar, el del capitalismo «temprano». Triunfaba durante el feudalismo, en efecto, la «economía de gasto», esto es, la idea del «sustento digno». Cada persona, en aquella hora, había de recibir, en la teoría económica, tanto de riqueza cuanto fuese necesario para su mantenimiento decoroso y el de su familia, conforme al «estado» social al que tales individuos perteneciesen. La frontera de las ambiciones humanas quedaba implícitamente, de este modo, perfectamente establecida. La moral del capitalismo temprano que vino tras el feudalismo no era, según vimos, tan tajante en el sentido dicho, pues el límite humano, aunque aún subsistía, tenía ya una entidad muy rebajada en cuanto que se situaba sin duda mucho más lejos y en cuanto que, por supuesto, asomaba con perfiles bastante más maleables y menos rotundos: los que antes señalé. No había ya una raya que controlase la *cantidad* de ganancia a la que había de aspirarse. El buen burgués podía ganar lo que su habilidad o su fortuna le consintiesen, sin atender para nada a la cifra del «sustento». El tope no estaba, en efecto, ahí, en el campo de lo cuantitativo y crematístico, sino que se colocaba, según dejé dicho hace poco, en el orbe moral, mucho más impreciso, traslaticio y lábil: en el respeto a la dignidad o a la felicidad humanas. La nueva vigencia que se instaura luego, a comienzos del siglo XIX, y que pronto cobrará aún mayor auge, viene a completar el gran ciclo, y se constituye como su estadio final. La mayor racionalidad económica que en él reina obliga, en nuestra interpretación, a suprimir (ya lo indiqué) cuanto estuviese impidiendo el desenvolvimiento económico. ¡Fuera todo lastre! Los viejos prejuicios morales, concebidos, desde el punto de vista productivo, como obstáculo irracional, se vienen abajo. El afán de ganancia aparece entonces, *por primera vez (enorme revolución), sin frenos.* Es la era del capitalismo (en que aún vivimos) que habría, en este sentido, que llamar «desenfrenado». Si un método nuevo resulta más productivo o ventajoso, se implantará, pese a quien pese. Se trata, ante todo, de reducir costes. La maquinaria más moderna se preferirá a la antigua, no *a pesar de*, sino precisamente *porque* ahorra mano de obra. Un criterio semejante se aplicará a las ventas. Lo que importa es *vender* los productos y no la *calidad* de éstos (a no ser que la calidad haga a la mercancía más atractiva para el posible comprador). Y como decididamente la finalidad exclusiva son últimamente las ventas, todos los medios para incrementarlas quedarán de antemano aprobados, sean los que sean. No sólo parecerá bien, según nadie ignora (pues el hecho llega hasta nosotros intensificado y forma parte de nuestra vida cotidiana) hacer la *competencia* a los otros negociantes y acudir a la *propaganda* de las mercancías propias, sino que, incluso, se llegará a vender, en bastantes casos, con pérdidas, *para arruinar* a los competidores, y quedarse, de este modo, con todo el mercado. Por ahí se abrirán las puertas a juegos decididamente más sucios que, aunque fuera de la ley y situados más allá también de las reglas de la nueva moral comercial, se admiten frecuentemente de hecho con un silencio cómplice (sobornos, etc.). Otros casos de mayor gravedad, que también existen, entran ya de lleno en el terreno de la delincuencia, y no los tomamos aquí en cuenta más que como aberraciones; pero bien entendido que se trata de aberraciones *del mismo estado de cosas* que estamos ahora considerando.

INFINITISMO, AGIGANTAMIENTO CAPITALISTA

Y como, de esta forma, el capitalismo aparece sin retenciones, la meta de los deseos empresariales se localizará en el infinito. Al no haber ya nada que impida o amortigüe el crecimiento del negocio, éste tenderá a aquel progresivo agigantamiento cuyo tramo final examinábamos en el Capítulo V. Es de notar que las empresas (digámoslo de paso), al engrandecerse, *se hacen más racionales*, pues ahorran gastos en muchos sectores, con lo que se posibilitan precios más reducidos, y, como consecuencia, mayores ventas, o sea, un índice superior de ganancias. Surgen muy pronto así los grandes almacenes (el «Belle Jardinière» fue, creo, el primero de ellos, París, 1830, dedicado a confecciones; el «Bon Marché», también en París, es de 1850), y las «cadenas» de negocios (almacenes múltiples y sucursales fundados por Potin, 1845, sociedad Lyon inglesa). Luego, poco antes del fin de siglo, los «trust» y los «cártels»... Todo ello alude, según vamos viendo (y perdónese la insistencia, en nombre de la importancia de que el asunto se reviste), a una racionalidad creciente.

Pero el infinitismo de que hablo tiene aún otro fruto: la pérdida de la moderación como ideal de la vida del empresario. Ahora la empresa ha cobrado, de algún modo, vida propia, y todos los minutos resultarán escasos para abastecer y atender las necesidades del monstruo, ese negocio cuya secreta entelequia es el aumento indefinido e interminable de sus dimensiones en todos los sentidos.

RACIONALIDAD MAYOR Y OBJETIVIZACIÓN DE LAS VIRTUDES BURGUESAS

Pero volvamos a la progresiva racionalización. La racionalidad más alta afectará a todos los términos de la estructura económica, incluyendo, por supuesto, la práctica misma de las virtudes burguesas. La aplicación en el trabajo, el ahorro y la honradez se constituyeron históricamente pronto como valores que el burgués «antiguo» había cultivado con asiduidad, puesto que, sin vacilación, resultaban convenientes y hasta indispensables para la prosperidad de los negocios [5]. Ahora bien: tales inclinaciones eran virtuosas precisamente porque cabía su incumplimiento. Y en ese azar de la decisión moral que podía no darse, yacía, precisamente, un grave fallo o inconveniente, que necesitaba sortearse en la etapa, a estos efectos postrera, racionalizada más rigurosamente.

La culminación de tal proceso racionalizador no se produciría, en nuestro criterio, mientras esas indispensables prácticas estuviesen sometidas al albur veleidoso de la voluntad humana. Deberían dejar de ser virtudes, esto es, peligrosas azarosidades, para convertirse en constricciones no azarosas, en automatismos inevitables, o bien, en algo que va como de suyo y que se supone substancial, cosa inamovible y con la que se puede contar en todo caso, como se cuenta con el color verde del prado. Y eso es lo que ocurrió a partir de la Revolución industrial. Las máquinas obligan a sus servidores a realizar un trabajo no menos maquinal que el que les es a ellas propio. Y esa maquinalidad, o, expresado de otro modo, esa exactitud, puntualidad y perfección se transmiten luego, desde el aparato mecánico y sus inmediatos vínculos humanos, a todo el sistema en que aquél se halla instalado. La laboriosidad, que antes era una virtud, y que como tal podía o no practicarse, queda así garantizada, *objetivada.* Deja de ser asunto personal para convertirse en un ingrediente inexorable del armatoste formado por la empresa.

Lo mismo ocurre con las otras virtudes. También ellas se despersonalizan, y de un modo más evidente aún, en cierto modo, pues, en estos casos, la *objetivación de la virtud de que se trate en el seno del proceso productivo* se hace perfectamente compatible con la presencia de su inmoral opósito, como ya vio Sombart [6], *en la persona concreta del productor.*

---

[5] *Ibidem*, págs. 115-136.

[6] *Ibidem*, pág. 193.

Éste puede ser, por ejemplo, despilfarrador en su vida privada, sin mengua de que en la fábrica que él dirige, se aprovechen, como subproductos utilizables, hasta los últimos vestigios de unos desperdicios, que, gracias a eso, dejan de serlo.

Igual ocurre con la honradez. La honestidad de un banco se da por descontada. No aparece como asunto privado del banquero, a quien acaso no conozcamos, y que puede muy bien ser sustituido por otro, sin que nosotros dejemos por eso de prestar fe a la entidad como tal en la que hemos depositado nuestro dinero. El crédito lo tiene la institución, no su momentáneo y transferible gerente.

Este traslado de las virtudes burguesas desde la esfera subjetiva (donde resultaban precarias e inestables, al convertirse en presa posible del voluble juego de las pasiones) hasta la esfera de la inexorable objetividad (donde se petrifican, estabilizándose definitivamente en un como cielo moral, donde existe el goce pero no el mérito) significa indudablemente, a mi entender, la victoria de una racionalidad muy superior. Por todas partes llegamos, pues, a la misma conclusión, que apunta sin vacilar al hecho de la gran crecida que en estas fechas experimenta la razón dentro de la esfera económica propia del capitalismo. Y dada la conexión que media entre razón e individualismo, comprendemos que este capitalismo, transfigurado en cuanto a su orden de magnitud en la segunda mitad del siglo XVIII, está sirviendo ya, a comienzos del siglo XIX (y lo estará cada vez más), de molde objetivo que va haciendo fraguar sin duda una nueva edad cultural en nuestro mundo de occidente.

APÉNDICE IV

SOBRE LA EDAD POSCONTEMPORÁNEA DESCENTRALIZADORA

COMENTARIOS A UN LIBRO DE ALVIN TOFFLER

Compuesto ya el presente libro en noviembre de 1980, llega a mis manos la obra de Alvin Toffler, *La tercera ola*, publicada, como su original norteamericano, en 1980[1]. Y como sus ideas pueden servir de refuerzo y confirmación de la teoría sobre los cambios de edad que me he atrevido a proponer en el capítulo V, tal vez no sea del todo ocioso resumir aquí brevemente algunos de los datos que, aportados por ese volumen, nos conciernen en el sentido dicho.

Toffler, por supuesto, no alude para nada al individualismo, ni expone ninguna tesis acerca de los cambios de edad, cosas ambas que, por el contrario, han centrado nuestras consideraciones en ese capítulo. Pero concierta curiosamente con lo dicho por nosotros en tales páginas al pensar que en el momento que ahora vivimos, y ya desde 1965 aproximadamente, se insinúa, en todo el mundo, un nuevo tiempo histórico, una gran «ola» posindustrial, completamente distinta a la industrial que

---

[1] Alvin Toffler, *La tercera ola*, Barcelona, Plaza y Janés, 1980 (mes de noviembre). El original en inglés se titula *The third wave* (New York, William Morrow and Company, Inc. 1980). Hago las citas por la edición española.

le antecedió. Traducido a nuestra terminología, lo dicho por Toffler viene aquí a consonar con lo sostenido por nosotros; a saber, que en esa sazón termina el período «contemporáneo» iniciado en la revolución industrial y comienza una «edad» nueva. Pero la zona de contacto entre nuestras respectivas tesis no se queda, naturalmente, en tan poca cosa. También Toffler habla, en rigurosa conformidad con nuestro pensamiento, de descentralización política y hasta económica como características del tiempo que ahora se abre, y aun alude a la «complejidad» inmanejable de los problemas y de las estructuras de los grandes organismos sociales y económicos (la nación, las empresas capitalistas, etc.) como explicación de esa tendencia, tan aparentemente extraña, a la simplificación. Recuérdese que nosotros aludíamos, asimismo, a esto último[2], sólo que bajo el rótulo de «estímulo», ya que, desde nuestra doctrina, la causa cosmovisionaria, en cuanto distinta del «estímulo», consistía en el individualismo, cuyo grado, suficientemente elevado ya, había traído, desde la época romántica, dijimos, una crisis del racionalismo, caracterizado éste, precisamente, por la proclividad centralizadora. Es evidente, pensábamos, que la descentralización actual no representa otra cosa que la *culminación* de un proceso iniciado sin duda en el Romanticismo y continuado luego en el Simbolismo, en el Superrealismo y en el período existencialista y social, proceso que va repudiando cada vez más, y cada vez en nuevas áreas, el ordenancismo generalizador y el abstraccionismo, en nombre del respeto a la integridad de lo individual. Pero, si acertamos en esto, no puede ser, sin más, la complejidad *actual* de los problemas nacionales o económicos, como parece querer Toffler[3], la «causa» de ese repudio del centralismo político y económico, sino, de acuerdo con nuestra doctrina, sólo un «estímulo» de aquél, bien que, claro está, un «estímulo» importantísimo y hasta decisivo («estímulo» no quiere decir, en la interpretación que damos a la palabra, colaboración irrelevante —sobra recordarlo—). En

---

[2] Véase la pág. 124 del presente libro y la nota 10 a esa misma página.
[3] *Op. cit.*, págs. 389-391, 396 y 398.

efecto; por un lado vemos que la descentralización afecta, según indicábamos, a otros aspectos de la realidad actual *muy ajenos a esas motivaciones* («poder negro», «poder gay», feminismo, objetores de conciencia, y, en suma, «poder» de las minorías de muy varia índole [4]); de otra parte, observamos que en la época romántica, aunque se insinuaba ya, como digo, el proceso en cuestión y se tendía a rechazar las generalizaciones y la obediencia a normas procedentes de arriba en diversos aspectos de la cultura (negación de la Preceptiva, etc. [5]), de ningún modo había aún la menor hostilidad por lo que toca al centralismo capitalista o al político, *realidades ambas que, en esta época, intensifican, justamente, por el contrario* (y cada vez más en lo sucesivo hasta avanzada la segunda posguerra) *sus inclinaciones de esa especie uniformadora y unitaria.* Ahora bien: si hay un proceso, desde el Romanticismo, que atiende de manera creciente, y en campos progresivamente más extensos, a lo que de irreductibles tienen lo individual y la parte y desdeña las órdenes abusivamente arrasadoras procedentes del todo, *tiene que existir un motivo general* que explique sin excepciones los casos *todos* de esa sucesión, y no sólo alguno de ellos. Lo que sí puede ser parcial y diferente es, precisamente, el «estímulo» que en cada ocasión opere. Nada de esto tiene en cuenta, claro está, Toffler, cuya tesis, en este punto, es la tradicional que ha sido combatida por nosotros.

Por lo demás, el autor confirma nuestras suposiciones acerca del carácter universal de la descentralización política y económica en la nueva edad, así como el interés, que afecta también al mundo entero, por lo individual y discrepante. El período industrial, dice, se había caracterizado, no sólo por la descentralización, sino, correspondientemente, por la uniformización, la sincronización (se refiere con esta palabra a la puntualidad: por ejemplo, la de la entrada y salida de las fábricas y sus propagaciones irradiantes hacia todo el tejido social), la especia-

---

4 Véanse págs. 135-136 del presente libro.
5 Véanse págs. 28-30 del presente libro.

lización, la concentración y la maximalización [6]; consecuencias todas, añadamos nosotros, del racionalismo, que tiende a la igualdad o al allanamiento uniformista, a la exactitud, a la producción en serie y a la formación de cuerpos sociales o económicos cada vez mayores. Pues bien: ahora las características van a ser, punto por punto, las opuestas. Tal es lo que explica, entre otras cosas que nos atañen aquí menos, la proclividad descentralizadora que nosotros, no Toffler, relacionamos con la creciente importancia de la razón vital, del pensamiento concreto, traída, esa importancia de que hablamos, por la crisis de la razón racionalista, a causa del aumento, como expresé, del impulso individualista y del gusto consiguiente por lo individual y concreto.

Toffler examina la descentralización política en nuestra sociedad de hoy, y encuentra, como uno de sus síntomas palmarios, los intentos o programas autonomistas o secesionistas que hacen en ella peligrar, sugiere, la idea de nación [7]. El lector del presente libro sabe que nuestro pensamiento es, al propósito y simultáneamente, similar y otro). «Una serie de fuerzas tratan de transferir el poder político hacia abajo, desde la nación-Estado a regiones y grupos subnacionales» [8]. Córcega, Alsacia y Lorena, Bretaña, partes del Languedoc y otras comarcas presionan, de ese modo, sobre el gobierno de París. Escocia, Gales, Cornualles y Wessex hacen algo parecido respecto de Londres. En Bélgica, «aumenta la tensión entre valones, flamencos y bruselenses» [9]. Los tiroleses del sur en Italia, los eslovenos en Austria, los croatas en Yugoslavia, y docenas de grupos menos conocidos en otros sitios de Europa intentan una centrifugación pareja a la que existe entre las distintas «nacionalidades» españolas. «Al otro lado del Atlántico, no ha terminado aún la crisis interna del Canadá en torno a Quebec», y no falta un coro de voces separatistas en la región de Alberta [10]. En

---

[6] Alvin Toffler, *op. cit.*, págs. 59-72.
[7] *Ibidem*, pág. 303.
[8] *Ibidem*, pág. 303.
[9] *Ibidem*, pág. 305.
[10] *Ibidem*, pág. 305.

Australia y Nueva Zelanda se ve lo propio, así como en Estados Unidos y en la URSS. Este último gran país tiene problemas con los armenios y con los abjazianos de Georgia. En los Estados Unidos aumentan, a su vez, las presiones regionalistas. «Un informe preparado por Kissinger (…) examinaba la posible separación de California y el Sudoeste» [11]. No faltan corrientes de esta misma especie en Texas. Etc., etc.

En cuanto a la economía, Toffler aprecia idénticas orientaciones descentralizadoras. La descentralización es, dice, «una especie de consigna general en el campo de la empresa, y grandes compañías se apresuran a dividir sus departamentos en pequeños y más autónomos centros de ganancia [12]. Un caso típico fue la reorganización de Esmark, Inc., una poderosa compañía que operaba en las industrias alimentaria, química, petrolífera y de seguros». Se trataba de obtener una mayor eficacia, pues el gigante anterior se hacía difícil de manejar. «Un Esmark fraccionado en mil centros de ganancia, cada uno de ellos responsable, en gran medida, de sus propias operaciones [13], resultaba mucho más ágil y agresivo. Toffler trae a colación lo que afirma sobre este punto Business Week: «La descentralización es evidente en todas partes», (se refiere a la empresa citada) «menos en los controles financieros de Esmark». Abundando en el tema, cita Toffler el caso de una reciente reunión de 280 altos ejecutivos de la General Motors celebrada para hablar sobre cómo romper los moldes burocráticos y desplazar del centro las decisiones [14].

Pero la cosa va más allá. Se está descentralizando, asimismo, la economía considerada como un todo. Obsérvese, dice Toffler, el creciente poder de pequeños bancos regionales en los Estados Unidos frente al puñado de tradicionales gigantes del mercado del dinero [15]. Por otra parte, «las economías nacionales se están disgregando rápidamente en partes regionales y sectoriales,

---

[11] *Ibidem*, pág. 306.
[12] *Ibidem*, pág. 254.
[13] *Ibidem*, pág. 254.
[14] *Ibidem*, pág. 417.
[15] *Ibidem*, págs. 255-256.

economías subnacionales con problemas específicos y diferenciadores propios»[16].

Tal es, en resumen, el pensamiento de Toffler que nos incumbe. Como se ve, sus ideas vienen a reforzar otras que nosotros habíamos expuesto con antelación a su obra, pues no sólo las expresé en el capítulo V del presente trabajo, simultáneo al suyo, sino también en el prólogo que puse a la poesía completa de Guillermo Carnero, aparecido en marzo de 1979, y por lo tanto, un año antes de que Toffler publicase su libro[17]. Me interesaba señalar aquí, sin embargo, la coincidencia, pues ésta viene a ser sumamente corroboradora de la doctrina general sustentada en tal capítulo V acerca de los cambios de edad. En efecto: si yo he hablado allí de descentralización política y económica fue sólo para hacer ver, como recordará el lector, que también en nuestro momento histórico había un cambio de edad, *en el que se cumplía de nuevo, con toda precisión, la ley hallada para los cambios previos de la misma índole magna.* Es decir, la ley que hacía referencia a una mutación tripartita hacia otro orden de magnitud, que afectaba al desarrollo económico, político y técnico. Que ahora Toffler, desde una tesis y un propósito que nada tienen que ver con el nuestro, hable igualmente (pero además con la ventaja de hallarse libre de cualquier prejuicio que a nosotros pudiera afectarnos en cuanto al interés en demostrar la teorización que nos proponíamos), hable igualmente, repito, del paso actual, dado por toda la civilización occidental (que hoy aparece, nadie lo ignora, como mundial) *en dirección a una edad nueva cuyo signo es la descentralización,* tal como nosotros habíamos imaginado, resulta una inesperada y acaso contundente ratificación de nuestra doctrina, ratificación que me ha parecido pertinente ofrecer, aunque fuese de un modo sólo marginal y adyacente, en este «Apéndice» último.

---

[16] *Ibidem,* págs. 255-256.
[17] Carlos Bousoño, «La poesía de Guillermo Carnero», prólogo al libro de Guillermo Carnero, *Ensayo de una teoría de la visión —Poesía 1966-1977—,* Madrid, Ediciones Peralta, Col. Hiperión, 1979.

ÍNDICE DE NOMBRES PROPIOS

ÍNDICE DE MATERIAS

Capitalismo
— como causa del individualismo, 654-659.
— v. descentralización, especialización y economía.
— como razón, 87-92, 655, 701.
— del siglo XV; su influjo en el cambio de edad, 116; v. proteccionismo urbano.
— del siglo XVIII y su influjo en el cambio de edad, 117, 697-700.
— del siglo XIX, crecimiento de la racionalidad en el, 696-703.
— de la segunda posguerra, 126-134.
— desarrollo del — como factor de cambios de «edad», 113-136.
— impersonalización en el, 87, 121-122, 702-703.
— infinitismo del — siglo XIX, 701.
— inglés, representado en el Parlamento, 627.
— internacionalización del — en el siglo XVIII, 656, 696.
— mundialización del — en el siglo XIX, 117.
— origen geográfico del, 89.
— paso del capitalismo urbano al nacional en el siglo XV, 654.
— respeto y no respeto al hombre, 697-700.
— y Edad Moderna, 116.
— y gremios, 90.
— y reyes, 654 n. 87.
Características culturales
— aparentemente sin estímulos, v. estímulos.
— dos tipos de oposiciones en las, 206.
— frecuencia de las, 52, 174, v. cosmovisión.
— probables y característica obligada (el foco), 13.

— supradeterminación de las, 42, 43, 181-182.
— v. causas cosmovisionarias y estímulos.
Casuismo
— ausencia de psicología en la comedia española del siglo XVII como, 60, 347.
— como generalización, 60, 365-367.
— dogmatismo intolerante español como, 61.
— en el Siglo de Oro, 346-353.
— en el teatro español áureo, 60.
— medieval, 60 n. 16; como inversión de la mirada que va de la parte al todo, 344-346.
— justicia particularista como, 355-356.
— moral en el Siglo de Oro español, 60.
— particularista supone generalización, 365-367, 374-378.
— perduración del — en el Siglo de Oro, 346-353.
— v. comedia española y Edad Media,
Causa cosmovisionaria
— de la impersonalización de las emociones en la poesía contemporánea, 237.
— de la originalidad contemporánea en el arte, 283.
— de la minucia medieval, 337.
— de las características culturales, 120-122.
— de la sorpresa contemporánea, 283-284.
— de la supresión de la anécdota contemporánea, 270.
— del sentido de la composición contemporáneo, 281-283.
— v. causas históricas, ciencia, estímulo(s) y supresión de la anécdota.

ÍNDICE GENERAL

Anacronismos; b) Medievalización del más allá; c) Nacionalización de fuentes; d) Autobiografismo de Hita y Ayala; e) Integralismo, 327.

La inesencialidad emocionalmente imperceptible de las ecuaciones cosmovisionarias (la implicada en la seriedad) afecta a todas las épocas, 475.

BIBLIOTECA ROMÁNICA HISPÁNICA

Dirigida por: DÁMASO ALONSO

I. TRATADOS Y MONOGRAFÍAS

II. ESTUDIOS Y ENSAYOS

188. Nicolás A. S. Bratosevich: *El estilo de Horacio Quiroga en sus cuentos.* 204 págs.

189. Ignacio Soldevila Durante: *La obra narrativa de Max Aub (1929-1969).* 472 págs.

190. Leo Pollmann: *Sartre y Camus (Literatura de la existencia).* 286 páginas.

191. María del Carmen Bobes Naves: *La semiótica como teoría lingüística.* Segunda edición revisada y ampliada. 274 págs.

192. Emilio Carilla: *La creación del «Martín Fierro».* 308 págs.

193. E. Coseriu: *Sincronía, diacronía e historia (El problema del cambio lingüístico).* Segunda edición revisada y corregida. 290 págs.

194. Oscar Tacca: *Las voces de la novela.* Segunda edición, 206 págs.

195. J. L. Fortea: *La obra de Andrés Carranque de Ríos.* 240 págs.

196. Emilio Náñez Fernández: *El diminutivo (Historia y funciones en el español clásico y moderno).* 458 págs.

197. Andrew P. Debicki: *La poesía de Jorge Guillén.* 362 págs.

198. Ricardo Doménech: *El teatro de Buero Vallejo (Una meditación española).* Reimpresión. 372 págs.

199. Francisco Márquez Villanueva: *Fuentes literarias cervantinas.* 374 págs.

200. Emilio Orozco Díaz: *Lope y Góngora frente a frente.* 410 págs.

201. Charles Muller: *Estadística lingüística.* 416 págs.

202. Josse de Kock: *Introducción a la lingüística automática en las lenguas románicas.* 246 págs.

203. Juan Bautista Avalle-Arce: *Temas hispánicos medievales (Literatura e historia).* 390 págs.

204. Andrés R. Quintián: *Cultura y literatura españolas en Rubén Darío.* 302 págs.

205. E. Caracciolo Trejo: *La poesía de Vicente Huidobro y la van guardia.* 140 págs.

206. José Luis Martín: *La narrativa de Vargas Llosa (Acercamiento estilístico).* Reimpresión. 282 págs.

207. Ilse Nolting-Hauff: *Visión, sátira y agudeza en los «Sueños» de Quevedo.* 318 págs.

208. Allen W. Phillips: *Temas del modernismo hispánico y otros estudios.* 360 págs.

209. Marina Mayoral: *La poesía de Rosalía de Castro.* Con un prólogo de Rafael Lapesa. 596 págs.

210. Joaquín Casalduero: *«Cántico» de Jorge Guillén y «Aire nuestro».* 268 págs.

211. Diego Catalán: *La tradición manuscrita en la «Crónica de Alfonso XI».* 416 págs.

212. Daniel Devoto: *Textos y contextos (Estudios sobre la tradición).* 610 págs.

213. Francisco López Estrada: *Los libros de pastores en la literatura española (La órbita previa).* 576 págs. 16 láminas.

4. Francisco López Estrada: *Introducción a la literatura medieval española.* Cuarta edición renovada. 606 págs.
6. Fernando Lázaro Carreter: *Diccionario de términos filológicos.* Tercera edición corregida. Reimpresión. 444 págs.
8. Alonso Zamora Vicente: *Dialectología española.* Segunda edición muy aumentada. Reimpresión. 588 págs. 22 mapas.
9. Pilar Vázquez Cuesta y Maria Albertina Mendes da Luz: *Gramatica portuguesa.* Tercera edición corregida y aumentada. 2 vols.
10. Antonio M. Badia Margarit: *Gramática catalana.* Reimpresión. 2 vols.
11. Walter Porzig: *El mundo maravilloso del lenguaje. (Problemas, métodos y resultados de la lingüística moderna.)* Segunda edición corregida y aumentada. Reimpresión. 486 págs.
12. Heinrich Lausberg: *Lingüística románica.* Reimpresión. 2 vols.
13. André Martinet: *Elementos de lingüística general.* Segunda edición revisada. Reimpresión. 274 págs.
14. Walther von Wartburg: *Evolución y estructura de la lengua francesa.* 350 págs.
15. Heinrich Lausberg: *Manual de retórica literaria (Fundamentos de una ciencia de la literatura).* 3 vols.
16. Georges Mounin: *Historia de la lingüística (Desde los orígenes al siglo XX).* Reimpresión. 236 págs.
17. André Martinet: *La lingüística sincrónica (Estudios e investigaciones).* Reimpresión. 228 págs.
18. Bruno Migliorini: *Historia de la lengua italiana.* 2 vols. 36 láminas.
19. Louis Hjelmslev: *El lenguaje.* Segunda edición aumentada. Reimpresión. 196 págs. 1 lámina.
20. Bertil Malmberg: *Lingüística estructural y comunicación humana.* Reimpresión. 328 págs. 9 láminas.
22. Francisco Rodríguez Adrados: *Lingüística estructural.* Segunda edición revisada y aumentada. 2 vols.
23. Claude Pichois y André-M. Rousseau: *La literatura comparada.* 246 págs.
24. Francisco López Estrada: *Métrica española del siglo XX.* Reimpresión. 226 págs.
25. Rudolf Baehr: *Manual de versificación española.* Reimpresión. 444 págs.
26. H. A. Gleason, Jr.: *Introducción a la lingüística descriptiva.* Reimpresión. 770 págs.
27. A. J. Greimas: *Semántica estructural (Investigación metodológica).* Reimpresión. 398 págs.
28. R. H. Robins: *Lingüística general (Estudio introductorio).* Reimpresión. 488 págs.
29. Iorgu Iordan y Maria Manoliu: *Manual de lingüística románica.* Revisión, reelaboración parcial y notas por Manuel Alvar. 2 vols.